二十四史

郑红峰 主编

〔第五卷〕

光明日报出版社

〔旧唐书〕

太宗本纪

太宗文武大圣大广孝皇帝讳世民，高祖第二子也。母曰太穆顺圣皇后窦氏。隋开皇十八年十二月戊午，生于武功之别馆。时有二龙戏于馆门之外，三日而去。高祖之临岐州，太宗时年四岁。有书生自言善相，谒高祖曰："公贵人也，且有贵子。"见太宗，曰："龙凤之姿，天日之表，年将二十，必能济世安民矣。"高祖惧其言泄，将杀之，忽失所在，因采"济世安民"之义以为名焉。太宗幼聪睿，玄鉴深远，临机果断，不拘小节，时人莫能测也。

大业末，炀帝于雁门为突厥所围，太宗应募救援，隶屯卫将军云定兴营。将行，谓定兴曰："必赍旗鼓以设疑兵。且始毕可汗举国之师，敢围天子，必以国家仓卒无援。我张军容，令数十里幡旗相续，夜则钲鼓相应，虏必谓救兵云集，望尘而遁矣。不然，彼众我寡，悉军来战，必不能支矣。"定兴从焉。师次崞县，突厥候骑驰告始毕曰：王师大至。由是解围而遁。及高祖之守太原，太宗时年十八。有高阳贼帅魏刁儿，自号历山飞。来攻太原，高祖击之，深入贼阵。太宗以轻骑突围而进，射之，所向皆披靡，拔高祖于万众之中。适会步兵至，高祖与太宗又奋击，大破之。时隋祚已终，太宗潜图义举，每折节下士，推财养客，群盗大侠，莫不愿效死力。及义兵起，乃率兵略徇西河，克之。拜右领大都督，右三军皆隶焉，封敦煌郡公。

【译文】

太宗文武大圣大广孝皇帝名世民，高祖第二子。母亲是太穆顺圣皇后窦氏。隋代开皇十八年十二月戊午，出生于高祖在武功县的别馆里。当时有两条龙在别墅门外游戏，三天才离开。高祖到岐州任刺史，太宗当时四岁。有个书生自称善长算命，晋见高祖说："您是贵人，而且有贵子。"

见到太宗，说："龙凤的姿貌，天庭隆起的仪表，年近二十，必定能济世安民。"高祖怕他把这话泄露出去，准备杀掉他，书生忽然不见了，于是取"济世安民"的意思作为名字。太宗年幼时聪明多智，见解深远，处事果断，不拘小节，当时人都摸不透他。

大业末年，隋炀帝在雁门被突厥围困，太宗应募前去救援，隶属于屯卫将军云定兴的部队。临出发时，太宗对定兴说："一定要携带旗鼓，用来虚设队伍，迷惑敌人。始毕可汗率领全国的军队，敢于来围困天子，一定以为国家仓促间派不出援兵。我方部署队伍，让数十里旗帜相连，夜晚则钲鼓声相应，敌人必定会以为救兵云集，望见我军的行尘而逃去。要不然，敌众我寡，敌人全军来战，我方一定支持不住。"定兴听从太宗的意见。部队在崞县宿营，突厥的侦察骑兵跑回去报告始毕说：隋朝的大军已到。突厥因此解围而去。高祖守太原的时候，太宗十八岁。有高阳盗贼首领魏刁儿，自己起个号叫历山飞，来攻太原，高祖袭击敌人，深入贼阵。太宗用轻骑兵突围进入贼阵，箭射贼兵，所到之处，敌皆倒退，于是把高祖从上万贼兵的围困中救出。这时正好遇上步兵开到，高祖与太宗又奋力进击，大破敌兵。这时隋朝气数已尽，太宗暗中图谋起义，常屈己下人，舍财养客，群盗大侠，无不愿效死力。等到义军一起，便率兵夺取西河，攻下了它。太宗拜右领军大都督，右三军都归他统领，封敦煌郡公。

大军西上贾胡堡，隋将宋老生率精兵二万屯霍邑，以拒义师。会久雨粮尽，高祖与裴寂议，且还太原，以图后举。太宗曰："本兴大义以救苍生，当须先入咸阳，号令天下；遇小敌即班师，将恐从义之徒一朝解体。还守太原一城之地，此为贼耳，何以自全！"高祖不纳，促令引发。太宗遂号泣于外，声闻帐中。高祖召问其故，对曰："今兵以义动，进战则必克，退还则必散。众散于前，敌乘于后，死亡须臾而至，是以悲耳。"高祖乃悟而止。

八月己卯，雨霁，高祖引师趣霍邑。太宗恐老生不出战，乃将数骑先诣其城下，举鞭指麾，若将围城者，以激怒之。老生果怒，开门出兵，背城而阵。高祖与建成合阵于城东，太宗及柴绍阵于城南。老生麾兵疾进，先薄高祖，而建成坠马，老生乘之，高祖与建成军咸却。太宗自南原率二骑驰下峻坂，冲断其军，引兵奋击，贼众大败，各舍仗而走。悬门发，老生引绳欲上，遂斩之，平霍邑。至河东，关中豪杰争走赴义。太宗请进师入关，取永丰仓以赈穷乏，收群盗以图京师，高祖称善。太宗以前军济河，先定渭北。三辅吏民及诸豪猾诣军门请自效者日以千计，扶老携幼，满于麾下。收纳英俊，以备僚列，远近闻者，咸自托焉。师次于泾阳，胜兵九万，破胡贼刘鹞子，并其众。留殷开山、刘弘基屯长安故城。太宗自趣司竹，贼帅李仲文、何潘仁、向善志等皆来会，顿于阿城，获兵十三万。长安父老赍牛酒诣旌门者不可胜纪，劳而遣之，一无所受。军令严肃，秋毫无所犯。寻与大军平京城。高祖辅政，受唐国内史，改封秦国公。会薛举以劲卒十万来逼渭滨，太宗亲击之，大破其众，追斩万余级，略地至于陇坻。

【译文】

起义大军西上贾胡堡，隋将宋老生率领精兵两万屯驻霍邑，以抵挡义军。正遇上连天阴雨，军粮用尽，高祖与裴寂商议，暂且领兵回太原，再谋划以后的行动。太宗说："原本兴立大义是为了拯救百姓，应当先攻入咸阳，号令天下；遇到小敌就回师，恐怕随从起义的人将会一朝解体。回去守太原一城之地，这不过是贼寇罢了，怎么能保全自己！"高祖不接受，催促他带兵出发。太宗于是在营帐外啼哭，声音传入营帐中。高祖召太宗进帐，询问原因，回答说："现在部队凭借正义而出动，前进战斗就必定胜利，退回就一定会散伙。大家散伙于前，敌人趁机追击于后，死亡将顷刻而至，因此悲伤。"高祖醒悟，停止退兵。

八月己卯日，雨过天晴，高祖领兵直趋霍邑。太宗怕老生不出战，于是率领数名骑兵先到霍邑城下，拿着马鞭指点比画，好像要围城的样子，以此激怒老生。老生果然发怒，开门出兵，背城列阵。高祖与李建成一起列阵于城东，太宗和柴绍列阵于城南。老生指挥兵士迅速前进，先逼近高祖，这时建成忽然坠马，老生趁机进攻，高祖与建成的部队都往后退。太宗自城南高地率领两名骑兵急驰而下，冲断了老生的部队，又领兵奋力进击，敌军大败，各自扔掉兵器逃跑。城上的闸门放下，老生手拉绳子想上城，于是被砍死，霍邑平定。部队到河东，关中豪杰争着跑来参加义军。太宗请求进兵入关，夺取永丰仓用来救济穷苦百姓，收编各路盗贼以便谋取京师，高祖认为这个建议很好。太宗带领先锋部队渡过黄河，先平定渭北。三辅的官吏百姓以及各式强宗豪族，到营门请求让自己效力的每日有上千人，扶老携幼，拥挤于将旗之下。太宗收纳优秀人才，用以充任朝廷官吏，远近听到消息的人，无不自求托身于此。部队在泾阳宿营，有优秀兵士九万名，击破贼寇胡人刘鹞子，兼并了他的部下。留下殷开山、刘弘基屯驻长安旧城。太宗自己奔赴司竹，盗贼首领李仲文、何潘仁、向善志等都来相见，停留于阿城，获得兵士十三万人。长安父老牵牛担酒到营门劳军的不可胜数，太宗都加以慰问，然后送走他们，东西一概不收。军令严肃，秋毫无犯。接着与大军一起平定京城。高祖任宰相时，太宗当唐国内史，改封秦国公。恰巧薛举率精壮的士兵十万逼近渭水边，太宗亲自迎击，大破敌兵，追杀万余人，夺取的土地一直到了陇坻。

义宁元年十二月，复为右元帅，总兵十万徇东都。及将旋，谓左右曰："贼见吾还，必相追蹑。"设三伏以待之。俄而隋将段达率万余人自后而至，度三王陵，发伏击之，段达大败，追奔至于城下。因于宜阳、新安置熊、谷二州，戍之而还。徙封赵国公。高祖受禅，拜尚书令、右武候大将军，进封秦王，加授雍州牧。

武德元年七月，薛举寇泾州，太宗率众讨之，不利而旋。九月，薛举死，其子仁杲嗣立。太宗又为元帅以击仁杲，相持于折墌城，深沟高垒者六十余日。贼众十余万，兵锋甚锐，数来挑战，太宗按甲以挫之。贼粮尽，其将牟君才、梁胡郎来降。太宗谓诸将军曰："彼气衰矣，吾当取之。"遣将军庞玉先阵于浅水原南以诱之，贼将宗罗睺并军来拒，玉军几败。既而太宗亲御大军，奄自原北，出其不意。罗睺望见，复回师相拒。太宗将骁骑数十入贼阵，于是王师表里齐奋，罗睺大溃，斩首数千级，投涧谷而死者不可胜计。太宗率左右二十余骑追奔，直趣折墌以乘之。仁杲大惧，婴城自守。将夕，大军继至，四面合围。诘朝，仁杲请降，俘其精兵万余人、男女五万口。既而诸将奉贺，因问曰："始大王野战破贼，其主尚保坚城，王无攻具，轻骑腾逐，不待步兵，径薄城下，咸疑不克，而竟下之，何也？"太宗曰："此以权道迫之，使其计不暇发，以故克也。罗睺恃往年之胜，兼复养锐日久，见吾不出，意在相轻。今喜吾出，悉兵来战，虽击破之，擒杀盖少。若不急蹑，还走投城，仁杲收而抚之，则便未可得矣。且其兵众皆陇西人，一败披退，不及回顾，散归陇外，则折墌自虚，我军随而迫之，所以惧而降也。此可谓成算，诸君尽不见耶？”诸将曰：“此非凡人所能及也。”获贼兵精骑甚众，还令仁杲兄弟及贼帅宗罗睺、翟长孙等领之。太宗与之游猎驰射，无所间然。贼徒荷恩慑气，咸愿效死。时李密初附，高祖令密驰传迎太宗于豳州。密见太宗天姿神武，军威严肃，惊悚叹服，私谓殷开山曰：“真英主也。不如此，何以定祸乱乎？”凯旋，献捷于太庙。拜太尉、陕东道行台尚书令，镇长春宫，关东兵马并受节度。寻加左武候大将军、凉州总管。

【译文】

义宁元年十二月，太宗又任右元帅，统兵十万前去夺取东都。到了准备回师的时候，对部下说：“贼寇见我回去，必定会追赶。”设三处埋伏等待敌军。没多久隋将段达率领一万多人尾随而至，走过三王陵，发伏兵出击，段达大败，太宗的部队追击逃敌一直到了东都城下。于是在宜阳、新安设置熊、谷两州，派兵防守而后回京。太宗改封赵国公。高祖接受隋帝禅让，太宗拜尚书令、右武候大将军，进封秦王，加授雍州牧。

武德元年七月，薛举死去，他的儿子薛仁杲继位。太宗又任元帅带兵攻打仁杲，双方相持于折墌城，各挖深沟筑高垒，对抗六十余日。贼寇有十多万人，军队的锋芒甚锐，多次来挑战，太宗按兵不动以挫它的锐气。贼寇的粮食用完了，他们的将领牟君才、梁胡郎前来投降。太宗对手下的将军们说：“敌军已经气衰，我应该征服它了。”派将军庞玉先在浅水原南列阵以引诱敌人，敌将宗罗睺率全军出战，庞玉的部队几乎被打败。接着太宗亲自统领大军，忽然从浅水原北出现，出敌不意。罗睺望见后，又回师抵抗。太宗率领数十名骁勇的骑兵冲入贼阵，于是朝廷的军队里外一起奋战，罗睺溃不成军，斩敌兵首级数千，落入涧谷而死的人更多得没法统计。太宗率领左右二十多名骑兵追击逃敌，直趋折墌城下以便乘机破城。仁杲非常害怕，环城固守。快到傍晚的时候，大军到达，四面合围。第二天早晨，仁杲请求投降，俘获他的精兵一万多人、随军的男女五万名。接着将领们向太宗表示祝贺，于是问道：“开始大王在野外击破贼寇，他们的主子还保有坚固的城池，大王没有攻城的器具，靠轻骑兵奔驰追逐，不等候步兵，直逼城下，大家都怀疑不能攻克这个城，却竟然攻下了，这是为什么呢？”太宗说：“这是用随机应变的方法逼迫敌人，使他们的计谋来不及形成，所以能攻克。罗睺依恃往年的胜利，加上养精蓄锐的日子很长，见我们不出战，便有相轻之意。现在高兴我们出战，于是率领全部人马迎击，我们虽然击破敌人，但擒获、杀死的人并不多。如不急追，使敌人还跑回城里，仁杲收聚、安抚这些败卒，那我们就得不到这个城了。而且罗睺的部下都是陇西人，一打败仗，溃散后退，来不及回头，便逃归陇西，那么折墌城自然空虚，我军随着逼近它，所以就害怕而投降。这可说是既定的计划，诸位都没看到吗？”将领们说：“这不是我们这些凡人所能赶得上的。”获得敌军精壮的骑兵甚多，还让仁杲兄弟及敌军首领宗罗睺、翟长孙等统领。太宗和他们一起骑马打猎，没有什么隔阂。这帮贼寇蒙受恩惠，屏息丧气，全愿舍命效力。当时李密刚归附朝廷，高祖命他乘驿车到幽州迎接太宗。李密见太宗容貌精明而威武，军威严肃，惊畏叹服，私下对殷开山说：“真是英明的主子。不像这样，怎么能平定祸乱呢？”太宗凯旋回京，到太庙进献战利品。拜为太尉、陕东道行台尚书令，坐镇长春宫，关东的兵马都归他指挥调度。接着加授左武候大将军、凉州总管。

宋金刚之陷浍州也，兵锋甚锐。高祖以王行本尚据蒲州，吕崇茂反于夏县，晋、浍二州相继陷没，关中震骇，乃手敕曰：“贼势如此，难与争锋，宜弃河东之地，谨守关西而已。”太宗上表曰：“太原王业所基，国之根本，河东殷实，京邑所资。若举而弃之，臣窃愤恨。愿假精兵三万，必能平殄武周，克复汾、晋。”高祖于是悉发关中兵以益之，又幸长春宫亲送太宗。二年十一月，太宗率众趣龙门关，履冰而渡之，进屯柏壁，与贼将宋金刚相持。寻而永安王孝基败于夏县，于筠、独孤怀恩、唐俭并为贼将寻相、尉迟敬德所执，将还浍州。太宗遣殷开山、秦叔宝邀之于美良川，大破之，相等仅以身免，悉虏其众，复归柏壁。于是诸将咸请战，太宗曰：“金刚悬军千里，深入吾地，精兵骁将，皆在于此。武周据太原，专倚金刚以为捍。士卒虽众，内实空虚，意在速战。我坚营蓄锐以挫其锋，粮尽计穷，自当遁走。”

三年二月，金刚竟以众馁而遁，太宗追之至介州。金刚列阵，南北七里，以拒官军。太宗遣总管李世绩、程咬金、秦叔宝当其北，翟长孙、秦武通当其南。诸军战小却，为贼所乘。太宗率精骑击之，冲其阵后，贼众大败，追奔数十里。敬德、相率众八千来降，还令敬德督之，与军营相参。屈突通惧其为变，骤以为请。太宗曰：“昔萧王推赤心置人腹中，并能毕命，今委任敬德，又何疑也。”于是刘武周奔于突厥，并、汾悉复旧地。诏就军加拜益州道行台尚书令。

【译文】

宋金刚攻陷浍州的时候，军队的锋芒甚锐。高祖因为王行本还占据蒲州，吕崇茂在夏县反叛，晋州、浍州相继陷落，关中震惊，就亲自给太宗写诏书说：“贼寇的势力像这样，难以同他们争斗一决胜负，应该放弃河东，谨慎防守关西。”太宗进上奏章说：“太原是王业的奠基之地，国家的根本，河东富足，京城依托于它。如果攻下而又放弃它们，臣私下感到愤恨。愿陛下借给精兵三万，必定能消灭刘武周，克复汾州、晋州。”高祖于是全部征调关中的军队以增强太宗的兵力，又亲临长春宫送太宗。武德二年十一月，太宗率领部队奔赴龙门关，踩着冰过河，进驻柏壁，与贼将宋金刚相持。接着永安王李孝基在夏县打败仗，于筠、独孤怀恩、唐俭都被贼将寻相、尉迟敬德抓获。敌军将回浍州，太宗派殷开山、秦叔宝在美良川拦击，大破敌军，寻相等只独自逃脱，他们的部下全被俘虏，殷开山、秦叔宝又回到柏壁。于是将领们全来请战，太宗说：“金刚孤军千里，深入我们的地方，精兵骁将，都集中在这里。刘武周据有太原，专依靠金刚保卫自己。敌人士卒虽多，内实空虚，意在速战。我们加固营垒、养精蓄锐以挫敌人的锋芒，一朝粮尽计穷，敌人自当逃走。”

武德三年二月，金刚竟因士卒饥饿而逃跑，太宗追赶他们到介州。金刚列阵，南北七里，以抵挡官军。太宗派总管李世绩、程咬金、秦叔宝在其阵北抵敌，翟长孙、秦武通在其阵南抵敌。各军作战退却，被贼寇钻了空子。太宗率领精壮骑兵攻打敌人，冲击敌军阵后，贼寇大败，太宗追击逃兵跑了数十里地。尉迟敬德、寻相率领八千人前来投降，太宗还让敬德统领这些兵士，与太宗军营的人相杂。屈突通害怕他们有变故，急忙向太宗禀报。太宗说：“以前萧王将心腹安排到他人身旁，都能尽力效命，现在委任敬德，又有什么可以怀疑的地方呢。”于是刘武周逃奔突厥，并州、汾州全恢复原有的辖地。高祖下令往军中加授太宗为益州道行台尚书令。

七月，总率诸军攻王世充于洛邑，师次谷州。世充率精兵三万阵于慈涧，太宗以轻骑挑之。时众寡不敌，陷于重围，左右咸惧。太宗命左右先归，独留后殿。世充骁将单雄信数百骑夹道来逼，交抢竞进，太宗几为所败。太宗左右射之，无不应弦而倒，获其大将燕颀。世充乃拔慈涧之镇归于东都。太宗遣行军总管史万宝自宜阳南据龙门，刘德威自太行东围河内，王君廓自洛口断贼粮道。又遣黄君汉夜从孝水河中下舟师袭回洛城，克之。黄河已南，莫不响应，城堡相次来降。大军进屯邙山。九月，太宗以五百骑先观战地，卒与世充万余人相遇，会战，复破之，斩首三千余级，获大将陈智略，世充仅以身免。其所署筠州总管杨庆遣使请降，遣李世绩率师出轘道安抚其众。荥、汴、洧、豫九州相继来降。世充遂求救于窦建德。

四年二月，又进屯青城宫。营垒未立，世充众二万自方诸门临谷水而阵。太宗以精骑阵于北邙山，令屈突通率步卒五千渡水以击之，因诫通曰：“待兵交即放烟，吾当率骑军南下。”兵才接，太宗以骑冲之，挺身先进，与通表里相应。贼众殊死战，散而复合者数焉。自辰及午，贼众始退。纵兵乘之，俘斩八千人，于是进营城下。世充不敢复出，但婴城自守，以待建德之援。太宗遣诸军掘堑，匝布长围以守之。吴王杜伏威遣其将陈正通、徐召宗率精兵二千来会于军所。伪郑州司马沈悦以武牢降，将军王君廓应之，擒其伪荆王王行本。会窦建德以兵十余万来援世充，至于酸枣。萧瑀、屈突通、封德彝皆以腹背受敌，恐非万全，请退师谷州以观之。太宗曰：“世充粮尽，内外离心，我当不劳攻击，坐收其敝。建德新破孟海公，将骄卒惰，吾当进据武牢，扼其襟要。贼若冒险与我争锋，破之必矣。如其不战，旬日间世充当自溃。若不速进，贼入武牢，诸城新附，必不能守。二贼并力，将若之何？”通又请解围就险以候其变，太宗不许。于是留通辅齐王元吉以围世充，亲率步骑三千五百人趣武牢。

【译文】

七月，太宗总领各军往洛邑攻打王世充，部队在谷州宿营。世充率领精兵三万在慈涧列阵，太宗率领轻骑兵向敌人挑战。当时众寡不敌，官军陷于重围，太宗旁边的人都感到害怕。太宗命令旁边的人先回去，单独留下来殿后。这时世充骁将单雄信的数百名骑兵从道路两边直逼太宗，他们交互争先，竞相向前，太宗几乎被他们打败。太宗左右开弓，敌兵无不应弦落马，将敌军的大将燕颀俘获。世充于是撤去慈涧的据点回到东都。太宗派行军总管史万宝自宜阳往南占据龙门，刘德威自太行向东包围河内，王君廓自洛口截断贼寇的运粮通道。又派黄君汉率水军夜晚从孝水河顺流而下袭击回洛城，一举攻克了它。黄河以南，无不响应，城堡一个接一个前来投降。大军进驻邙山。九月，太宗带五百名骑兵先去观察地形，突然与世充率领的一万多人相遇，双方会战，又破敌军，斩首级三千余，俘获大将陈智略，只有世充独自脱身。王世充所委任的筠州总管杨庆派使者要求投降，太宗派李世绩率军出辕道安抚杨庆的部队。荥、汴、洧、豫等九州相继前来投降。世充于是向窦建德求救。

武德四年二月，太宗又进驻青城宫。营垒还没有建立起来，王世充的部队两万人即出方诸门临谷水列阵。太宗率精壮骑兵在北邙山列阵，命令屈突通率步兵五千渡过谷水攻击敌军，于是告诫屈突通说："等两军交战就放烟为号，我当率骑兵南下。"军队刚交战，太宗率骑兵冲击敌人，挺身走在队伍前方，与屈突通里外相应。贼军拼死战斗，多次散而复合。自辰时到午时，敌人才开始后退。太宗趁势纵兵追击，俘虏和杀死敌军八千人，于是部队前进到洛阳城下扎营。世充不敢再出来，只环城固守，以等待窦建德的援兵。太宗派各部队在营外挖壕沟，营四周布满长围子以利防守。吴王杜伏威派他的将领陈正通、徐召宗率精兵两千前来同太宗的部队会合。伪郑州司马沈悦献武牢关投降，将军王君廓同他里应外合，擒获了关里的伪荆王王行本。正好窦建德领兵十多万前来援救世充，到了酸枣。萧瑀、屈突通、封德彝都认为腹背受敌，恐怕不是万全之策，要求退兵到谷州以观察敌情。太宗说："世充粮尽，内外离心，我们合当不费力攻击，坐等他自己破败而得利。建德新破孟海公，将骄兵惰，我们应该进兵据守虎牢，扼制要害之地。贼寇如果冒险与我们决战，击破他们是必然的。如果贼寇不战，十日间世充当自崩溃。如果不迅速进兵，贼寇一入虎牢，各城新归附我们，必定无法守住。那时世充、建德两贼协力，我们将怎么办呢？”屈突通又要求解东都之围移军险要之地以等待敌军的变化，太宗不允许。于是留下屈突通辅助齐王李元吉包围世充，亲自率领步、骑兵三千五百人奔赴武牢。

建德自荥阳西上，筑垒于板渚，太宗屯武牢，相持二十余日。谍者曰：“建德伺官军刍尽，候牧马于河北，因将袭武牢。”太宗知其谋，遂牧马河北以诱之。诘朝，建德果悉众而至，陈兵汜水，世充将郭士衡阵于其南，绵亘数里，鼓噪，诸将大惧。太宗将数骑升高丘以望之，谓诸将曰：“贼起山东，未见大敌。今度险而嚣，是无政令；逼城而阵，有轻我心。我按兵不出，彼乃气衰，阵久卒饥，必将自退，追而击之，无往不克。吾与公等约，必以午时后破之。”建德列阵，自辰至午，兵士饥倦，皆坐列，又争饮水，逡巡敛退。太宗曰：“可击矣！”亲率轻骑追而诱之，众继至。建德回师而阵，未及整列，太宗先登击之，所向皆靡。俄而众军合战，嚣尘四起。太宗率史大奈、程咬金、秦叔宝、宇文歆等挥幡而入，直突出其阵后，张我旗帜。贼顾见之，大溃。追奔三十里，斩首三千余级，虏其众五万，生擒建德于阵。太宗数之曰：“我以干戈问罪，本在王世充，得失存亡，不预汝事，何故越境，犯我兵锋？”建德股栗而言曰：“今若不来，恐劳远取。”高祖闻而大悦，手诏曰：“隋氏分崩，崤函隔绝。两雄合势，一朝清荡。兵既克捷，更无死伤。无愧为臣，不忧其父，并汝功也。”乃将建德至东都城下。世充惧，率其官属二千余人诣军门请降，山东悉平。太宗入据宫城，令萧瑀、窦轨等封守府库，一无所取，令记室房玄龄收隋图籍。于是诛其同恶段达等五十余人，枉被囚禁者悉释之，非罪诛戮者祭而诔之。大飨将士，班赐有差。高祖令尚书左仆射裴寂劳于军中。

【译文】

窦建德由荥阳西上，筑营垒于板渚，太宗驻武牢，双方相持二十余日。间谍报告说："建德等候官军草料用尽，侦察到官军在黄河北岸放马，就将袭击武牢。"太宗知道敌人的计划，于是将马匹放在黄河的北岸引诱敌人。第二天早晨，建德果然倾巢而动，列军汜水，世充的将领郭士衡也列阵于窦建德之南，绵延数里，击鼓呼叫，将领们非常害怕。太宗带数名骑兵登上高地瞭望敌阵，对将领们说："这些贼寇起于山东，未遇见大敌。现在他们将要通过险要之地却如此喧闹，这是军队中没有规矩法令的表现。逼近城堡而列阵，这是有轻我之心。我们按兵不出，敌军的锐气就会渐衰，列阵时间一长，兵士饥饿，必将自己退兵，那时追击敌人，无往不克。我与诸位相约，一定在午时后破敌。"窦建德列阵，自辰时至午时，兵士饥饿疲倦，都坐在队列里，又争水喝，不一会儿收兵退走。太宗说："可以出击了！"于是亲自率领轻骑兵追赶并引诱敌人，大部队也接着赶到。建德把军队掉转过来列阵，还来不及整理队伍，太宗就先上前进攻，所到之处，敌皆倒退。一会儿众军合战，喊声四起，尘土飞扬。太宗率领史大奈、程咬金、秦叔宝、宇文歆等挥旗进入敌阵，直接冲杀到敌军阵后，张开我军的旗帜。贼寇回头见到旗帜，溃不成军。太宗追击逃兵跑了三十里地，斩敌军首级三千余，俘获敌兵五万名，在阵中活捉了窦建德。太宗责备他说："我兴师问罪，目标本在王世充。得失存亡，不干你事，为什么越过自己的境域，触犯我军的锋芒？"建德吓得两腿发抖说道："现在我如果不来，怕还要有劳您到远方去拿我。"高祖听到胜利的消息非常高兴，亲自给太宗写诏书说："隋朝分崩离析，崤山函谷关隔绝不通。两个豪杰势力相联，一时就可把他们清除。军队既打胜仗，又没有死伤。无愧是臣子的表率，不让自己的父亲忧虑，这些都是你的功劳。"太宗于是带着建德到东都城下。世充害怕，率领他的部属两千多人到营门要求投降，山东全部平定。太宗进驻东都宫城，命令萧瑀、窦轨等封闭和防守仓库，一无所取，命令记室房玄龄收集隋朝的地图和户籍。于是诛杀和窦、王一起作恶的段达等五十余人，无辜被囚禁的人一律释放，无罪被杀害的人都加以祭奠并做悼辞。大宴将士，分等级颁赏。高祖派尚书左仆射裴寂到军中慰问。

七年秋，突厥颉利、突利二可汗自原州入寇，侵扰关中。有说高祖云："只为府藏子女在京师，故突厥来，若烧却长安而不都，则胡寇自止。"高祖乃遣中书侍郎宇文士及行山南可居之地，即欲移都。萧瑀等皆以为非，然终不敢犯颜正谏。太宗独曰："霍去病，汉廷之将帅耳，犹且志灭匈奴。臣忝备藩维，尚使胡尘不息，遂令陛下议欲迁都，此臣之责也。幸乞听臣一申微效，取彼颉利。若一两年间不系其颈，徐建移都之策，臣当不敢复言"。高祖怒，仍遣太宗将三十余骑行划。还日，固奏必不可移都，高祖遂止。八年，加中书令。

九年，皇太子建成、齐王元吉谋害太宗。六月四日，太宗率长孙无忌、尉迟敬德、房玄龄、杜如晦、宇文士及、高士廉、侯君集、程知节、秦叔宝、段志玄、屈突通、张士贵等于玄武门诛之。甲子，立为皇太子，庶政皆断决。太宗乃纵禁苑所养鹰犬，并停诸方所进珍异，政尚简肃，天下大悦。又令百官各上封事，备陈安人理国之要。己巳，令曰："依礼，二名不偏讳。近代已来，两字兼避，废阙已多，率意而行，有违经典。其官号、人名、公私文籍，有'世民'两字不连续者，并不须讳。"罢幽州大都督府。辛未，废陕东道大行台，置洛州都督府，废益州道行台，置益州大都督府。壬午，幽州大都督庐江王瑗谋逆，废为庶人。乙酉，罢天策府。七月壬辰，太子左庶子高士廉为侍中，右庶子房玄龄为中书令，尚书右仆射萧瑀为尚书左仆射，吏部尚书杨恭仁为雍州牧，太子左庶子长孙无忌为吏部尚书，右庶子杜如晦为兵部尚书，太子詹事宇文士及为中书令，封德彝为尚书右仆射。

八月癸亥，高祖传位于皇太子，太宗即位于东宫显德殿。遣司空、魏国公裴寂柴告于南郊。大赦天下。武德元年以来责情流配者并放还。文武官五品已上先无爵者赐爵一级，六品已下加勋一转。天下给复一年。癸酉，放掖庭宫女三千余人。甲戌，突厥颉利、突利寇泾州。乙亥，突厥进寇武功，京师戒严。丙子，立妃长孙氏为皇后。己卯，突厥寇高陵。辛巳，行军总管尉迟敬德与突厥战于泾阳，大破之，斩首千余级。癸未，突厥颉利至于渭水便桥之北，遣其酋帅执失思力入朝为觇，自张形势，太宗命囚之。亲出玄武门，驰六骑幸渭水上，与颉利隔津而语，责以负约。俄而众军继至，颉利见军容既盛，又知思力就拘，由是大惧，遂请和，诏许焉。即日还宫。乙酉，又幸便桥，与颉利刑白马设盟，突厥引退。九月丙戌，颉利献马三千匹、羊万口，帝不受，令颉利归所掠中国户口。丁未，引诸卫骑兵统将等习射于显德殿庭，谓将军已下曰："自古突厥与中国，更有盛衰。若轩辕善用五兵，即能北逐獯鬻；周宣驱驰方、召，亦能制胜太原。至汉、晋之君，逮于隋代，不使兵士素习干戈，突厥来侵，莫能抗御，致遗中国生民涂炭于寇手。我今不使汝等穿池筑苑，造诸淫费，农民恣令逸乐，兵士唯习弓马，庶使汝斗战，亦望汝前无横敌。"于是每日引数百人于殿前教射，帝亲自临试，射中者随赏弓刀、布帛。朝臣多有谏者，曰："先王制法，有以兵刃至御所者刑之，所以防萌杜渐，备不虞也。今引裨卒之人，弯弧纵矢于轩陛之侧，陛下亲在其间，正恐祸出非意，非所以为社稷计也。"上不纳。自是后，士卒皆为精锐。壬子，诏私家不得辄立妖神，妄设淫祀，非礼祠祷，一皆禁绝。其龟易五兆之外，诸杂占卜，亦皆停断。长孙无忌封齐国公，房玄龄邢国公，尉迟敬德吴国公，杜如晦蔡国公，侯君集潞国公。

【译文】

武德七年秋，突厥颉利、突利两可汗由原州入侵，袭扰关中。有人劝说高祖道："只因为财宝女子在京师，所以突厥人来，如果烧掉长安城而不以它为首都，那么胡寇自然不会来。"高祖于是派中书侍郎宇文士及巡视山南可居之地，准备迁都。萧瑀等都认为这样做不对，但终不敢冒犯天子，正言劝谏。太宗独自进谏说："霍去病，汉朝的一个将帅罢了，尚且立志消灭匈奴。臣充诸侯王之数，还使边患不息，于是让陛下准备迁都，这都是臣的责任。现在有幸乞求陛下听任臣效些微之劳，拿住那颉利。如果一两年间不能把绳子套在他颈上，慢慢再议迁都之策，臣当不敢再说什么。"高祖发怒，仍派太宗带领三十多名骑兵去巡视栈道。回来的时候，太宗坚决奏请一定不能迁都，高祖于是打消了迁都的念头。八年，加授太宗中书令。

武德九年，皇太子建成、齐王元吉图谋杀害太宗。六月四日，太宗率领长孙无忌、尉迟敬德、房玄龄、杜如晦、宇文士及、高士廉、侯君集、程知节、秦叔宝、段志玄、屈突通、张士贵等在玄武门杀死建成、元吉。甲子，太宗被立为皇太子，各种政务都由他裁定。太宗于是放走禁苑中所养的鹰犬，并命各地停止进献珍异之物，政治崇尚简约严肃，天下人非常高兴。又命令百官各上密封的奏章，细述安民治国的要旨。己巳日，发布命令说："依照礼的规定，两个字的名字不单个避讳。近代以来，两个字的名字都单个避讳，名号、词语、书籍等废弃、空缺已多。随意而行，有违经典。凡官号、人名、公私文书，有'世民'两字不相连的，都不须避讳。"撤销幽州大都督府。辛未，废除陕东道大行台，设置洛州都督府；废除益州道行台，设置益州大都督府。壬午，幽州大都督庐江王李瑗图谋叛逆，废为平民。乙酉，撤销天策府。七月壬辰，太子左庶子高士廉任侍中，右庶子房玄龄任中书令，尚书右仆射萧瑀任尚书左仆射，吏部尚书杨恭仁任雍州牧，太子左庶子长孙无忌任吏部尚书，右庶子杜如晦任兵部尚书，太子詹事宇文士及任中书令，封德彝任尚书右仆射。

八月癸亥，高祖传位给皇太子，太宗在东宫显德殿即位。派司空、魏国公裴寂在南郊烧柴祭告上天，大赦天下的罪人。武德元年以来究问得实被流放到边远地区的人全部放回。文武官五品以下原先无爵的赐给最低一等爵，六品以上各加勋官一级。天下免除徭役一年。癸酉，放走后宫里的宫女三千多人。甲戌，突厥颉利、突利可汗侵犯泾州。乙亥，突厥进犯武功，京师戒严。丙子，立妃子长孙氏为皇后。己卯，突厥侵犯高陵。辛巳，行军总管尉迟敬德同突厥在泾阳作战，大破敌军，斩首级一千多。癸未，突厥颉利可汗到了渭水便桥北边，派他的酋长执失思力入朝窥探，擅自察看地形，太宗下令囚禁他。太宗亲自出玄武门，乘六匹马驾的车疾驱到渭水上，与颉利隔着河谈话，指责他负约。一会儿各个部队接着开到，颉利见军容壮盛，又知道思力被囚禁，因此很害怕，要求讲和，太宗允许。当日回宫。乙酉，又亲临便桥，与颉利杀白马订盟，突厥退兵。九月丙戌，颉利献马三千匹、羊一万头，皇帝不收，让颉利送还给所掠夺的中原百姓。丁未，领进各部的骑兵统领等在显德殿庭练习射箭，对将军以下的人说："自古以来突厥与中原，互有盛衰，像轩辕善于使用五种兵器，就能在北方驱逐獯鬻；周宣王使方叔、召虎为自己效力，也能在太原克敌制胜。到了汉、晋的君主，以至于隋代，不让兵士平时练习各种兵器，突厥来犯，不能抵御，导致扔下中原百姓在敌寇手中遭难。我现在不让你们挖池筑苑，建造各种过度浪费钱财的设施。农民可恣意，让他们安乐，兵士只有练习射箭骑马，希望使你们能战斗，也盼望在你们面前没有敢于横行的敌人。”于是每天领进数百人在殿前教他们射箭，皇帝亲自考试，射中的人立刻赏给弓刀、布匹、丝织品。朝臣多有进谏的，他们说：“先代的圣王制定法律，有带兵器到天子住处的处死刑，这是制止刚萌生的不良现象扩展，防备不测之事的办法。现在领进偏将士卒一类人，在皇宫旁边弯弓放箭，正怕灾祸产生于不意之中，这不是为国家考虑的办法。”皇上不接受。从这以后，士兵都变精锐了。壬子，天子命令私家不得随便立妖神，滥设祭祀，不符合礼制规定的祭祀，一律禁止。除龟卜和它的五种兆形、《易经》和它的卜筮术外，各种形形色色的占卜术，也全禁止。长孙无忌封齐国公，房玄龄封邢国公，尉迟敬德封吴国公，杜如晦封蔡国公，侯君集封潞国公。

二年春正月辛丑，尚书右仆射、齐国公长孙无忌为开府仪同三司。徙封汉王恪为蜀王，卫王泰为越王，楚王祐为燕王。复置六侍郎，副六尚书事，并置左右司郎中各一人。前安州大都督、赵王元景为雍州牧，蜀王恪为益州大都督，越王泰为扬州大都督。二月丙戌，靺鞨内属。三月戊申朔，日有蚀之。丁卯，遣御史大夫杜淹巡关内诸州。出御府金宝，赎男女自卖者还其父母。庚午，大赦天下。

夏四月己卯，诏骸骨暴露者，令所在埋瘗。丙申，契丹内属。初诏天下州县并置义仓。夏州贼帅梁师都为其从父弟洛仁所杀，以城降。五月，大雨雹。六月庚寅，皇子治生，宴五品以上，赐帛有差，仍赐天下是日生者粟。辛卯，上谓侍臣曰：“君虽不君，臣不可以不臣。裴虔通，炀帝旧左右也，而亲为乱首。朕方崇奖敬义，岂可犹使宰民训俗。”诏曰：

天地定位，君臣之义以彰；卑高既陈，人伦之道斯著。是用笃厚风俗，化成天下。虽复时经治乱，主或昏明，疾风劲草，芬芳无绝，剖心焚体，赴蹈如归。夫岂不爱七尺之躯，重百年之命？谅由君臣义重，名教所先，故能明大节于当时，立清风于身后。至如赵高之殒二世，董卓之鸩弘农，人神所疾，异代同愤。况凡庸小竖，有怀凶悖，遐观典策，莫不诛夷。辰州刺史、长蛇县男裴虔通，昔在隋代，委质晋藩，炀帝以旧邸之情，特相爱幸。遂乃志蔑君亲，潜图弑逆，密伺间隙，招结群丑，长戟流矢，一朝窃发。天下之恶，孰云可忍！宜其夷宗焚首，以彰大戮。但年代异时，累逢赦令，可特免极刑，除名削爵，迁配驩州。

秋七月戊申，诏："莱州刺史牛方裕、绛州刺史薛世良、广州都督府长史唐奉义、隋武牙郎将高元礼，并于隋代俱蒙任用，乃协契宇文化及，构成弑逆。宜依裴虔通，除名配流岭表。"太宗谓侍臣曰："天下愚人，好犯宪章，凡赦宥之恩，唯及不轨之辈。古语曰：'小人之幸，君子之不幸。''一岁再赦，好人喑哑。'凡养稂莠者伤禾稼，惠奸宄者贼良人。昔文王作罚，刑兹无赦。又蜀先主尝谓诸葛亮曰：'吾周旋陈元方、郑康成间，每见启告理乱之道备矣，曾不语赦也。'夫小人者，大人之贼，故朕有天下已来，不甚放赦。今四海安静，礼义兴行，非常之恩，施不可数，将恐愚人常冀侥幸，唯欲犯法，不能改过。"八月甲戌朔，幸朝堂，亲览冤屈。自是，上以军国无事，每日视膳于西宫。癸巳，公卿奏曰："依礼，季夏之月，可以居台榭。今隆暑未退，秋霖方始，宫中卑湿，请营一阁以居之。"帝曰："朕有气病，岂宜下湿。若遂来请，糜费良多。昔汉文帝将起露台，而惜十家之产。朕德不逮于汉帝，而所费过之，岂谓为民父母之道也。"竟不许。是月，河南、河北大霜，人饥。

九月丙午，诏曰："尚齿重旧，先王以之垂范；还章解组，朝臣于是克终。释菜合乐之仪，东胶西序之制，养老之义，遗文可睹。朕恭膺大宝，宪章故实，乞言尊事，弥切深衷。然情存今古，世踵浇季，而策名就列，或乖大体。至若筋力将尽，桑榆且迫，徒竭夙兴之勤，未悟夜行之罪。其有心惊止足，行堪激励，谢事公门，收骸闾里，能以礼让，固可嘉焉。内外文武群官年高致仕、抗表去职者，参朝之日，宜在本品见任之上。"丁未，谓侍臣曰："妇人幽闭深宫，情实可愍。隋氏末年，求采无已，至于离宫别馆，非幸御之所，多聚宫人，皆竭人财力，朕所不取。且洒扫之余，更何所用？今将出之，任求伉俪，非独以惜费，亦人得各遂其性。"于是遣尚书左丞戴胄、给事中杜正伦等，于掖庭宫西门简出之。

冬十月庚辰，御史大夫、安吉郡公杜淹卒。戊子，杀瀛州刺史卢祖尚。十一月辛酉，有事于圆丘。十二月壬午，黄门侍郎王珪为侍中。

【译文】

贞观二年春正月辛丑，尚书右仆射、齐国公长孙无忌任开府仪同三司。改封汉王李恪为蜀王，卫王李泰为越王，楚王李祐为燕王。又设置六部侍郎，辅助六部尚书治理政事，并设置左右司郎中各一人。前安州大都督、赵王李元景任雍州牧，蜀王李恪任益州大都督，越王李泰任扬州大都督。二月丙戌，靺鞨成为唐的属国。三月戊申初一，出现日食。丁卯，派御史大夫杜淹巡视关内各州。取出皇宫府库里的黄金和宝物，赎回自己卖身为奴的男女，送还给他们的父母。庚午，大赦天下的罪人。

夏四月己卯，太宗下令凡有死人的骸骨暴露在外的，让所在的地方政府负责掩埋。丙申，契丹成为唐的属国。首次命令天下的州县都设置义仓。夏州的盗贼首领梁师都被他的堂弟洛仁杀死，洛仁献城投降唐朝。五月，下大冰雹。六月庚寅，皇子李治诞生，设宴招待五品以上官吏，分等第赐给他们丝织物，还赐给全国在这一天出生的人粮食。辛卯，皇上对随侍左右的人说："君主虽然不像君主，臣子却不可以不像臣子。裴虔通，本是炀帝的侍从之臣，却亲自当叛乱的首领。朕正推崇、鼓励恭敬信义，怎么还可以让他继续统治人民、训导风俗呢。"发布诏令说：

天与地确定位置，君臣之间应有的关系也就明白了；地卑天高的位置既已确立，人与人之间应有的等级关系也就清楚了。所以能使风俗淳厚，天下教化成功。虽然又时常经历太平或动乱的年代，君主有昏有明，但疾风中有劲草，芬芳的品德不绝，不少人为君主剖胸焚身，赴汤蹈火，视死如归。难道他们不爱惜七尺的身躯，不重视百年的生命？实由于君臣之间应有的关系非常重，在礼教中被置于首要地位，所以他们能在当世显示临难不苟的节操，于身后树立清正高洁的风范。至于像赵高杀害秦二世，董卓毒死弘农王，是人与神所憎恶的，连其他时代的人都共同感到气愤。更何况平庸小子，有凶暴悖逆之心！远观前代帝王的策命，这种人没有不杀掉的。辰州刺史、长蛇县男裴虔通，过去在隋代，侍奉晋王杨广，炀帝因原先在王府的交情，特别加以宠幸。于是裴虔通就心无君亲，暗中图谋弑君，秘密窥测可乘之机，招纳、勾结各种恶人，长戟流矢，竟一朝私自往宫中发射。这是天下的恶事，谁说可以忍受！应当诛灭裴虔通的同宗，焚烧他的首级，用以表明他的犯上行为是一种大耻辱。但发生的年代不与当今同时，又多次遇到发布赦令，可特别免去他的死刑，从官籍中除名并削去爵位，流放驩。

秋七月戊申，发布诏令："莱州刺史牛方裕、绛州刺史薛世良、广州都督府长史唐奉义、隋武牙郎将高元礼，在隋代都蒙炀帝任用，却协同宇文化及，构成弑君之罪。应当按照裴虔通的样子，除名流放岭南。"太宗对随侍左右的臣子说："天下的愚人，好触犯法令，所有赦免罪人的恩惠，只能给予不守法度之辈。古语说：'小人的幸运，是君子的不幸。''一年两次赦免罪人，好人成了哑巴。''凡养着杂草，会妨害禾苗的生长，施恩惠给为非作歹的人，会伤害好人。'从前文王设刑罚，该用刑的都不能赦免。又蜀先主刘备曾对诸葛亮说：'我周旋于陈元方、郑康成之间，常听见他们告诉我治乱之道，内容相当全面，而不曾谈到赦免罪人。'小人，是君子的祸害，所以朕自得天下以来，不大发布赦令。现今四海安静，礼义得到振兴和推行；非常的恩惠，施给不可频繁，怕愚人常会冀求侥幸，只想犯法，不能改过。"八月甲戌初一，太宗到朝堂，亲自过问冤狱。从这以后，皇上因为国家、军队无事，每天到西宫侍奉太上皇，问寒问暖。癸巳，公卿大臣进言："按照礼的规定，季夏六月，可以住在台上的高屋里。现在盛暑未退，秋天的多雨季节即将开始，宫中地势低而潮湿，请营造一座楼阁居住。"皇帝说："朕有气力衰竭的病，哪里适合住在低而湿的地方。如果答应你们的请求，要耗费的钱财实在不少。从前汉文帝准备建露台，而舍不得相当于十户人家财产的花销。朕品德赶不上汉文帝，而所费的钱超过他，难道说做百姓父母的方法就是这样？"竟不答应。这一月，河南、河北有大霜害，百姓饥饿。

九月丙午，发布诏令说："尊崇老年人，看重旧臣，先代的圣王以此为后人留下了榜样；送回官印，解下绶带，去职退休，朝臣于是能有一个好结局。放置芹藻祭祀先师合奏众乐的礼仪，设立东胶西序一类学校的制度，奉养老人的道理，前代的遗文里都可以看到。朕恭敬地接受帝位，效法先代旧事，尊敬、侍奉老人，向他们求教，这样做也十分符合自己内心深处的意愿。但情况有今古的不同，时代进入风俗浮薄的末世，却出仕就职，或许违背原则。至于像筋力将尽，暮年逼近，而仍居官位，徒然极尽起早的辛劳，不明白夜行的过错，他们中有的人心中惊恐，知止知足，行为堪激励后辈，主动辞去官职，归死乡里，能以礼相让，精神本来可嘉。内外文武官吏凡年老退休、上表辞官的，入朝参见天子之时，位次应在本品现任官之上。”丁未，对随侍左右的臣子说：“妇女被幽闭于深宫，那情况实在可怜。隋朝末年，选女入宫，没有停止的时候，至于建在各地的离宫别馆，不是天子临幸游息之处，也多集聚宫女，全耗尽了人民的财力，这是我所不取的。而且宫女除洒水扫地之处，还能用在什么地方？现在准备遣返宫女，听任她们寻求配偶。不是因为吝惜费用，而是想让这些人能够各按照自己的本性生活。”于是派尚书左丞戴胄、给事中杜正伦等在妃嫔居住的掖庭宫西门选择宫女，遣返她们。

冬十月庚辰，御史大夫、安吉郡公杜淹去世。戊子，太宗下令杀瀛州刺史卢祖尚。十一月辛酉，在圆丘祭天。十二月壬午，黄门侍郎王珪任侍中。

三年春正月辛亥，契丹渠帅来朝。戊午，谒太庙。癸亥，亲耕籍田。辛未，司空、魏国公裴寂坐事免。二月戊寅，中书令、邢国公房玄龄为尚书左仆射，兵部尚书、检校侍中、蔡国公杜如晦为尚书右仆射，刑部尚书、检校中书令、永康县公李靖为兵部尚书，右丞魏征为守秘书监，参预朝政。

夏四月辛巳，太上皇徙居大安宫。甲子，太宗始于太极殿听政。五月，周王元方薨。六月戊寅，以旱，亲录囚徒。遣长孙无忌、房玄龄等祈雨于名山大川，中书舍人杜正伦等往关内诸州慰抚。又令文武官各上封事，极言得失。已卯，大风折木。秋八月己巳朔，日有蚀之。薛延陀遣使朝贡。

九月癸丑，诸州置医学。冬十一月丙午，西突厥、高昌遣使朝贡。庚申，以并州都督李世绩为通汉道行军总管，兵部尚书李靖为定襄道行军总管，以击突厥。十二月戊辰，突利可汗来奔。癸未，杜如晦以疾辞位，许之。癸丑，诏建义以来交兵之处，为义士勇夫殒身戎阵者各立一寺，命虞世南、李伯药、褚亮、颜师古、岑文本、许敬宗、朱子奢等为之碑铭，以纪功业。是岁，户部奏言：中国人自塞外来归及突厥前后内附、开四夷为州县者，男女一百二十余万口。

四年春正月乙亥，定襄道行军总管李靖大破突厥，获隋皇后萧氏及炀帝之孙正道，送至京师。癸巳，武德殿北院火。二月己亥，幸温汤。甲辰，李靖又破突厥于阴山，颉利可汗轻骑远遁。丙午，至自温汤。甲寅，大赦，赐酺五日。民部尚书戴胄以本官检校吏部尚书，参预朝政。太常卿萧瑀为御史大夫，与宰臣参议朝政。御史大夫、西河郡公温彦博为中书令。三月庚辰，大同道行军副总管张宝相生擒颉利可汗，献于京师。甲申，尚书右仆射、蔡国公杜如晦薨。甲午，以俘颉利告于太庙。

夏四月丁酉，御顺天门，军吏执颉利以献捷。自是西北诸蕃咸请上尊号为“天可汗”，于是降玺书册命其君长，则兼称之。秋七月甲子朔，日有蚀之。上谓房玄龄、萧瑀曰：“隋文何等主？”对曰：“克己复礼，勤劳思政，每一坐朝，或至日昃。五品已上，引之论事。宿卫之人，传餐而食。虽非性体仁明，亦励精之主也。”上曰：“公得其一，未知其二。此人性至察而心不明。夫心暗则照有不通，至察则多疑于物。自以欺孤寡得之，谓群下不可信任，事皆自决，虽劳神苦形，未能尽合于理。朝臣既知上意，亦复不敢直言，宰相已下，承受而已。朕意不然。以天下之广，岂可独断一人之虑？朕方选天下之才，为天下之务，委任责成，各尽其用，庶几于理也。”因令有司：“诏敕不便于时，即宜执奏，不得顺旨施行。”八月丙午，诏三品已上服紫，五品已上服绯，六品七品以绿，八品九品以青；妇人从夫色。甲寅，兵部尚书、代国公李靖为尚书左仆射。九月庚午，令收瘗长城之南骸骨，仍令致祭。壬午，令自古明王圣帝、贤臣烈士坟墓无得刍牧，春秋致祭。

冬十月壬辰，幸陇州，曲赦陇、岐二州，给复一年。辛丑，校猎于贵泉谷。甲辰，校猎于鱼龙川，自射鹿，献于大安宫。甲子，至自陇州。戊寅，制决罪人不得鞭背，以明堂孔穴针灸之所。兵部尚书侯君集参议朝政。十二月辛亥，开府仪同三司、淮安王神通薨。甲寅，高昌王麹文泰来朝。是岁，断死刑二十九人，几致刑措。东至于海，南至于岭，皆外户不闭，行旅不赍粮焉。

【译文】

贞观三年春正月辛亥，契丹首领来朝见天子。戊午，在太庙祭祀。癸亥，天子行亲耕籍田礼。辛未，司空、魏国公裴寂因事获罪被免职。二月戊寅，中书令、邢国公房玄龄任尚书左仆射，兵部尚书、检校侍中、蔡国公杜如晦任尚书右仆射，刑部尚书、检校中书令、永康县公李靖任兵部尚书，右丞魏征任守秘书监，参与朝政。

夏四月辛巳，太上皇迁居大安宫。甲子，太宗开始在太极殿处理政务。五月，周王李元方逝世。六月戊寅，由于天旱，太宗亲自省察囚徒的罪状。派长孙无忌、房玄龄等人在名山大川祈雨，派中书舍人杜正伦等到关内各州安抚、慰问。又下令文武官吏各上密封的奏章，毫无保留地谈出自己对政治得失的看法。己卯，大风吹折树木。秋八月己巳初一，出现日食。薛延陀派使者入朝拜见天子，进献方物。

九月癸丑，各州设立培养医师的学校。冬十一月丙午，西突厥、高昌派使者入朝拜见天子，进献地方物产。庚申，任命并州都督李世绩为通汉道行军总管，兵部尚书李靖为定襄道行军总管，领兵攻打突厥。十二月戊辰，突利可汗投奔中原。癸未，杜如晦因病辞官，皇上答应。癸丑，下令在自树立义旗以来交战的地方，为那些丧生于战阵的义士勇夫各立一座寺庙，命令虞世南、李伯药、褚亮、颜师古、岑文本、许敬宗、朱子奢等人为他们撰写碑铭，以记载他们的功业。这一年，户部报告：中原人自塞外归来和突厥人前后归附中原以及开辟四境异族地区而建立的州县所增加的人口，合计共有男女一百二十多万。

贞观四年春正月乙亥，定襄道行军总管李靖大破突厥，俘获隋朝皇后萧氏和炀帝的孙子杨正道，送到京师。癸巳，武德殿北院发生火灾。二月己亥，太宗到温泉。甲辰，李靖又在阴山击败突厥，颉利可汗轻装骑马远逃。丙午，自温泉回到长安。甲寅，发布大赦令，赐臣民会饮五天。民部尚书戴胄兼任检校吏部尚书，参与朝政。太常卿萧瑀任御史大夫，和宰相一起参议朝政。御史大夫、西河郡公温彦博任中书令。三月庚辰，大同道行军副总管张宝相活捉颉利可汗，送往京师。甲申，尚书右仆射、蔡国公杜如晦逝世。甲午，太宗到太庙向祖先报告俘获颉利的喜讯。

夏四月丁酉，皇上临顺天门，军中的官吏押解颉利向天子献战利品。自这以后西北各藩属都请求皇上用“天可汗”的尊号，于是皇上下诏书册封各藩属的君长，就兼用这个称号。秋七月甲子初一，出现日食。皇上对房玄龄、萧瑀说："隋文帝是个什么样的君主？"回答说："约束自己，使言行符合于礼，辛勤思考政事，有时坐在朝廷上，直到太阳偏西。领着五品以上官吏议论政事，皇宫的卫士不能下岗，站着传递干粮而食。虽然不能说品性仁爱、贤明，也可算是一个励精图治的君主了。"皇上说："你们只看到他的一个方面，而不了解他的另一个方面。这人本性极其明察而内心并不贤明。内心昏昧那么审察事理就不能都通达，极极明察就会临事多疑。自己靠欺骗孤儿寡母得到天下，认为众臣不可信任，凡事都自己决定，虽然使精神劳累、身体受苦，处事也未能都符合道理。朝廷的臣子既然了解皇上的这种心理，也就不敢直言，自宰相以下，接受皇帝的命令罢了。朕的意思不认为这样做就对。以天下事物之广，难道可以凭一个人的思考独自决断？朕将选用天下的人才，治理天下的事务，信任人才，要求他们完成任务，使他们各尽其用，这样做也许可以达到政治的清明安定。"因此命令官吏："天子的诏令如果不适合于时世，就应当坚持上报，不得顺旨施行。"八月丙午，下诏规定三品以上官员穿紫色衣服，五品以上官员穿红色衣服，六品、七品官穿绿色衣服，八品、九品官穿青色衣服。妇人衣服的颜色随从丈夫。甲寅，兵部尚书、代国公李靖任尚书右仆射。九月庚午，命令收埋长城南边的死人骸骨，并让祭奠死者。壬午，命令不得在自古至今的圣明君主、贤臣义士的坟墓上放牧，每年春秋两季在他们的坟上祭奠。

冬十月壬辰，到陇州，因特殊情况赦免陇、岐两州的罪犯，免除两州百姓的徭役一年。辛丑，在贵泉谷立栅栏围猎野兽。甲辰，在鱼龙川围猎野兽，亲自射鹿，献给大安宫。十一月甲子，自陇州回到长安。戊寅，命令判决处置罪犯不得鞭打背部，免得连及针灸穴位。兵部尚书侯君集参议朝政。十二月辛亥，开府仪同三司、淮安王李神通逝世。甲午，高昌王麴文泰前来朝见天子。这一年，判死刑的共二十九人，几乎达到刑罚弃置不用的地步。东到大海，南到五岭，都夜不闭户，来往的旅客用不着携带粮食。

五年正月癸酉，大蒐于昆明池，蕃夷君长咸从。丙子，亲献禽于大安宫。己卯，幸左藏库，赐三品已上帛，任其轻重。癸未，朝集使请封禅。二月己酉，封皇弟元裕为郐王，元名为谯王，灵夔为魏王，元祥为许王，元晓为密王。庚戌，封皇子愔为梁王，贞为汉王，恽为郯王，治为晋王，慎为申王，嚣为江王，简为代王。

夏四月壬辰，代王简薨。以金帛购中国人因隋乱没突厥者男女八万人，尽还其家属。六月甲寅，太子少师、新昌县公李纲薨。秋八月甲辰，遣使毁高丽所立京观，收隋人骸骨，祭而葬之。戊申，初令天下决死刑必三覆奏，在京诸司五覆奏，其日尚食进蔬食，内教坊及太常不举乐。九月乙丑，赐群官大射于武德殿。

冬十月，右卫大将军、顺州都督、北平郡王阿史那什钵苾卒。十二月壬寅，幸温汤。癸卯，猎于骊山。丙午，赐新丰高年帛有差。戊申，至自温汤。

六年春正月乙卯朔，日有蚀之。二月丙戌，置三师官员。戊子，初置律学。

三月戊辰，幸九成宫。六月己亥，酆王元亨薨。辛亥，江王嚣薨。

冬十月乙卯，至自九成宫。十二月辛未，亲录囚徒，归死罪者二百九十人于家，令明年秋末就刑。其后应期毕至，诏悉原之。是岁，党项羌前后内属者三十万口。

七年春正月戊子，诏曰："宇文化及弟智及、司马德戡、裴虔通、孟景、元礼、杨览、唐奉义、牛方裕、元敏、薛良、马举、元武达、李孝本、李孝质、张恺、许弘仁、令狐行达、席德方、李覆等，大业季年，咸居列职，或恩结一代，任重一时；乃包藏凶慝，罔思忠义，爰在江都，遂行弑逆，罪百阎、赵，衅深枭獍。虽事是前代，岁月已久，而天下之恶，古今同弃，宜置重典，以励臣节。其子孙并宜禁锢，勿令齿叙。"是日，上制《破阵乐舞图》。辛丑，赐京城酺三日。丁卯，雨土。乙酉，薛延陀遣使来朝。庚寅，秘书监、检校侍中魏征为侍中。癸巳，直太史、将仕郎李淳风铸浑天黄道仪，奏之，置于凝晖阁。夏五月癸未，幸九成宫。八月，山东、河南三十州大水，遣使赈恤。

冬十月庚申，至自九成宫。十一月丁丑，颁新定《五经》。壬辰，开府仪同三司、齐国公长孙无忌为司空。十二月丙辰，狩于少陵原，诏以少牢祭杜如晦、杜淹、李纲之墓。

八年春正月癸未，右卫大将军阿史那吐苾卒。辛丑，右屯卫大将军张士贵讨东、西五洞反獠，平之。壬寅，命尚书右仆射李靖、特进萧瑀杨恭仁、礼部尚书王珪、御史大夫韦挺、鄜州大都督府长史皇甫无逸、扬州大都督府长史李袭誉、幽州大都督府长史张亮、凉州大都督李大亮、右领军大将军窦诞、太子左庶子杜正伦、绵州刺史刘德威、黄门侍郎赵弘智使于四方，观省风俗。

二月乙巳，皇太子加元服。丙午，赐天下酺三日。三月庚辰，幸九成宫。五月辛未朔，日有蚀之。丁丑，上初服翼善冠，贵臣服进德冠。七月，始以云麾将军阶为从三品。陇右山崩，大蛇屡见。山东、河南、淮南大水，遣使赈恤。八月甲子，有星孛于虚、危，历于氐，十一月上旬乃灭。九月丁丑，皇太子来朝。

冬十月，右骁卫大将军、褒国公段志玄击吐谷浑，破之，追奔八百余里。甲子，至自九成宫。十一月辛未，右仆射、代国公李靖以疾辞官，授特进。丁亥，吐谷浑寇凉州。己丑，吐谷浑拘我行人赵德楷。十二月辛丑，命特进李靖、兵部尚书侯君集、刑部尚书任城王道宗、凉州都督李大亮等为大总管，各帅师分道以讨吐谷浑。壬子，越王泰为雍州牧。乙卯，帝从太上皇阅武于城西。是岁，龟兹、吐蕃、高昌、女国、石国遣使朝贡。

【译文】

贞观五年春正月癸酉，在昆明池打猎，藩属和四境异族君长都跟随。丙子，亲自到大安宫献猎获的禽兽。己卯，亲临左藏库，赐给三品以上官员丝织品，听任自取，不限轻重。癸未，朝集使请求行封禅礼。二月己酉，封皇弟元裕为郐王，元名为谯王，灵夔为魏王，元祥为许王，元晓为密王。庚戌，封皇子愔为梁王，贞为汉王，恽为郯王，治为晋王，慎为申王，嚣为江王，简为代王。

夏四月壬辰，代王简去世。朝廷用黄金和丝织品赎回由于隋末动乱沦入突厥的中原男女八万人，全部送还给他们的家属。六月甲寅，太子少师、新昌县公李纲逝世。秋八月甲辰，派遣使者到高丽，毁掉高丽人所立的京观，收集隋代战死者的骸骨，祭奠并埋葬它们。戊申，首次命令天下判死刑必须经过三次按验、上奏，在京各司要经过五次按验、上奏，判死刑这一天，尚食局供应膳食只有蔬菜，内教坊和太常寺不奏乐。九月乙丑，赐群臣在武德殿举行射礼。

冬十月，右卫大将军、顺州都督、北平郡王阿史那什钵苾去世。十二月壬寅，到温泉。癸卯，在骊山打猎。丙午，分等第赏给新丰县年高的人丝织品。戊申，自温泉回到长安。

贞观六年春正月乙卯初一，出现日食。二月丙戌，设置三师的官职。戊子，开始设立律学。

三月戊辰，到九成宫。六月己亥，酆王李元亨逝世。辛亥，江王李嚣逝世。

冬十月乙卯，自九成宫回到长安。十二月辛未，太宗亲自省察囚徒的罪状，释放犯死罪的二百九十个人回家，命令他们明年秋末自动前来受刑。后来死囚们全部按期归来，天子下诏宽赦所有人的罪过。这一年党项羌前后归附于中国的共三十万人。

贞观七年春正月戊子，发布诏令说："宇文化及的弟弟智及、司马德戡、裴虔通、孟景、元礼、杨览、唐奉义、牛方裕、元敏、薛良、马举、元武达、李孝本、李孝质、张恺、许弘仁、令狐行达、席德方、李覆等，大业末年，全任各种官职，有的家中一代人都蒙受隋帝的恩惠，有的整整一个时代都担负重任，却包藏邪恶之心，不思忠义，竟在江都，干出弑君的勾当。罪恶是阎乐、赵高的百倍，超过了生而食母的枭和生而食父的獍。虽然事情发生在前代，时间已久，而天下的恶人，为古今所共弃，当应处以重法，用来劝勉臣子保持节操。这些人的子孙都应当禁锢，不允许录用。"这一天，皇上制作《破阵乐舞图》。辛丑，赐京城臣民会饮三天。丁卯，天上落下泥土。乙酉，薛延陀派使者来朝见天子。庚寅，秘书监、检校侍中魏征任侍中。癸巳，直太史、将仕郎李淳风铸造浑天黄道仪，进献给天子，放置于凝晖阁。夏五月癸未，太宗到九成宫。八月，山东、河南三十州发生大水灾，皇上派使臣救济。

冬十月庚申，自九成宫回到长安。十一月丁丑，颁行新编定的《五经》。壬辰，开府仪同三司、齐国公长孙无忌任司空。十二月丙辰，在少陵原打猎，命令用羊、猪二牲在杜如晦、杜淹、李纲的坟上祭奠。

贞观八年春正月癸未，右卫大将军阿史那吐苾去世。辛丑，右屯卫大将军张士贵讨伐东、西五洞反叛的獠族人，平定了他们。壬寅，命令尚书右仆射李靖、特进萧瑀、杨恭仁、礼部尚书王珪、御史大夫韦挺、鄜州大都督府长史皇甫无逸、扬州大都督府长史李袭誉、幽州大都督府长史张亮、凉州大都督李大亮、右领军大将军窦诞、太子左庶子杜正伦、绵州刺史刘德威、黄门侍郎赵弘智出使四方，观察风俗民情。

二月乙巳，皇太子加冠。丙午，赐全国臣民会饮三天。三月庚辰，太宗到九成宫。五月辛未初一，出现日食。丁丑，皇上开始戴翼善冠，贵臣戴进德冠。七月，首次定武散官云麾将军的阶位为从三品。陇右发生山崩，大蛇屡次出现。山东、河南、淮南发生大水灾，天子派使臣救济。八月甲子，有一颗彗星出现于虚、危宿之间，经过氐宿，到十一月上旬才消失。九月丁丑，皇太子来拜见天子。

冬十月，右骁卫大将军、褒国公段志玄攻打吐谷浑，击破了它，追踪逃敌走了八百多里。甲子，皇上自九成宫回到长安。十一月辛未，右仆射、代国公李靖因病辞官，授特进。丁亥，吐谷浑侵犯凉州。己丑，吐谷浑拘禁我国使者赵德楷。十二月辛丑，命令特进李靖、兵部尚书侯君集、刑部尚书任城王李道宗、凉州都督李大亮等为大总管，各率兵分路讨伐吐谷浑。壬子，越王李泰任雍州牧。乙卯，皇帝跟随太上皇在城西检阅军队。这一年，龟兹、吐蕃、高昌、女国、石国派使者入朝拜见天子，进献方物。

九年春三月，洮州羌叛，杀刺史孔长秀。壬午，大赦。每乡置长一人，佐二人。乙酉，盐泽道总管高甑生大破叛羌之众。庚寅，敕天下户立三等，未尽升降，置为九等。

夏四月壬寅，康国献狮子。闰月丁卯，日有蚀之。癸巳，大总管李靖、侯君集、李大亮、任城王道宗破吐谷浑于牛心堆。五月乙未，又破之于乌海，追奔至柏海。副总管薛万均、薛万彻又破之于赤水源，获其名王二十人。庚子，太上皇崩于大安宫。壬子，李靖平吐谷浑于西海之上，获其王慕容伏允。以其子慕容顺光降，封为西平郡王，复其本国。秋七月甲寅，增修太庙为六室。

冬十月庚寅，葬高祖太武皇帝于献陵。戊申，祔于太庙。辛丑，左仆射、魏国公房玄龄加开府仪同三司，余如故。十二月甲戌，吐谷浑西平郡王慕容顺光为其下所弑，遣兵部尚书侯君集率师安抚之，仍封顺光子诺曷钵为河源郡王，使统其众。右光禄大夫、宋国公萧瑀依旧特进，复令参预朝政。

十年春正月壬子，尚书左仆射房玄龄、侍中魏征上梁、陈、齐、周、隋五代史，诏藏于秘阁。癸丑，徙封赵王元景为荆王，鲁王元昌为汉王，郑王元礼为徐王，徐王元嘉为韩王，荆王元则为彭王，滕王元懿为郑王，吴王元轨为霍王，豳王元凤为虢王，陈王元庆为道王，魏王灵夔为燕王，蜀王恪为吴王，越王泰为魏王，燕王祐为齐王，梁王愔为蜀王，郯王恽为蒋王，汉王贞为越王，申王慎为纪王。夏六月，以侍中魏征为特进，仍知门下省事。壬申，中书令温彦博为尚书右仆射。甲戌，太常卿、安德郡公杨师道为侍中。己卯，皇后长孙氏崩于立政殿。冬十一月庚寅，葬文德皇后于昭陵。十二月壬申，吐谷浑河源郡王慕容诺曷钵来朝。乙亥，亲录京师囚徒。是岁，关内、河东疾病，命医赍药疗之。

十一年春正月丁亥朔，徙郐王元裕为邓王，谯王元名为舒王。癸巳，加魏王泰为雍州牧、左武候大将军。庚子，颁新律令于天下。作飞山宫。甲寅，房玄龄等进所修《五礼》。诏所司行用之。

二月丁巳，诏曰：

夫生者天地之大德，寿者修短之一期。生有七尺之形，寿以百龄为限，含灵禀气，莫不同焉，皆得之于自然，不可以分外企也。是以《礼记》云："君即位而为椑"。庄周云："劳我以形，息我以死。"岂非圣人远鉴，通贤深识？末代已来，明辟盖寡，靡不矜黄屋之尊，虑白驹之过，并多拘忌，有慕遐年。谓云车易乘，羲轮可驻，异轨同趣，其蔽甚矣。有隋之季，海内横流，豺狼肆暴，吞噬黔首。朕投袂发愤，情深拯溺，扶翼义师，济斯涂炭。赖苍昊降鉴，股肱宣力，提剑指麾，天下大定。此朕之宿志，于斯已毕。犹恐身后之日，子子孙孙，习于流俗，犹循常礼，加四重之榇，伐百祀之木，劳扰百姓，崇厚园陵。今预为此制，务从俭约，于九嵕之山，足容棺而已。积以岁月，渐而备之。木马涂车，土桴苇龠，事合古典，不为时用。

又佐命功臣，或义深舟楫，或谋定帷幄，或身摧行阵，同济艰危，克成鸿业，追念在昔，何日忘之！使逝者无知，咸归寂寞；若营魂有识，还如畴曩，居止相望，不亦善乎！汉氏使将相陪陵，又给以东园秘器，笃终之义，恩意深厚，古人岂异我哉！自今已后，功臣密戚及德业佐时者，如有薨亡，宜赐茔地一所，及以秘器，使窀穸之时，丧事无阙。所司依此营备，称朕意焉。

甲子，幸洛阳宫，命祭汉文帝。三月丙戌朔，日有蚀之。丁亥，车驾至洛阳。丙申，改洛州为洛阳宫。辛亥，大蒐于广城泽。癸丑，还宫。

夏四月甲子，震乾元殿前槐树。丙寅，诏河北、淮南举孝悌淳笃，兼闲时务；儒术该通，可为师范；文辞秀美，才堪著述；明识政体，可委字人：并志行修立，为乡闾所推者，给传诣洛阳宫。六月甲寅，尚书右仆射、虞国公温彦博薨。丁巳，幸明德宫。己未，定制诸王为世封刺史。戊辰，定制勋臣为世封刺史。改封任城王道宗为江夏郡王，赵郡王孝恭为河间郡王。己巳，改封许王元祥为江王。秋七月癸未，大霪雨。谷水溢入洛阳宫，深四尺，坏左掖门，毁宫寺十九所；洛水溢，漂六百家。庚寅，诏以灾命百官上封事，极言得失。丁酉，车驾还宫。壬寅，废明德宫及飞山宫之玄圃院，分给遭水之家，仍赐帛有差。丙午，修老君庙于亳州，宣尼庙于兖州，各给二十户享祀焉。凉武昭王复近墓二十户充守卫，仍禁刍牧樵采。九月丁亥；河溢，坏陕州河北县，毁河阳中潬。幸白司马坂以观之，赐遭水之家粟帛有差。冬十一月辛卯，幸怀州。乙未，狩于济源。丙午，车驾还宫。十二月辛酉，百济王遣其太子隆来朝。

【译文】

贞观九年春三月，洮州羌族反叛，杀死了刺史孔长秀。壬午，发布大赦令。每个乡各设置乡长一人，乡佐二人。乙酉，盐泽道总管高甑生大破反叛的羌族民众。庚寅，下诏说天下的住户分成三等，不能完全显示出住户资产的增减情况，现改定为九等。

夏四月壬寅，康国进献狮子。闰四月丁卯，出现日食。癸巳，总管李靖、侯君集、李大亮、任城王李道宗在牛心堆击败吐谷浑。五月乙未，又在乌海击败吐谷浑，追击逃敌到了柏海。副总管薛万均、薛万彻又在赤水源击破吐谷浑，抓获吐谷浑有名的王二十人。庚子，太上皇在永安宫逝世。壬子，李靖在西海上平定了吐谷浑，俘虏了吐谷浑王慕容伏允。由于慕容伏允的儿子慕容顺光投降唐朝，被封为西平郡王，吐谷浑国又得到恢复。秋七月甲寅，增修太庙，扩大为六个室。

冬十月庚寅，安葬高祖太武皇帝于献陵。戊申，在太庙合祭高祖和祖先。辛丑，左仆射、魏国公房玄龄加授开府仪同三司，其他官位封爵不变。十二月甲戌，吐谷浑西平郡王慕容顺光被他的下属杀害，天子派兵部尚书侯君集率兵安抚吐谷浑，封顺光的儿子慕容诺曷钵为河源郡王，让他统领吐谷浑军民。右光禄大夫、宋国公萧瑀依旧任特进，又命令他参与朝政。

贞观十年春正月壬子，尚书左仆射房玄龄、侍中魏征进献梁、陈、齐、周、隋五代史，天子命令将这些书藏在秘阁。癸丑，改封赵王李元景为荆王，鲁王元昌为汉王，郑王元礼为徐王，徐王元嘉为韩王，荆王元则为彭王，滕王元懿为郑王，吴王元轨为霍王，豳王元凤为虢王，陈王元庆为道王，魏王灵夔为燕王，蜀王恪为吴王，越王泰为魏王，燕王祐为齐王，梁王愔为蜀王，郯王恽为蒋王，汉王贞为越王，申王慎为纪王。夏六月，任命侍中魏征为特进，仍执掌门下省事务。壬申，中书令温彦博任尚书右仆射。甲戌，太常卿、安德郡公杨师道任侍中。己卯，皇后长孙氏在立政殿逝世。冬十一月庚寅，安葬文德皇后于昭陵。十二月壬申，吐谷浑河源郡王慕容诺曷钵来朝见天子。乙亥，太宗亲自省察京师囚徒的罪状。这一年，关内、河东疾病流行，命令医师携带药品前去治疗。

贞观十一年春正月丁亥初一，改封郐王元裕为邓王，谯王元名为舒王。癸巳，加封魏王泰为雍州牧、左武候大将军。庚子，将新定的律令颁发到全国。建造飞山宫。甲寅，房玄龄等进献他们所写的《五礼》，皇上命令主管礼仪的部门施行。

二月丁巳，发布诏令说：

生是天地的大德大恩，寿是或长或短的一个期限。生有七尺的身躯，寿以百岁为限度，包藏灵性、禀受天地之气的人类，无不一样。生与寿都得之于自然，是不能够分外企求的。所以《礼记》说："君主即位就制作棺木。"庄周说："躯体使我劳累，死亡使我休息。"这难道不是圣人的远见，通达事理的贤人的深识？近代以来，明君不多，无不自负帝王尊贵，想到光阴迅速，犹如白驹过隙，因而全都有不少拘限禁忌，思慕长生。认为仙人的云车容易乘坐，羲和驾驭的太阳之车可以停留，车轨不同趋向一致，他们受蒙蔽已经很厉害了。隋朝末年，天下大乱，豺狼恣行暴虐，吞噬百姓。朕挥袖而起，发愤努力，对拯救危难一往情深，护持义军，救民于涂炭之中。依赖苍天明察下情，辅佐之臣效劳出力，朕提剑指挥，终于使天下得到安定。这是朕平素的志向，现在已经实现。但仍怕朕死后的日子，子子孙孙习惯于流行的风俗，仍然遵循通常的礼仪，加四层的棺材，砍伐百年的巨木，骚扰百姓，增高增大陵园。现在预先写下这一诏令，丧事务必遵从俭省的原则，陵园在九峻山，地宫不过足以容纳棺木而已。岁月累积，逐渐齐备。葬具有木马泥车，瓦制的鼓，芦苇截成的笛，这样做符合古代的典章制度，却不被当代采用。

另外辅助朕立国的功臣，有的对朕的情义之深，犹如过大河所需的船和桨；有的在军队的帐幕中定下计谋，有的亲自冲锋陷阵，与朕一起度过艰难危险，成就大业。追念往事，没有一天能够忘掉！假如死去的人没有知觉，那就尽可各居东西，都归于孤单冷清；如果魂魄有知，那就还像从前一样，居处相望，不也是很好的吗！汉朝让将相葬在天子陵墓附近，又供给他们东园制作的棺木，重视送终，恩义深厚，古人哪里不同于我呢！从今以后，功臣近亲和德行、事业有助于当世的人，如果逝世，应当赐给坟地一处及所用的棺木，使埋葬的时候，丧事完满。有关主管部门照此筹措准备，就合朕的心意了。

甲子，往洛阳宫，命令祭奠汉文帝。三月丙戌初一，出现日食。丁亥，车驾抵达洛阳。丙申，改洛州为洛阳宫。辛亥，在广城泽举行大规模的狩猎活动。癸丑，回洛阳宫。

夏四月甲子，雷击乾元殿前槐树。丙寅，命令河北、淮南推荐孝顺父母、敬爱兄长、淳厚朴实兼熟悉当代事务的人；博通儒术、可作为学习榜样的人；文辞秀美、才能可以担负著述任务的人；明了施政的要领、可委以抚养百姓任务的人。这些人都必须是志向、操守修治树立，为乡里所推崇的，官府供给驿车送他们到洛阳宫。六月甲寅，尚书右仆射、虞国公温彦博逝世。丁巳，太宗到明德宫。己未，定立制度，诸王任世袭刺史。戊辰，定立制度，功臣任世袭刺史。改封任城王李道宗为江夏郡王，赵郡王孝恭为河间郡王。己巳，改封许王元祥为江王。秋七月癸未，长时间下大雨。谷水泛滥，流入洛阳宫，深四尺，冲坏左掖门，冲毁宫观十九处；洛水泛滥，冲走六百家。庚寅，由于水灾命令群臣各上密封的奏章，毫无保留地谈出自己对政治得失的看法。丁酉，天子回到洛阳宫。壬寅，放弃明德宫和飞山宫的玄圃院，分给遭水淹的人家居住，还分等第赐给他们丝织品。丙午，在亳州修建老君庙，在兖州修建尼庙，每个庙各给二十户人家负责祭祀。免除靠近凉武昭王陵墓的二十户人家的徭役，让他们负责陵墓的守卫，并禁止在墓地放牧打柴。九月丁亥，黄河泛滥，冲坏陕州河北县，冲毁河阳县中潭城。亲临白司马坂观察水情，分等第赐给遭水淹的人家粮食和丝织品。冬十一月辛卯，太宗到怀州。乙未，在济源打猎。丙午，回到洛阳宫。十二月辛酉，百济王派他的太子隆来朝见天子。

十二年春正月乙未，吏部尚书高士廉等上《氏族志》一百三十卷。壬寅，松、丛二州地震，坏人庐舍，有压死者。二月乙卯，车驾还京。癸亥，观砥柱，勒铭以纪功德。甲子，夜郎獠反，夔州都督齐善行讨平之。乙丑，次陕州，自新桥幸河北县，祀夏禹庙。丁卯，次柳谷顿，观盐池。戊寅，以隋鹰扬郎将尧君素忠于本朝，赠蒲州刺史，仍录其子孙。闰二月庚辰朔，日有蚀之。丙戌，至自洛阳宫。夏五月壬申，银青光禄大夫、永兴县公虞世南卒。六月庚子，初置玄武门左右飞骑。秋七月癸酉，吏部尚书、申国公高士廉为尚书右仆射。

冬十月己卯，狩于始平，赐高年粟帛有差。乙未，至自始平。己亥，百济遣使贡金甲雕斧。十二月辛巳，右武候将军上官怀仁大破山獠于壁州。

十三年春正月乙巳朔，谒献陵。曲赦三原县及行从大辟罪。丁未，至自献陵。戊午，加房玄龄为太子少师。二月丙子，停世袭刺史。三月乙丑，有星孛于毕、昴。

夏四月戊寅，幸九成宫。甲申，阿史那结社尔犯御营，伏诛。壬寅，云阳石燃者方丈，昼如灰，夜则有光，投草木于上则焚，历年而止。自去冬不雨至于五月。甲寅，避正殿，令五品以上上封事，减膳罢役，分使赈恤，申理冤屈，乃雨。

六月丙申，封皇弟元婴为滕王。秋八月辛未朔，日有蚀之。庚辰，立右武候大将军、化州都督、怀化郡王李思摩为突厥可汗，率所部建牙于河北。

冬十月甲申，至自九成宫。十一月辛亥，侍中、安德郡公杨师道为中书令。十二月丁丑，吏部尚书、陈国公侯君集为交河道行军大总管，帅师伐高昌。乙亥，封皇子福为赵王。壬午，巂州都督王志远有罪，伏诛。诏于洛、相、幽、徐、齐、并、秦、蒲等州并置常平仓。己丑，吐谷浑河源郡王慕容诺曷钵来逆女。壬辰，狩于咸阳。是岁，滁州言："野蚕食槲叶，成茧大如柰，其色绿，凡六千五百七十石。"高丽、新罗、西突厥、吐火罗、康国、安国、波斯、疏勒、于阗、焉耆、高昌、林邑、昆明及荒服蛮酋，相次遣使朝贡。

十四年春正月庚子，初命有司读时令。甲寅，幸魏王泰宅。赦雍州及长安狱大辟罪已下。二月丁丑，幸国子学，亲释奠，赦大理、万年系囚，国子祭酒以下及学生高第精勤者加一级，赐帛有差。庚辰，左骁卫将军、淮阳王道明送弘化公主归于吐谷浑。壬午，幸温汤。辛卯，至自温汤。乙未，诏以梁皇侃、褚仲都，周熊安生、沈重，陈沈文阿、周弘正、张机，隋何妥、刘焯、刘炫等前代名儒，学徒多行其义，命求其后。

三月戊午，置宁朔大使，以护突厥。夏五月壬戌，徙封燕王灵夔为鲁王。六月乙酉，大风拔木。己丑，薛延陀遣使求婚。乙未，滁州野蚕成茧，凡收八千三百石。八月庚午，新作襄城宫。癸巳，交河道行军大总管侯君集平高昌，以其地置西州。九月癸卯，曲赦西州大辟罪。乙卯，于西州置安西都护府。冬十月己卯，诏以赠司空、河间元王孝恭，赠陕东道大行台尚书右仆射、郧节公殷开山，赠民部尚书、渝襄公刘政会等配飨高祖庙庭。闰月乙未，幸同州。甲辰，狩于尧山。庚戌，至自同州。丙辰，吐蕃遣使献黄金器千斤以求婚。

十一月甲子朔，日南至。有事于圆丘。十二月丁酉，交河道旋师。吏部尚书、陈国公侯君集执高昌王麹智盛，献捷于观德殿，行饮至之礼，赐酺三日。乙卯，高丽世子相权来朝。

【译文】

十二年春正月乙未，吏部尚书高士廉等进献《氏族志》一百三十卷。壬寅，松、丛两州发生地震，毁坏百姓房屋，有人被压死。二月乙卯，皇帝自洛阳回长安。癸亥，观看砥柱，刻铭文记载功德。甲子，夜郎獠反叛，被夔州都督齐善行讨平。乙丑，在陕州停留，皇上自新桥到河北县，祭夏禹庙。丁卯，在柳谷顿停留，皇上观看盐池。戊寅，认为隋鹰扬郎将尧君素忠于自己的朝廷，赠给蒲州刺史的官号，还录用他的子孙。闰二月庚辰初一，出现日食。丙戌，自洛阳宫回到了长安。夏五月壬申，银青光禄大夫、永兴县公虞世南去世。六月庚子，开始设立玄武门左右飞骑。秋七月癸酉，吏部尚书、申国公高士廉任尚书右仆射。

冬十月己卯，在始平打猎，分等第赐给那里的高龄老人粮食和丝织品。乙未，自始平回到长安。己亥，百济派使者进献黄金甲和刻有花纹的斧子。十二月辛巳，右武候将军上官怀仁在壁州大破山獠。

贞观十三年春正月乙巳初一，太宗晋谒高祖献陵。因特殊原因赦免三原县及随从出行人员中犯有死罪的人。丁未，自献陵回到长安。戊午，加授房玄龄为太子少师。二月丙子，取消世袭刺史制度。三月乙丑，有彗星出现于毕、昴宿之间。

夏四月戊寅，太宗到九成宫。甲申，阿史那结社尔进犯禁卫军营帐，被处死刑。壬寅，云阳县一块石头能燃烧，有一丈见方大小，白天像灰，晚上便有光，将草木扔到它上面就会燃烧，这种现象历时一年才消失。自去年冬天不下雨一直持续到今年五月。甲寅，不居正殿，命令五品以上官员各上密封的奏章，减少肴馔，免除徭役，分派使者到各地救济百姓，为受冤屈的人昭雪，天于是下雨。

六月丙申，封皇弟元婴为滕王。秋八月辛未初一，出现日食。庚辰，立右武候大将军、化州都督、怀化郡王李思摩为突厥可汗，让他率领部属在黄河北边建立官署。

冬十月甲申，太宗自九成宫回到长安。十一月辛亥，侍中、安德郡公杨师道任中书令。十二月丁丑，吏部尚书、陈国公侯君集任交河道行军大总管，率军讨伐高昌。乙亥，封皇子李福为赵王。壬午，巂州都督王志远有罪被处死刑。下令在洛、相、幽、徐、齐、并、秦、蒲等州设立常平仓。己丑，吐谷浑河源郡王慕容诺曷钵前来迎亲。壬辰，太宗在咸阳打猎。这一年，滁州报告："野蚕吃槲树的叶子，结的茧大得像沙果，绿色，共收得六千五百七十石。"高丽、新罗、西突厥、吐火罗、康国、安国、波斯、疏勒、于阗、焉耆、高昌、林邑、昆明及边远地区的异族首领，相继派使者入朝拜见天子，进献地方特产。

贞观十四年春正月庚子，首次命令有关官吏宣读按季节制定的政令。甲寅，太宗到魏王李泰的宅第。赦免雍州和长安监狱中犯死罪以下的囚犯。二月丁丑，到国子学，亲自参与祭奠先师孔子，赦免大理寺、万年县在押的囚犯，国子祭酒以下学官及在学生徒成绩优异学习勤奋的，提升一级，赐给丝织品，多少不等。庚辰，左骁卫将军、淮阳王李道明送弘化公主远嫁吐谷浑。壬午，天子到温泉。辛卯，自温泉回到长安。乙未，发布诏令说梁代皇侃、褚仲都，周代熊安生、沈重，陈代沈文阿、周弘正、张机，隋代何妥、刘焯、刘炫等前代名儒，他们的学生多能实行老师的道义，下令寻找这些名儒的后代。

三月戊午，设置宁朔大使，用来监视突厥。夏五月壬戌，改封燕王灵夔为鲁王。六月乙酉，大风把树连根拔起。己丑，薛延陀派使者前来求婚。乙未，滁州野蚕结茧，共收得八千三百石。八月庚午，新建成襄城宫。癸巳，交河道行军大总管侯君集平定高昌，在那里设置西州。九月癸卯，因特殊原因赦免西州的死刑罪犯。乙卯，在西州设立安西都护府。冬十月己卯，下令让赠司空、河间元王李孝恭，赠陕东道大行台尚书右仆射、郧国公殷开山，赠民部尚书、渝襄公刘政会等在高祖庙陪从受祭。闰十月乙未，到同州。甲辰，在尧山打猎。庚戌，自同州回到长安。丙辰，吐蕃派使者进献总重约一千斤的黄金器物，向唐求婚。

十一月甲子初一，冬至，在圆丘祭天。十二月丁酉，交河道的军队归来。吏部尚书、陈国公侯君集押解高昌王麹智盛，到观德殿献战利品，天子行饮至礼犒劳将士，赐他们会饮三天。乙卯，高丽太子相权来拜见天子。

十五年春正月丁卯，吐蕃遣其国相禄东赞来逆女。丁丑，礼部尚书、江夏王道宗送文成公主归吐蕃。辛巳，幸洛阳宫。三月戊申，幸襄城宫。

庚午，发襄城宫。

夏四月辛卯，诏以来年二月有事泰山，所司详定仪制。五月壬申，并州僧道及老人等抗表，以太原王业所因，明年登封已后，愿时临幸。上于武成殿赐宴，因从容谓侍臣曰："朕少在太原，喜群聚博戏，暑往寒逝，将三十藞矣。"时会中有旧识上者，相与道旧以为笑乐。因谓之曰：'他人之言，或有面谀。公等朕之故人，实以告朕，即日政教，于百姓何如？人间得无疾苦耶？"皆奏："即日四海太平，百姓欢乐，陛下沥也。臣等余年，日惜一日，但眷恋圣化，不知疾苦。"因固请过并州。上谓曰："飞鸟过故乡，犹踯躅徘徊；况朕于太原起义，遂定天下，复少小游观，诚所不忘。岱礼若毕，或冀与公等相见。"于是赐物各有差。丙子，百济王扶余璋卒。诏立其世子扶余义慈嗣其父位，仍封为带方郡王。

六月戊申，诏天下诸州，举学综古今及孝悌淳笃、文章秀异者，并以来年二月总集泰山。己酉，有星孛于太微，犯郎位。丙辰，停封泰山，避正殿以思咎，命食减膳。

秋七月甲戌，孛星灭。

冬十月辛卯，大阅于伊阙。壬辰，幸嵩阳。辛丑，还宫。十一月壬戌，废乡长。壬申，还京师。癸酉，薛延陀以同罗、仆骨、回纥、靺鞨霫之众度漠，屯于白道川。命营州都督张俭统所部兵压其东境；兵部尚书李绩为朔方行军总管，右卫大将军李大亮为灵州道行军总管，凉州都督李袭誉为凉州道行军总管，分道以御之。十二月戊子朔，至自洛阳宫。甲辰，李绩及薛延陀战于诺真水，大破之，斩首三千余级，获马万五千匹，薛延陀跳身而遁。绩旋破突厥思结于五台县，虏其男女千余口，获羊马称是。

十六年春正月辛未，诏在京及诸州死罪囚徒，配西州为户；流人未达前所者，徙防西州。兼中书侍郎、江陵子岑文本为中书侍郎，专知机密。夏六月辛卯，诏复隐王建成曰隐太子，改封海陵剌王元吉曰巢剌主。秋七月戊午，司空、赵国公无忌为司徒，尚书左仆射、梁国公玄龄为司空。

九月丁巳，特进、郑国公魏征为太子太师，知门下省事如故。冬十一月丙辰，狩于岐山。辛酉，使祭隋文帝陵。丁卯，宴武功士女于庆善宫南门。酒酣，上与父老等涕泣论旧事，老人等递起为舞，争上万岁寿，上各尽一杯。庚午，至自岐州。十二月癸卯，幸温汤。甲辰，狩于骊山，时阴寒晦冥，围兵断绝。上乘高望见之，欲舍其罚，恐亏军令，乃回辔入谷以避之。是岁，高丽大臣盖苏文弑其君高武，而立武兄子藏为王。

十七年春正月戊辰，右卫将军、代州都督刘兰谋反，腰斩。太子太师、郑国公魏征薨。戊申，诏图画司徒、赵国公无忌等勋臣二十四人于凌烟阁。三月丙辰，齐州都督齐王祐杀长史权万纪、典军韦文振，据齐州自守，诏兵部尚书李绩、刑部尚书刘德威发兵讨之。兵未至，兵曹杜行敏执之而降，遂赐死于内侍省。丁巳，荧惑守心前星，十九日而退。

夏四月庚辰朔，皇太子有罪，废为庶人。汉王元昌、吏部尚书侯君集并坐与连谋，伏诛。丙戌，立晋王治为皇太子，大赦，赐酺三日。丁亥，中书令杨师道为吏部尚书。己丑，加司徒、赵国公长孙无忌太子太师，司空、梁国公房玄龄太子太傅；特进、宋国公萧瑀太子太保，兵部尚书、英国公李绩为太子詹事，仍同中书门下三品。庚寅，上亲谒太庙，以谢承乾之过。癸巳，魏王泰以罪降爵为东莱郡王。五月乙丑，手诏举孝廉茂才异能之士。

六月己卯朔，日有蚀之。壬午，改葬隋恭帝。丁酉，尚书右仆射高士廉请致仕，诏以为开府仪同三司、同中书门下三品。闰月戊午，薛延陀遣其兄子突利设献马五万匹、牛驼一万、羊十万以请婚，许之。丙子，徙封东莱郡王泰为顺阳王。秋七月庚辰，京城讹言云："上遣枨枨取人心肝，以祠天狗。"递相惊悚。上遣使遍加宣谕，月余乃止。丁酉，司空、太子太傅、梁国公房玄龄以母忧罢职。八月，工部尚书、郧国公张亮为刑部尚书，参预朝政。九月癸未，徙庶人承乾于黔州。

冬十月丁巳，房玄龄起复本职。十一月己卯，有事于南郊。壬午，赐天下酺三日。以凉州获瑞石，曲赦凉州，并录京城及诸州系囚，多所原宥。

【译文】

贞观十五年春正月丁卯，吐蕃派他的国相禄东赞前来迎亲。丁丑，礼部尚书、江夏王李道宗送文成公主远嫁吐蕃。辛巳，往洛阳宫。三月戊申，到襄城宫。庚午，放弃襄城宫。

夏四月辛卯，命令在第二年二月封泰山，有关主管部门详细制定封禅的礼仪制度。五月壬申，并州的和尚、道士及老人等上书，说成就王业有赖于太原，明年封泰山之后，希望陛下降临太原。皇上在武成殿设宴招待来洛阳上书的并州父老，于是从容不迫地对随侍左右的人说："朕年幼时在太原，喜欢好多人聚在一块下棋取乐，岁月流逝，快三十年了。"当时宴会上有过去认识皇上的人，皇上和他们在一起叙故旧之情，感到快乐。于是对他们说："别人的话，或许是当面阿谀奉承。你们是朕的老朋友，请如实告诉朕，现在的政治教化，百姓认为怎么样？民间能没有疾苦吗？"大家都奏道："现在天下太平、百姓欢乐，这是陛下的功劳。我们这些人剩下的日子，一天比一天更加爱惜，只眷恋圣人的教化，不知道疾苦。"于是坚决请求皇上到并州去。皇上对他们说："飞鸟经过故乡，还要徘徊不前。何况朕在太原起义，终于平定天下，又是幼时游览的地方，确实是朕所不能忘的。泰山的封禅礼一旦结束，希望与你们相见。"于是赐给他们礼物，各有差别。丙子，百济王扶余璋去世。下令立他的嫡长子扶余义慈承继父位，仍封为带方郡王。

六月戊申，命令天下各州，推荐学问综贯古今和孝顺父母、敬爱兄长、淳厚朴实以及文辞优异的人，都在明年二月会集泰山。己酉，有彗星出现于太微垣，侵犯郎位。丙辰，取消封泰山。不居正殿，自思过错，命令尚食局减少肴馔。

秋七月甲戌，彗星消失。

冬十月辛卯，太宗在伊阙大规模检阅军队。壬辰，到嵩阳。辛丑，回到洛阳宫。十一月壬戌，废除乡长。壬申，还京师。癸酉，薛延陀率领同罗、仆骨、回纥、靺鞨霫的士兵越过沙漠，屯驻于白道川。命令营州都督张俭带领所统率的部队逼近敌人的东境；命令兵部尚书李世绩任朔方行军总管，右卫大将军李大亮任灵州道行军总管，凉州都督李袭誉任凉州道行军总管，率兵分道抵御敌人。十二月戊子初一，自洛阳宫回到了长安。甲辰，李世绩在诺真水同薛延陀打仗，大破敌军，斩首级三千多，获得马一万五千匹，薛延陀首领跃身逃脱。李世绩接着在五台县打败突厥思结，俘获敌军男女一千余口，得到的羊、马数量和这相当。

贞观十六年春正月辛未，太宗命令将在京城和各州的死刑罪犯，发配到西州为住户；被流放的人还没有抵达流放地的，改送到西州戍边。任命兼中书侍郎、江陵子岑文本为中书侍郎，专门执掌机要事务。夏六月辛卯，命令恢复隐王李建成为隐太子，改封海陵剌王李元吉为巢剌王。秋七月戊午，司空、赵国公长孙无忌任司徒，尚书左仆射、梁国公房玄龄任司空。

九月丁巳，特进、郑国公魏征任太子太师，仍执掌门下省事务。冬十一月丙辰，到岐山打猎。辛酉，派人到隋文帝陵墓祭奠。丁卯，在庆善宫南门设宴招待武功县士女。酒喝得高兴，皇上与武功父老等谈论往事，甚至于哭泣落泪。老人等交替起身为皇上跳舞，竞相向皇上敬酒祝寿，皇上逐个喝完每个人敬的一杯酒。庚午，自岐州回到长安。十二月癸卯，到温泉。甲辰，在骊山打猎，当时天色阴冷晦暗，围猎野兽的部队失去联络，皇上登高望见他们，想免掉对他们应有的处罚，又怕损害军令的严肃性，于是掉转马走入谷中以避开他们。这一年，高丽大臣盖苏文杀死高丽君主高武，而立高武哥哥的儿子高藏为王。

贞观十七年春正月戊辰，右卫将军、代州都督刘兰图谋造反，被腰斩。太子太师、郑国公魏征逝世。戊申，命令画司徒、赵国公长孙无忌等二十四个功臣的画像放于凌烟阁。三月丙辰，齐州都督齐王李祐杀死齐州长史权万纪、典军韦文振，占领齐州，据城自守，命令兵部尚书李世绩、刑部尚书刘德威调兵讨伐。军队还没有开到，齐州兵曹杜行敏逮住齐王投降，于是解送齐王入京，赐死于内侍省。丁巳，火星出现在心宿前头那颗星星的位置上，十九天才隐没。

夏四月庚辰初一，皇太子有罪，废为平民。汉王李元昌、吏部尚书侯君集都犯有与太子同谋的罪，被处死刑。丙戌，立晋王李治为皇太子，发布大赦令，赐天下会饮三天。丁亥，中书令杨师道任吏部尚书。己丑，加授司徒、赵国公长孙无忌太子太师，司空、梁国公房玄龄太子太傅；授特进、宋国公萧瑀太子太保，兵部尚书、英国公李世绩太子詹事，两人又任同中书门下三品。庚寅，皇上亲自晋谒太庙，就原太子承乾的罪过向祖先道歉。癸巳，魏王李泰因有罪降爵为东莱郡王。五月乙丑，太宗亲自写诏书命令各地推荐孝顺廉洁、才能优秀杰出的士人。

六月己卯初一，出现日食。壬午，改葬隋恭帝。丁酉，尚书右仆射高士廉请求退休，皇上命他任开府仪同三司、同中书门下三品。闰六月戊午，薛延陀可汗派他哥哥的儿子突利设进献马五万匹、牛和骆驼一万头、羊十万只，向唐朝求婚，天子答应。丙子，改封东莱郡王李泰为顺阳王。秋七月庚寅，京城有谣言说："皇上派枨枨取人心肝，用来祭天狗。"百姓一批接一批，都十分惊恐不安。皇上派使者到处宣传解说，过了一个多月风波才止息。丁酉，司空、太子太傅、梁国公房玄龄因母丧罢职。八月，工部尚书、勋国公张亮任刑部尚书，参与朝政。九月癸未，流放平民李承乾到黔州。

冬十月丁巳，房玄龄服丧未满，又被起用担任原来的职务。十一月己卯，在南郊祭天。壬午，赐天下会饮三日。由于凉州获得吉祥之石，赦免凉州的罪犯，并省察京城及各州在押囚犯的罪状，受到宽赦的人不少。

十八年春正月壬寅，幸温汤。

夏四月辛亥，幸九成宫。秋八月甲子，至自九成宫。丁卯，散骑常侍清苑男刘洎为侍中，中书侍郎江陵子岑文本、中书侍郎马周并为中书令。九月，黄门侍郎褚遂良参预朝政。冬十月辛丑朔，日有蚀之。甲辰，初置太子司议郎官员。甲寅，幸洛阳宫。安西都护郭孝恪帅师灭焉耆，执其王突骑支送行在所。十一月壬寅，车驾至洛阳宫。庚子，命太子詹事、英国公李绩为辽东道行军总管，出柳城，礼部尚书、江夏郡王道宗副之；刑部尚书、郧国公张亮为平壤道行军总管，以舟师出莱州，左领军常何、泸州都督左难当副之。发天下甲士，召募十万，并趣平壤，以伐高丽。十二月辛丑，庶人承乾死。

十九年春二月庚戌，上亲统六军发洛阳。乙卯，诏皇太子留定州监国；开府仪同三司、申国公高士廉摄太子太傅，与侍中刘洎、中书令马周、太子少詹事张行成、太子右庶子高季辅五人同掌机务；以吏部尚书、安德郡公杨师道为中书令。赠殷比干为太师，谥曰忠烈，命所司封墓，葺祠堂，春秋祠以少牢，上自为文以祭之。三月壬辰，上发定州，以司徒、太子太师兼检校侍中、赵国公长孙无忌，中书令岑文本、杨师道从。

夏四月癸卯，誓师于幽州城南，因大飨六军以遣之。丁未，中书令岑文本卒于师。癸亥，辽东道行军大总管、英国公李绩攻盖牟城，破之。五月丁丑，车驾渡辽。甲申，上亲率铁骑与李绩会围辽东城，因烈风发火弩，斯须城上屋及楼皆尽，麾战士令登，乃拔之。

六月丙辰，师至安市城。丁巳，高丽别将高延寿、高惠真帅兵十五万来援安市，以拒王师。李绩率兵奋击，上自高峰引军临之，高丽大溃，杀获不可胜纪。延寿等以其众降，因名所幸山为驻跸山，刻石纪功焉。赐天下大酺二日。秋七月，李绩进军攻安市城，至九月不克，乃班师。

冬十月丙辰，入临渝关，皇太子自定州迎谒。戊午，次汉武台，刻石以纪功德。十一月辛未，幸幽州。癸酉，大飨，还师。十二月戊申，幸并州。侍中、清苑男刘洎以罪赐死。是岁，薛延陀真珠毗伽可汗死。

二十年春正月，上在并州。丁丑，遣大理卿孙伏伽、黄门侍郎褚遂良等二十二人，以六条巡察四方，黜陟官吏。庚辰，曲赦并州，宴从官及起义元从，赐粟帛、给复有差。三月己巳，车驾至京师。己丑，刑部尚书、郑国公张亮谋反，诛。闰月癸巳朔，日有蚀之。

夏四月甲子，太子太师、赵国公长孙无忌，太子太傅、梁国公房玄龄，太子太保、宋国公萧瑀各辞调护之职，诏许之。六月，遣兵部尚书、固安公崔敦礼，特进、英国公李绩击破薛延陀于郁督军山北，前后斩首五千余级，虏男女三万余人。秋八月甲子，封皇孙为陈王。己巳，幸灵州。庚午，次泾阳顿。铁勒回纥、拔野古、同罗、仆骨、多滥葛、思结、阿跌、契苾、跌结、浑、斛薛等十一姓各遣使朝贡，奏称："延陀可汗不事大国，部落乌散，不知所之。奴等各有分地，不能逐延陀去，归命天子，乞置汉官。"诏遣会灵州。九月甲辰，铁勒诸部落俟斤、颉利发等遣使相继而至灵州者数千人，来贡方物，因请置吏，咸请至尊为可汗。于是北荒悉平，为五言诗勒石以序其事。辛亥，灵州地震有声。

冬十月，前太子太保、宋国公萧瑀贬商州刺史。丙戌，至自灵州。

二十一年春正月壬辰，开府仪同三司、申国公高士廉薨。丁酉，诏以来年二月有事泰山。甲寅，赐京师酺三日。二月壬申，诏以左丘明、卜子夏、公羊高、谷梁赤、伏胜、高堂生、戴圣、毛苌、孔安国、刘向、郑众、杜子春、马融、卢植、郑康成、服子慎、何休、王肃、王辅嗣、杜元凯、范宁等二十一人，代用其书，垂于国胄，自今有事于太学，并命配享宣尼庙堂。丁丑，皇太子于国学释菜。

夏四月乙丑，营太和宫于终南之上，改为翠微宫。五月戊子，幸翠微宫。六月癸亥，司徒、赵国公无忌加授扬州都督。秋七月庚子，建玉华宫于宜君县之凤凰谷。庚戌，至自翠微宫。八月壬戌，诏以河北大水，停封禅。辛未，骨利干国遣使贡名马。丁酉，封皇子明为曹王。冬十一月癸卯，徙封顺阳王泰为濮王。十二月戊寅，左骁卫大将军阿史那社尔、右骁卫大将军契苾何力、安西都护郭孝恪、司农卿杨弘礼为琯山道行军大总管，以伐龟兹。是岁，堕婆登、乙利、鼻林送、都播、羊同、石、波斯、康国、吐火罗、阿悉吉等远夷十九国，并遣使朝贡。又于突厥之北至于回纥部落，置驿六十六所，以通北荒焉。

【译文】

贞观十八年春正月壬寅，太宗到温泉。

夏四月辛亥，到九成宫。秋八月甲子，自九成宫回到长安。丁卯，散骑常侍、清苑县男刘洎任侍中；中书侍郎、江陵县子岑文本，中书侍郎马周，同任中书令。九月，黄门侍郎褚遂良参与朝政。冬十月辛丑初一，出现日食。甲辰，开始设立太子司议郎的官职。甲寅，往洛阳宫。安西都护郭孝恪率兵灭焉耆，捉住焉耆王突骑支，并送往天子所在的地方。十一月壬寅，天子抵达洛阳宫。庚子，命令太子詹事、英国公李绩任辽东道行军总管，自柳城出兵，礼部尚书、江夏郡王李道宗辅助他；刑部尚书、郧国公张亮任平壤道行军总管，率水师自莱州出发，左领军常何、泸州都督左难当辅助他。征调天下的兵士，又召募到兵士十万名，同趋平壤，征讨高丽。十二月辛丑，平民李承乾去世。

贞观十九年春二月庚戌，皇上亲自统率六军自洛阳出发。乙卯，命令皇太子留在定州代天子处理国政；命开府仪同三司、申国公高士廉代理太子太傅，与侍中刘洎、中书令马周、太子少詹事张行成、太子右庶子高季辅五人共同掌管机要事务；任用吏部尚书、安德郡公杨师道为中书令。追赠殷代比干为太师，定谥号为忠烈。命令有关主管部门给他的墓添土，并修葺祠堂，每年春秋二季用猪、羊二牲祭奠，皇上亲自写祭文。三月壬辰，皇上从定州出发，司徒、太子太师兼检校侍中、赵国公长孙无忌，中书令岑文本、杨师道随从。

夏四月癸卯，在幽州城南誓师，于是大宴六军将士而后派他们出征。丁未，中书令岑文本死于军中。癸亥，辽东道行军大总管、英国公李绩进攻盖牟城，击破了它。五月丁丑，天子渡过辽水。甲申，皇上亲自率领精锐的骑兵与李绩合围辽东城，借助大风接连发射带引火物的箭，不一会儿城上的房屋和城楼全被烧光，于是指挥战士登城，随即拿下了这座城堡。

六月丙辰，部队到达安市城下。丁巳，高丽偏将高延寿、高惠真率兵十五万前来援救安市，抵抗天子的军队。李绩率兵奋力进击，皇上从高山上领兵俯冲敌阵，高丽军大败，杀死和俘获的敌兵多得没法计算。延寿等带领剩下的兵士投降。于是将天子所到的山改名为驻跸山，并在那里刻石记功。赐天下会饮两天。秋七月，李绩进军攻打安市城，到九月仍没有攻下，于是班师回朝。

冬十月丙辰，进入临渝关，皇太子自定州来关上迎接和晋见天子。戊午，在汉武台停留，刻石记载功德。十一月辛未，到幽州。癸酉，大宴将士，接着军队撤回。十二月戊申，到并州。侍中、清苑县男刘洎因有罪被赐死。这一年，薛延陀真珠毗伽可汗去世。

贞观二十年春正月，皇上在并州。丁丑，派大理卿孙伏伽、黄门侍郎褚遂良等二十二人，用汉代制定的六条标准巡察四方，升降官吏。庚辰，因特殊情况赦免并州的罪犯，设宴招待随从的官员和一开始就随从起义的战士，分等第赐给他们粮食、丝织品和免除徭役的待遇。三月己巳，天子抵达京师。己丑，刑部尚书、郧国公张亮图谋造反，被处死。闰三月癸巳初一，出现日食。

夏四月甲子，太子太师、赵国公长孙无忌，太子太傅、梁国公房玄龄，太子太保、宋国公萧瑀各自辞去调理保护太子的职务，天子同意。六月，派兵部尚书、固安县公崔敦礼，特进、英国公李绩在郁督军山北击破薛延陀，前后斩敌军首级五千余，俘获男女三万多人。秋八月甲子，封皇孙李忠为陈王。己巳，往灵州。庚午，在泾阳顿停留。铁勒回纥、拔野古、同罗、仆骨、多滥葛、思结、阿跌、契苾、跌结、浑、斛薛等十一个部落各派使者来朝见天子，贡献地方特产，进奏说："薛延陀的可汗不侍奉大国，部落如鸟兽散，不知道往哪儿去了。我等各有自己的地盘，不能跟随薛延陀走，现归顺天子，请求在我们那儿设置汉族的官吏。"天子命令他们派人到灵州聚会。九月甲辰，铁勒各部落的俟斤、颉利发等派使者相继到达灵州的有数千人，他们前来贡献地方特产，接着要求设置官吏，都请天子做他们的可汗。于是北部边远地区全部平定，天子写了一首五言诗刻在石上记叙这件事。辛亥，灵州发生地震，可听到声音。

冬十月，从前的太子太保、宋国公萧瑀被贬任商州刺史。丙戌，天子自灵州回到长安。

贞观二十一年春正月壬辰，开府仪同三司、申国公高士廉逝世。丁酉，下令在第二年二月封泰山。甲寅，赐京师会饮三日。二月壬申，下诏说左丘明、卜子夏、公羊高、谷梁赤、伏胜、高堂生、戴圣、毛苌、孔安国、刘向、郑众、杜子春、马融、卢植、郑康成、服子慎、何休、王肃、王辅嗣、杜元凯、范宁等二十一人，世上使用他们的书，恩惠及于公卿大夫的子弟，从今以后太学祭祀，全让他们在孔子庙堂陪从受祭。丁丑，皇太子在国学放置芹藻祭奠先师。

夏四月乙丑，在终南山上营造太和宫，改名为翠微宫。五月戊子，到翠微宫。六月癸亥，司徒、赵国公长孙无忌加授扬州都督。秋七月庚子，在宜君县的凤凰谷建玉华宫。庚戌，自翠微宫回到长安。八月壬戌，下诏说河北发生大水灾，取消原定于明年举行的封禅典礼。辛未，骨利干国派使者进献名马。丁酉，封皇子李明为曹王。冬十一月癸卯，改封顺阳王李泰为濮王。十二月戊寅，任命左骁卫大将军阿史那社尔、右骁卫大将军契苾何力、安西都护郭孝恪、司农卿杨弘礼为琯山道行军大总管，领兵讨伐龟兹。这一年，堕婆登、乙利、鼻林送、都播、羊同、石、波斯、康国、吐火罗、阿悉吉等远方异族的十九个国家，都派使者入朝拜见天子，进献地方特产。又在突厥的北边到回纥部落之间，设立驿站六十六处，以使往北部荒远地区的道路得以畅通。

二十二年春正月庚寅，中书令马周卒。司徒、赵国公无忌兼检校中书令，知尚书门下二省事。已亥，刑部侍郎崔仁师为中书侍郎，参知机务。戊戌，幸温汤。戊申，还宫。二月，前黄门侍郎褚遂良起复黄门侍郎。中书侍郎崔仁师除名，配流连州。癸丑，西番沙钵罗叶护率众归附，以其俟斤屈裴禄为忠武将军，兼大俟斤。戊午，以结骨部置坚昆都督。乙亥，幸玉华宫，乙卯，赐所经高年笃疾粟帛有差。己卯，蒐于华原。

四月甲寅，碛外蕃人争牧马出界，上亲临断决，然后咸服。丁巳，右武候将军梁建方击松外蛮，下其部落七十二所。五月庚子，右卫率长史王玄策击帝那伏帝国，大破之，获其王阿罗那顺及王妃、子等，虏男女万二千人、牛马二万余以诣阙。使方士那罗迩娑婆于金飚门造延年之药。吐蕃赞普击破中天竺国，遣使献捷。六月癸酉，特进、宋国公萧瑀薨。秋七月癸卯，司空、梁国公房玄龄薨。八月己酉朔，日有蚀之。九月己亥，黄门侍郎褚遂良为中书令。

十月癸亥，至自玉华宫。十一月戊戌，眉、邛、雅三州獠反，右卫将军梁建方讨平之。庚子，契丹帅窟哥、奚帅可度者并率其部内属。以契丹部为松漠都督，以奚部置饶乐都督。十二月乙卯，增置殿中侍御史、监察御史各二员，大理寺置平事十员。闰月丁丑朔，昆山道总管阿史那社尔降处密、处月，破龟兹大拨等五十城，虏数万口，执龟兹王诃黎布失毕以归，龟兹平，西域震骇。副将薛万彻胁于阗王伏阇信入朝。癸未，新罗王遣其相伊赞千金春秋及其子文王来朝。是岁，新罗女王金善德死，遣册立其妹真德为新罗王。

二十三年春正月辛亥，俘龟兹王诃黎布失毕及其相那利等，献于社庙。二月丙戌，置瑶池都督府，隶安西都护府。丁亥，西突厥肆叶护可汗遣使来朝。三月丙辰，置丰州都督府。自去冬不雨，至于此月己未乃雨。辛酉，大赦。丁卯，敕皇太子于金液门听政。是月，日赤无光。

四月己亥，幸翠微宫。五月戊午，太子詹事、英国公李绩为叠州都督。辛酉，开府仪同三司、卫国公李靖薨。己巳，上崩于含风殿，年五十二。遗诏皇太子即位于柩前，丧纪宜用汉制。秘不发丧。庚午，遣旧将统飞骑劲兵从皇太子先还京，发六府甲士四千人，分列于道及安化门，翼从乃入；大行御马舆，从官侍御如常。壬申，发丧。六月甲戌朔，殡于太极殿。八月丙子，百僚上谥曰文皇帝，庙号太宗。庚寅，葬昭陵。上元元年八月，改上尊号曰文武圣皇帝。天宝十三载二月，改上尊号为文武大圣大广孝皇帝。

史臣曰：臣观文皇帝发迹多奇，聪明神武。拔人物则不私于党，负志业则咸尽其才。所以屈突、尉迟，由仇敌而愿倾心膂；马周、刘洎，自疏远而卒委钧衡。终平泰阶，谅由斯道。尝试论之：础润云兴，虫鸣螽跃。虽尧、舜之圣，不能用梼杌、穷奇而治平；伊、吕之贤，不能为夏桀、殷辛而昌盛。君臣之际，遭遇斯难，以至抉目剖心，虫流筋擢，良由遭值之异也。以房、魏之智，不逾于丘、轲，遂能尊主庇民者，遭时也。或曰：以太宗之贤，失爱于昆弟，失教于诸子，何也？曰：然，舜不能仁四罪，尧不能训丹朱，斯前志也。当神尧任谗之年，建成忌功之日，苟除畏逼，孰顾分崩，变故之兴，间不容发，方惧"毁巢"之祸，宁虞"尺布"之谣？承乾之愚，圣父不能移也。若文皇自定储于哲嗣，不骋志于高丽；用人如贞观之初，纳谏比魏征之日。况周发、周成之世袭，我有遗妍；较汉文、汉武之恢弘，彼多惭德。迹其听断不惑，从善如流，千载可称，一人而已！

【译文】

贞观二十二年春正月庚寅，中书令马周去世。司徒、赵国公长孙无忌兼检校中书令，执掌尚书、门下两省事务。己亥，刑部侍郎崔仁师任中书侍郎，参与执掌机要事务。戊戌，到温泉。戊申，太宗回宫。二月，前任黄门侍郎褚遂良服丧未满，又被起用为黄门侍郎。中书侍郎崔仁师从官籍中除名，流放连州。癸丑，西部异族首领沙钵罗叶护率领他的臣民归附唐朝，任命他的俟斤屈裴禄为忠武将军，兼大俟斤。戊午，在结骨部落居住区设置坚昆都督。乙亥，往玉华宫。乙卯，赐给所经之地高龄有重病的人粮食和丝织品，多少不等。己卯，在华原打猎。

四月甲寅，漠北异族人为牧马越出疆界而相争，皇上亲自裁决，然后各方都心服。丁巳，右武候将军梁建方进攻松外蛮，打下它的部落七十二个。五月庚子，右卫率长史王玄策进攻帝那伏帝国，大破敌兵，捉到国王阿罗那顺及王妃、王子等，俘获男女一万二千人、牛马两万头而后还朝。派方士那罗迩娑婆在金飚门制造延长寿命的药。吐蕃赞普击破中天竺国，派使者来献战利品。六月癸酉，特进、宋国公萧瑀逝世。秋七月癸卯，司空、梁国公房玄龄逝世。八月己酉初一，出现日食。九月己亥，黄门侍郎褚遂良升任中书令。

十月癸亥，天子自玉华宫回到长安。十一月戊戌，眉、邛、雅三州的獠人反叛，右卫将军梁建方将他们平定。庚子，契丹首领窟哥、奚首领可度者都率部归附唐朝。太宗下令在契丹部落居住区设立松漠都督，在奚部落居住区设立饶乐都督。十二月乙卯，增设殿中侍御史、监察御史各二人，大理寺设平事十人。闰十二月丁丑初一，昆山道总管阿史那社尔逼降处密、处月，攻破龟兹大拨等五十座城，俘获数万人，捉拿龟兹王诃黎布失毕回朝，龟兹平定，西域各国震惊。副将薛万彻胁迫于阗王伏阇信入朝。癸未，新罗王派她的宰相伊赞千金春秋和她的儿子文王来朝见天子。这一年，新罗女王金善德去世，派使者册封她的妹妹真德为新罗王。

贞观二十三年春正月辛亥，俘获的龟兹王诃黎布失毕和他的宰相那利等，被献到祭土神的庙里。二月丙戌，设立瑶池都督府，隶属于安西都护府。丁亥，西突厥肆叶护可汗派使者来朝见天子。三月丙辰，设立丰州都督府。自去年冬天不下雨，到了这月己未才下雨。辛酉，发布大赦令。丁卯，命令皇太子在金液门处理政务。这一月，太阳发赤无光。

四月己亥，皇上到翠微宫。五月戊午，太子詹事、英国公李绩任叠州都督。辛酉，开府仪同三司、卫国公李靖逝世。己巳，皇上在含风殿去世，享年五十二。遗诏命皇太子在灵柩前即位，说丧事应当按照汉代的制度办理。不公布天子逝世的消息。庚午，派先帝旧将统率飞骑营的精壮士兵随从皇太子先回京，调集六府披甲的士兵四千人，分列于道路及安化门，以这些士兵为护卫侍从，而后天子的车驾才入京；辞世的天子所用的车马，以及侍从护卫的官吏，都和平日一样。壬申，公布天子逝世的消息。六月甲戌初一，停柩于太极殿。八月丙子，百官进献谥号为文皇帝，庙号太宗。庚寅，葬于昭陵。上元元年八月，改进献尊号为文武圣皇帝。天宝十三载二月，改进献尊号为文武大圣大广孝皇帝。

史官说：臣观文皇帝，创业立功，才能出众，聪慧多智，精明威武。选拔人物不对自己的同伙有所偏私，胸有志向、事业的人都能充分发挥自己的才能。所以屈突通、尉迟恭，由仇敌变而为愿意竭尽心力；马周、刘洎，自关系疏远而最终委以宰相的重任。终于使天下太平，实因为这个道理。臣曾听说这样的事：柱子下的石墩湿润，空中就会云起雨落，昆虫叫唤，螽斯就会跳跃。纵然尧、舜圣明，不可能任用梼杌、穷奇而使天下太平；伊尹、吕尚贤能，不可能辅助夏桀、殷辛而使国家昌盛。君臣之间，遇合是困难的，以致于伍子胥挖眼，比干剖心，齐桓公尸体腐烂生蛆，虫子爬到门外，齐缗王被抽筋而薨，这实在是由于遇到的人不同造成的。以房玄龄、魏征的才智而论，没有超过孔丘、孟轲，之所以能使君主尊贵、百姓受到保护，是因为遇到了机会。有人问：凭太宗的贤明，却对兄弟没有爱，对儿子们有失教诲，为什么？回答是：对，舜不能爱四个被惩处的恶人，尧不能教育好丹朱，这是过去的记载中说的。当高祖神尧皇帝任用谗人的日子，李建成嫉妒太宗的功劳的时候，如果能消除畏惧，谁还顾得上家族的分崩离析，那时变故的发生，迫在眉睫，太宗正害怕“毁巢”的灾祸，哪里考虑到“兄弟二人不能相容”的歌谣？李承乾的愚昧，是圣明的父亲不能改变的。假如文皇帝自己选定贤明的太子，不随心所欲地攻打高丽，任用人才像贞观初年那样，接受谏言同于魏征在世的时候，那么，较之周武王、周成王的王位世代相袭，他们定感叹自己有美德遗留于世；同汉文帝、汉武帝的气度恢弘相比，他们多半会因为自己的行事有缺欠而内愧于心。推求太宗的听言断事不迷惑，从善如流，千载之间，可以说是只有一人而已！

窦建德列传

窦建德，贝州漳南人也。少时，颇以然诺为事。尝有乡人丧亲，家贫无以葬，时建德耕于田中，闻而叹息，遽辍耕牛，往给丧事，由是大为乡党所称。初，为里长，犯法亡去，会赦得归。父卒，送葬者千余人，凡有所赠，皆让而不受。

大业七年，募人讨高丽，本郡选勇敢优异者以充小帅，遂补建德为二百人长。时山东大水，人多流散，同县有孙安祖，家为水所漂，妻子馁死。县以安祖骁勇，亦选在行中。安祖辞贫，白言漳南令，令怒笞之。安祖刺杀令，亡投建德，建德舍之。是岁，山东大饥，建德谓安祖曰："文皇帝时，天下殷盛，发百万之众以伐辽东，尚为高丽所败。今水潦为灾，黎庶穷困，而主上不恤，亲驾临辽，加以往岁西征，疮痍未复，百姓疲弊，累年之役，行者不归，今重发兵，易可摇动。丈夫不死，当立大功，岂可为逃亡之虏也。我知高鸡泊中广大数百里，莞蒲阻深，可以逃难，承间而出虏掠，足以自资。既得聚人，且观时变，必有大功于天下矣。"安祖然其计。建德招诱逃兵及无产业者，得数百人，令安祖率之，入泊中为群盗，安祖自称将军。鄃人张金称亦结聚得百人，在河阻中。蓨人高士达又起兵得千余人，在清河界中。时诸盗往来漳南者，所过皆杀掠居人，焚烧舍宅，独不入建德之间。由是郡县意建德与贼徒交结，收系家属，无少长皆杀之。建德闻其家被屠灭，率麾下二百人亡归士达。士达自称东海公，以建德为司兵。后安祖为张金称所杀，其兵数千人又尽归于建德。自此渐盛，兵至万余人，犹往来高鸡泊中。每倾身接物，与士卒均执勤苦，由是能致人之死力。

【译文】

窦建德，贝州漳南县人。年幼时，常做一些重许诺的义举。曾有一个同乡亲人去世，家里贫穷无钱埋葬，当时建德正在田里犁地，听到这事后不禁叹息，突然中止犁地，把耕牛送去充作办丧事的费用，由此大为乡里所称道。起初，建德当里长，因犯法逃亡，遇上朝廷发布大赦令，又回到家乡。他父亲去世，送葬的有一千多人。所有送给他的礼物，他都推辞不受。

大业七年，朝廷募兵讨伐高丽，本郡挑选特别勇敢的人充当军队的小头目，于是委任建德做二百人长。当时山东发生大水灾，百姓流散逃亡，同县有一个叫孙安祖的人，家被水淹，妻子饿死。县里认为安祖骁勇，也选中他从军出征。安祖以家贫为由推辞，亲自向漳南县令报告，县令发怒鞭打他。安祖刺杀县令，逃到建德这里，建德安排他住下。这一年，山东发生大饥荒，建德对安祖说："隋文帝的时候，天下繁盛，朝廷征集百万大军征讨辽东，尚且被高丽打败。现今大水成灾，百姓穷困，而皇上不加抚恤，却亲自驾临辽水；加上往年西征，国家所受的创伤尚未平复，百姓疲弊，连年的兵役徭役，应征的人只去不回，现在又再次征兵，天下轻易就可以摇动。大丈夫不死，当建立大功业，岂可做一名逃亡的贼寇！我知道高鸡泊中广大，方圆数百里，有蒲草阻隔，可以避难，再趁机出来抢掠，足可以自己供给自己。你在那里可以聚集民众，观察时世的变化，将来一定会为天下人立大功。"安祖赞成他的计划。建德招聚、引诱逃兵和没有产业的百姓，得到数百人，让安祖统率，入泊中当强盗，安祖自称将军。当时鄃县人张金称也聚集上百人，居于黄河的险阻之处。蓨县人高士达又起兵反隋，有千余人，在清河县境内。当时各路盗贼往来于漳南的，所到之处都杀掠居民，焚烧住宅，唯独不进入建德的居里。因此郡县官猜测建德同盗贼交结，于是逮捕他的家属，不论长幼，全部杀死。建德听到他的家被杀绝的消息后，率领手下二百人投奔士达。士达自称东海公，让建德任司兵。后来安祖被张金称杀死，他的部队数千人又全归属建德。从此声势渐盛，军队达到一万多人，仍活动于高鸡泊中。建德常竭尽全力待人，和士兵一样干劳苦的工作，因此能使他人为他尽死力。

十二年，涿郡通守郭绚率兵万余人来讨士达。士达自以智略不及建德，乃进为军司马，咸以兵授焉。建德既初董众，欲立奇功以威群贼，请士达守辎重，自简精兵七千人以拒绚，诈为与士达有隙而叛之。士达又宣言建德背亡，而取虏获妇人绐为建德妻子，于军中杀之。建德伪遣人遗绚书请降，愿为前驱，破士达以自效。绚信之，即引兵从建德至长河界，期与为盟，共图士达。绚兵益懈而不备，建德袭之，大破绚军，杀略数千人，获马千余匹，绚以数十骑遁走，遣将追及于平原，斩其首以献士达。由是建德之势益振。

隋遣太仆卿杨义臣率兵万余人讨张金称，破之于清河，所获贼众皆屠灭，余散在草泽间者复相聚而投建德。义臣乘胜至平原，欲入高鸡泊中，建德谓士达曰："历观隋将，善用兵者唯义臣耳。新破金称，远来袭我，其锋不可当。请引兵避之，令其欲战不得，空延岁月，将士疲倦，乘便袭击，可有大功。今与争锋，恐公不能敌也。"士达不从其言，因留建德守壁，自率精兵逆击义臣，战小胜，而纵酒高宴，有轻义臣之心。建德闻之曰："东海公未能破贼而自矜大，此祸至不久矣。隋兵乘胜，必长驱至此，人心惊骇，吾恐不全。"遂留人守壁，自率精锐百余据险，以防士达之败。后五日，义臣果大破士达，于阵斩之，乘势追奔，将围建德。守兵既少，闻士达败，众皆溃散。建德率百余骑亡去，行至饶阳，观其无守备，攻陷之，抚循士众，人多愿从，又得三千余兵。

【译文】

十二年，涿郡通守郭绚率领一万多名士兵来征讨士达。士达自认为智谋赶不上建德，于是让建德升任军司马，把军队全交给他指挥。建德初次统领全部人马，想立奇功以使盗贼们畏服，于是请士达看守军用物资，自己挑选精兵七千人抵御郭绚，假装成与士达有嫌隙而背叛他的样子。士达又宣称建德背叛自己，带兵逃走，而且找来一个掳获的妇女，伪称是建德的妻子，在军中把她杀了。建德派人给郭绚送信，假装请求投降，说自己愿充当前锋，击破士达，以此为郭绚效力。郭绚相信了他的话，便领兵跟随建德到达长河县境内，期望与他订立盟约，共同对付士达。郭绚的军队更加松懈，毫无防备，建德乘机袭击，大破郭绚的部队，杀死、劫掠数千人，获得马一千多匹，郭绚带领数十名骑兵逃走，建德派手下将领在平原追上他，砍下了他的头献给士达。从此建德的势力更加兴盛。

隋朝派太仆卿杨义臣率士兵一万多人讨伐张金称，在清河击破他，将所俘获的贼寇全部杀死，其余逃散在荒野之间的又聚集一起，投奔建德。义臣乘胜到平原，想进入高鸡泊中，建德对士达说：“遍观隋朝将领，善于用兵的只有义臣一人而已。现在他新破金称，从远方来袭击我们，锋芒正锐不可当。我请求领兵避开他，让他想打又打不成，白白拖延岁月，那时战士疲倦，我们乘便袭击，便可建立大功。现在同他争斗以决胜负，恐怕您不是对手。”士达不听他的话，于是留建德守营，自己率精兵迎击义臣，战斗取得小胜，士达便设盛宴狂饮，有轻视义臣之心。建德知道这件事后说：“东海公没有能破敌却骄傲自大，这样灾祸临头就不会很远了。隋军乘胜，一定会顺利地前进到这里，那时人心惊恐，我们怕不能自全。”于是留人守营，自己率领精锐士兵一百多人占据险要之地，以预防士达的失败。过了五天，义臣果然大破士达，在阵上杀死他，并乘势追击逃敌，准备围攻建德。建德的守兵既少，得知士达失败，又全部溃散。建德带领一百多名骑兵逃跑，走到饶阳县，发现城里不设防，便攻陷了它，安抚士人百姓，人们多愿跟从，又得到士兵三千多名。

初，义臣既杀士达，以为建德不足忧。建德复还平原，收士达败兵之死者，悉收葬焉。为士达发丧，三军皆缟素。招集亡卒，得数千人，军复大振，始自称将军。初，群盗得隋官及山东士子皆杀之，唯建德每获士人，必加恩遇。初得饶阳县长宋正本，引为上客，与参谋议。此后隋郡长吏稍以城降之，军容益盛，胜兵十余万人。

十三年正月，筑坛场于河间乐寿界中，自称长乐王，年号丁丑，署置官属。七月，隋遣右翊卫将军薛世雄率兵三万来讨之，至河间城南，营于七里井。建德闻世雄至，选精兵数千人伏河间南界泽中，悉拔诸城伪遁，云亡入豆子䴚中。世雄以为建德畏己，乃不设备。建德觇知之，自率敢死士一千人袭击世雄。会云雾昼晦，两军不辨，隋军大溃，自相踏藉，死者万余，世雄以数百骑而遁，余军悉陷。于是建德进攻河间，频战不下。其后城中食尽，又闻炀帝被弑，郡丞王琮率士吏发丧，建德遣使吊之，琮因使者请降，建德退舍具馔以待焉。琮率官属素服面缚诣军门，建德亲解其缚，与言隋亡之事，琮俯伏悲哀，建德亦为之泣。诸贼帅或进言曰：“琮拒我久，杀伤甚众，计穷方出，今请烹之。”建德曰：“此义士也。方加擢用，以励事君者，安可杀之？往往泊中共为小盗，容可恣意杀人，今欲安百姓以定天下，何得害忠良乎？”因令军中曰：“先与王琮有隙者，今敢动摇，罪三族。”即日授琮瀛州刺史。始都乐寿，号曰金城宫，自是郡县多下之。

【译文】

起初，义臣杀了士达后，认为建德不值得忧虑。于是建德又回到平原，收集士达已战死的败兵的尸体，都加以埋葬。公布士达逝世的消息，部队全穿白色丧服。招集已逃散的士达的士兵，得到数千人，军队再次振兴，开始自称将军。起初，各路盗贼获得隋朝官吏及山东士人全都杀掉，只有建德每次得到士人，必定以德惠相待。最初得到饶阳县长宋正本，待为上宾，让他参与军政大事的谋议。这以后隋朝的郡县长官逐渐献城投降，建德军容更盛，有优秀的士兵十余万。

十三年正月，建德在河间乐寿县境内筑坛场祭祀，自称长乐王，年号丁丑，设置官职并任命官吏。七月，隋朝派右翊卫将军薛世雄率领三万军队前来讨伐，到达河间城南，扎营于七里井。建德得知世雄的军队已到，挑选精兵数千人埋伏于河间南境的沼泽地中，全部从各城撤出军队，假装逃跑，放出话说，已逃入豆子𠁅中。世雄以为建德害怕自己，于是毫不设防。建德侦察到这一情况，亲自率领敢于赴死的战士一千人袭击世雄。正好遇上白昼大雾，天色昏暗，敌我两军无从分辨，隋军惊逃溃散，自相践踏，死的人有一万多，世雄带领数百名骑兵逃走，余下的军队全部被俘。于是建德进攻河间，打了多次未能攻下。以后城中粮食用完，又听说炀帝被杀，郡丞王琮率领城中的士卒官吏公布炀帝逝世的消息，建德派使者去吊唁，王琮通过使者请求投降，建德于是撤走围城的军队、备好食物等待王琮。王琮率领郡中佐吏穿白色衣服反绑双手到营门投降，建德亲自给他解开绳子，同他谈到隋亡的事，王琮俯伏在地，非常悲哀，建德也为此而哭泣。贼将们有的向建德进言说：“王琮抵抗我们很久，杀伤我们的士兵甚多，无计可施才出来投降，现在我们要求对他处以烹刑。”建德说：“这是一位义士，将加以提拔任用，借此鼓励侍奉君主的人，怎么可以杀死他？从前在高鸡泊中一起当小强盗，也许可以任意杀人，现在要安抚百姓，平定天下，怎么能杀害忠良呢？”于是在军中发布命令说：“从前与王琮有嫌隙的，现在如果胆敢有所动作，罪及父母、兄弟、妻子。”当天便任命王琮为瀛州刺史。开始在乐寿建都，称为金城宫。从这以后隋朝的郡县多降伏建德。

武德元年冬至日，于金城宫设会，有五大鸟降于乐寿，群鸟数万从之，经日而去，因改年为五凤。有宗城人献玄圭一枚，景城丞孔德绍曰：“昔夏禹膺箓，天锡玄圭。今瑞与禹同，宜称夏国。”建德从之。先是，有上谷贼帅王须拔自号漫天王，拥众数万，入掠幽州，中流矢而死。其亚将魏刀儿代领其众，自号历山飞，入据深泽，有徒十万。建德与之和，刀儿因弛守备，建德袭破之，又尽并其地。

二年，宇文化及僭号于魏县，建德谓其纳言宋正本、内史侍郎孔德绍曰：“吾为隋之百姓数十年矣，隋为吾君二代矣。今化及杀之，大逆无道，此吾仇矣，请与诸公讨之，何如？”德绍曰：“今海内无主，英雄竞逐，大王以布衣而起漳浦，隋郡县官人莫不争归附者，以大王仗顺而动，义安天下也。宇文化及与国联姻，父子兄弟受恩隋代，身居不疑之地，而行弑逆之祸，篡隋自代，乃天下之贼也。此而不诛，安用盟主！”建德称善。即日引兵讨化及，连战大破之。化及保聊城，建德纵撞车抛石，机巧绝妙，四面攻城，陷之。建德入城，先谒隋萧皇后，与语称臣。悉收弑炀帝元谋者宇文智及、杨士览、元武达、许弘仁、孟景，集隋文武官，对而斩之，枭首辕门之外。化及并其二子同载以槛车，至大陆县斩之。

【译文】

武德元年冬至那天，同僚属在金城宫聚会，有五只大鸟降落到乐寿，各种鸟数万只跟随它们，历时一天才离去，于是改年号为五凤。有一个宗城人进献玄圭一枚，景城县丞孔德绍说：“从前夏禹亲授图箓，应运而兴，上天赐给玄圭。现在的祥瑞和夏禹的时候一样，国名应当改为夏。”建德听从。在这之前，有上谷盗贼首领王须拔自称漫天王，拥有徒众数万，进入幽州劫掠，中流箭身亡。他的副将魏刀儿代他统领徒众，自称历山飞，进据深泽县，有兵士十万。建德同他讲和，刀儿于是放松防备，建德击破他，又兼并他的所有土地。

武德二年，宇文化及在魏县僭越称帝，建德对自己的纳言宋正本、内史侍郎孔德绍说："我当隋朝的百姓已经数十年了，隋做我的君主已经两代了。现在化及杀死隋帝，大逆不道，这是我的仇敌，请和诸位一起讨伐他，怎么样？"德绍说："当今海内没有君主，英雄相互竞争，大王以平民的身分兴起于漳水之滨，隋朝的郡县官吏之所以都争相归附，是因为大王坚持顺理而行，用仁义安定天下。宇文化及与天子联姻，父子兄弟都蒙受隋朝的恩惠，身处于不被怀疑的地位，而干弑君谋逆的勾当，篡隋自代，是危害天下的坏人。这样的人不诛杀，要盟主做什么！"建德说他的意见很好。当天就领兵讨伐化及，连续作战都大破敌军。化及守聊城，建德派出撞车抛射石块，打击敌人，装置灵巧绝妙，四面攻城，打下了它。建德入城，先觐见隋朝萧皇后，同她谈话自称臣。全部收捕弑杀炀帝的主谋宇文智及、杨士览、元武达、许弘仁、孟景等，召集隋朝文武官吏，当着他们的面将这些人处斩，首级挂在营门外示众。化及和他的两个儿子都被装进囚车，到大陆县处斩。

建德每平城破阵，所得资财，并散赏诸将，一无所取。又不啖肉，常食唯有菜蔬、脱粟之饭。其妻曹氏不衣纨绮，所使婢妾才十数人。至此，得宫人以千数，并有容色，应时放散。得隋文武官及骁果尚且一万，亦放散，听其所去。又以隋黄门侍郎裴矩为尚书左仆射，兵部侍郎崔君肃为侍中，少府令何稠为工部尚书，自余随才拜授，委以政事。其有欲往关中及东都者亦恣听之，仍给其衣粮，以兵援之，送出其境。攻陷洺州，虏刺史袁子干。迁都于洺州，号万春宫。遣使往灌津，祠窦青之墓，置守冢二十家。又与王世充结好，遣使朝隋越王侗于洛阳。后世充废侗自立，乃绝之，始自尊大，建天子旌旗，出警入跸，下书言诏。追谥隋炀帝为闵帝，封齐王暕子政道为郧公。然犹依倚突厥。隋义城公主先嫁突厥，及是遣使迎萧皇后，建德勒兵千余骑送之入蕃，又传化及首以献公主。既与突厥相连，兵锋益盛。

九月，南侵相州，河北大使淮安王神通不能拒，退奔黎阳。相州陷，杀刺史吕珉。又进攻卫州，陷黎阳，左武卫大将军李世勣、皇妹同安长公主及神通并为所虏。滑州刺史王轨为奴所杀，携其首以奔建德，曰："奴杀主为大逆，我何可纳之。"命立斩奴，而返轨首于滑州。吏人感之，即日而降。齐、济二州及兖州贼帅徐圆朗皆闻风而下。建德释李世勣，使其领兵以镇黎州。

【译文】

建德每次平定城池攻破敌阵，所得资财，全都分赏给手下的将领，自己一无所取。又不吃肉，平常的食品只有蔬菜、糙米饭。他的妻子曹氏不穿用细绢和有花纹的丝织品做成的衣服，使用的奴婢、侍妾才十几人。到这时候，得到的宫女以千计算，都有姿色，立时释放。得到的隋朝文武官员及骁勇敢死之士将近一万，也全部释放，随他们愿意上哪儿都可以。又让隋黄门侍郎裴矩任尚书左仆射，兵部侍郎崔君肃任侍中，少府令何稠任工部尚书，其余也随才授职，委以政事。有想到关中及东都去的也听便，还供给他们衣服、粮食，派士兵帮助他们，送他们出自己的国境。攻陷洺州，俘获刺史袁子干。迁都到洺州，称万春宫。派使者往灌津，到窦青的墓上祭祀，为他设置了二十户守墓的人家。又同王世充建立友好关系，派使者到洛阳朝见隋朝越王杨侗。后来王世充废掉杨侗，自立为帝，才同他断绝关系。开始自尊自大，立天子旌旗，像天子那样出入称警跸，发布文书称诏。为隋炀帝追定谥号为闵帝，封齐王杨暕的儿子政道为郧公。但仍依靠突厥。隋朝义城公主早先嫁到突厥，到这时候派使者来迎接萧皇后，建德带领一千多名骑兵送她入突厥，又递送化及的首级献给公主。这以后与突厥联合，兵势更盛。

九月，南侵相州，唐河北大使淮安王李神通不能抵御，逃到黎阳。相州沦陷，杀死刺史吕珉。又进攻卫州，打下黎阳，唐左武卫大将军李世勣、皇妹同安长公主及神通都被俘获。滑州刺史王轨被他的奴仆杀死，这个奴仆携带王轨的头投奔建德，建德说："奴仆杀死主人是大逆不道，我怎么可以接纳这样的人呢。"下令立刻杀掉这个奴仆，而把王轨的头送回滑州。滑州的官吏百姓十分感激他，当天就投降。齐、济二州及兖州的盗贼首领徐圆朗都闻风降伏。建德释放李世勣，派他领兵镇守黎州。

三年正月，世勣舍其父而逃归，执法者请诛之，建德曰："勣本唐臣，为我所虏，不忘其主，逃还本朝，此忠臣也，其父何罪！"竟不诛。舍同安长公主及神通于别馆，待以客礼。高祖遣使与之连和，建德即遣公主与使俱归。尝破赵州，执刺史张昂、邢州刺史陈君宾、大使张道源等，以侵轶其境，建德将戮之。其国子祭酒凌敬进曰："夫犬各吠非其主，今邻人坚守，力屈就擒，此乃忠确士也。若加酷害，何以劝大王之臣乎？"建德盛怒曰："我至城下，犹迷不降，劳我师旅，罪何可赦？"敬又曰："今大王使大将军高士兴于易水抗御罗艺，兵才至，士兴即降，大王之意复为可不？"建德乃悟，即命释之。其宽厚从谏，多此类也。

又遣士兴进围幽州，攻之不克，退军于笼火城，为艺所袭，士兴大溃。先是，其大将王伏宝多勇略，功冠等伦，群帅嫉之。或言其反，建德将杀之，伏宝曰："我无罪也，大王何听谗言，自斩左右手乎？"既杀之，后用兵多不利。

【译文】

三年正月，李世勣丢下他的父亲逃回唐朝，负责执法的官吏要求斩杀世勣的父亲，建德说："世勣原是唐朝的臣子，被我俘获，不忘自己的主人，逃回本朝，这是忠臣，他的父亲有什么罪呢！"竟然不杀世勣的父亲。安排同安长公主和神通住在客馆里，以客礼相待。唐高祖派使者来同建德和好、联合，建德就送公主和使者一起回唐。曾攻破赵州，捉住刺史张昂、邢州刺史陈君宾、大使张道源等，由于他们侵突建德的辖境，建德准备杀掉他们。建德的国子祭酒凌敬进言说："狗对不是自己的主人的人总要吠叫，现在邻居们坚持防守，力尽就擒，这些人都很忠诚、刚强。如果残酷地加以杀害，用什么来劝励大王的臣子呢？"建德非常生气地说："我到城下，他们仍坚持错误不投降，使我的军队吃苦受累，这罪怎么可以赦免？"凌敬又说："现在大王如果派大将军高士兴在易水抵抗罗艺，敌兵刚到，士兴就投降，大王的意思以为可不可以呢？”建德于是醒悟，便下令释放他们。他的宽厚和听谏，多类似这样。

又派士兴前去围攻幽州，没有能攻下，退兵到笼火城，被罗艺袭击，士兴的军队奔逃溃散。在这之前，建德的大将王伏宝勇猛多谋，功劳在同辈之上，许多将领都嫉妒他。有人告他造反，建德要杀他，伏宝说：“我没有罪，大王为什么听信谗言，自己砍去左右手呢？”建德既杀了伏宝，以后作战大多失利。

九月，建德自帅师围幽州，艺出兵与战，大破之，斩首千二百级。艺兵频胜而骄，进袭其营。建德列阵于营中，填堑而出，击艺败之。建德薄其城，不克，遂归洺州。其纳言宋正本好直谏，建德又听谗言杀之。是后人以为诫，无复进言者，由此政教益衰。

先，曹州济阴人孟海公拥精兵三万，据周桥城以掠河南之地。其年十一月，建德自率兵渡河以击之。时秦王攻王世充于洛阳，建德中书舍人刘斌说建德曰：“今唐有关内，郑有河南，夏居河北，此鼎足相持之势也。闻唐兵悉众攻郑，首尾二年，郑势日蹙而唐兵不解。唐强郑弱，其势必破郑，郑破则夏有齿寒之忧。为大王计者，莫若救郑，郑拒其内，夏攻其外，破之必矣。若却唐全郑，此常保三分之势也。若唐军破后而郑可图，则因而灭之，总二国之众，乘唐军之败，长驱西入，京师可得而有，此太平之基也。”建德大悦曰：“此良策矣。”适会世充遣使乞师于建德，即遣其职方侍郎魏处绘入朝，请解世充之围。

【译文】

九月，建德亲自领兵包围幽州，罗艺出兵与建德作战，大破建德的军队，斩首级一千二百。罗艺的军队屡战屡胜，骄傲轻敌，进袭建德的营地。建德在营中列阵，填掉部分营外的壕沟，领兵冲出，回击罗艺，并打败了他。建德逼近幽州城，未能攻下它，于是回到洺州。建德的纳言宋正本好直言进谏，建德又听信谗言杀了他。此后人们以此为诫，不再进言，从此政治教化更显衰落。

起初，曹州济阴人孟海公拥有精兵三万，占据周桥城，以它为据点劫掠黄河以南之地。这一年十一月，建德亲自率兵渡过黄河攻打海公。当时秦王在洛阳攻打王世充，建德的中书舍人刘斌劝建德说："现在唐占有关内，郑占有河南，夏居于河北，这是三方鼎足相持的形势。听说唐军出动全部人马攻打郑国，前后两年，郑国的势力日减而唐军仍不解除对它的围困。唐强郑弱，那趋势必定会击破郑国，郑国被击破，那么夏就会有唇亡齿寒的忧患。为大王考虑，不如援救郑国，郑在内部抵抗，夏从外面进攻，击破唐军是必然的。如果逼唐退兵，保全郑国，这样就可以长久地保持天下三分的形势了。如果唐军被击破后而郑可谋取，那就接着灭掉它，再统领两国的军队，利用唐军的失败，长驱西入，京师就可以得到，这是使天下太平的基础。"建德非常高兴地说："这是好计策啊！"刚巧遇上世充派使者来向建德求救兵，便派他的职方侍郎魏处绘入唐，要求解除对世充的围困。

四年二月，建德克周桥，虏海公，留其将范愿守曹州，悉发海公及徐圆朗之众来救世充。军至滑州，世充行台仆射韩洪开城纳之，遂进逼元州、梁州、管州，皆陷之，屯于荥阳。三月，秦王入武牢，进薄其营，多所伤杀，并擒其将殷秋、石瓒。时世充弟世辨为徐州行台，遣其将郭士衡领兵数千人从之，合众十余万，号为三十万，军次成皋，筑宫于板渚，以示必战。又遣间使约世充共为表里。经二月，迫于武牢，不得进。秦王遣将军王君廓领轻骑千余抄其粮运，获其大将张青特，虏获甚众。

建德数不利，人情危骇，将帅已下破孟海公，皆有所获，思归洺州。凌敬进说曰："宜悉兵济河，攻取怀州河阳，使重将居守。更率众鸣鼓建旗，逾太行，入上党，先声后实，传檄而定。渐趋壶口，稍骇蒲津，收河东之地，此策之上也。行此必有三利：一则入无人之境，师有万全；二则拓土得兵；三则郑围自解。"建德将从之，而世充之使长孙安世阴赍金玉啖其诸将，以乱其谋。众咸进谏曰："凌敬书生耳，岂可与言战乎？"建德从之，退而谢敬曰："今众心甚锐，此天赞我矣。因此决战，必将大捷。已依众议，不得从公言也。"敬固争，建德怒，扶出焉。其妻曹氏又言于建德曰："祭酒之言可从，大王何不纳也？请自滏口之道，乘唐国之虚，连营渐进，以取山北，又因突厥西抄关中，唐必还师以自救，此则郑围解矣。今顿兵武牢之下，日月淹久，徒为自苦，事恐无功。”建德曰：“此非女子所知也。且郑国悬命朝暮，以待吾来，既许救之，岂可见难而退，示天下以不信也？”于是悉众进逼武牢，官军按甲挫其锐。

【译文】

武德四年二月，建德攻克周桥，俘获海公，留下他的将领范愿守曹州，全部征集海公及徐圆朗的军队来救世充。军队到滑州，世充的行台仆射韩洪打开城门接纳他们进城，于是进逼元州、梁州、管州，全攻下它们，屯兵于荥阳。三月，秦王入虎牢关，进逼建德的营垒，多所杀伤，并抓获建德的将领殷秋、石瓒。当时世充的弟弟世辨任徐州行台，派他的将领郭士衡领兵数千人跟随建德，两方的军队合起来共有十余万，号称三十万，驻扎在成皋，又在板渚筑宫室，借以表示一定要同唐决战。又派使者约世充相互呼应、配合。经过两个月，因被虎牢关阻迫，不能前进。秦王派将军王君廓率领轻骑兵千余名走近路袭击建德的运粮队伍，捉住他的大将张青特，其他俘获也很不少。

建德屡次失利，人们的情绪惊惧不安，将帅以下新破孟海公，都各自掠夺到一些东西，想回洺州。凌敬向建德进言说：“我们应当全军渡过黄河，攻取怀州河阳县，派重要将领镇守。然后再率领部队，击鼓立旗，越过太行，进入上党，先树立声威，挫折敌方士气，然后进军，无须作战，传递檄文即可使所到之地平定。进而逐渐趋向壶口，惊动蒲津，取得河东之地，这是上策。依此而行必定有三大好处：一是进入无人之境，军队不会受到任何伤害；二是可以扩展领土，得到士兵；三是对郑的围困能自动解除。”建德准备听从凌敬的建议，而世充的使者长孙安世暗中送黄金宝玉引诱建德的将领，让他们扰乱建德的谋划。将领们都进谏说：“凌敬不过是个书生，怎么可以同他讨论作战的事呢？”建德听从了他们的意见，下朝后谢绝凌敬说：“现在大家的意志坚决，这是上天助我。因此决战，必将大胜。已依从众人的议论，不能听你的话了。”凌敬坚决争辩，建德发怒，命令手下人将他扶出。建德的妻子曹氏又对建德说："祭酒的话可以听从，大王为什么不采纳呢？请由滏口的道路进兵，趁唐国在那儿空虚无备，军营相连逐渐推进，以夺取山北之地，又利用突厥的军队向西抄掠关中，唐朝必定回师自救，这样对郑的围困也就解除了。现在驻军于虎牢关下，时间很长，只是自己苦自己，恐怕不会有什么功效。"建德说："这不是女人所能知道的事。而且郑国性命不保，朝朝暮暮等待我们来，我们既已答应援救，怎么可以见难而退，向天下人表明我们不讲信用呢？"于是全军出动进逼虎牢，官军按兵不动，挫杀了建德的锐气。

及建德结阵于汜水，秦王遣骑挑之，建德进军而战，窦抗当之。建德少却，秦王驰骑深入，反覆四五合，然后大破之。建德中枪，窜于牛口渚，车骑将军白士让、杨武威生获之。先是，军中有童谣曰："豆入牛口，势不得久。"建德行至牛口渚，甚恶之，果败于此地。

建德所领兵众，一时奔溃，妻曹氏及其左仆射齐善行将数百骑遁于洺州。余党欲立建德养子为主，善行曰："夏王平定河朔，士马精强，一朝被擒如此，岂非天命有所归也？不如委心请命，无为涂炭生人。"遂以府库财物悉分士卒，各令散去。善行乃与建德右仆射裴矩、行台曹旦及建德妻率伪官属举山东之地，奉传国等八玺来降。七月，秦王俘建德至京师，斩于长安市，年四十九。自起军至灭，凡六岁，河北悉平。其年，刘黑闼复盗据山东。

【译文】

等到建德在汜水列阵，秦王于是派骑兵挑战，建德进兵攻打唐军，窦抗领兵抵挡他。建德略往后退，秦王率骑兵深入敌阵，反复交战四五次，然后大破建德的军队。建德中枪，逃窜到牛口渚，车骑将军白士让、杨武威活捉了他。在这之前，军中有童谣说："豆入牛口，势力不能长久。"建德走到牛口渚，很厌恶这个名称，果然败于这个地方。

建德所率领的部队，一时间奔逃溃散，他的妻子曹氏和左仆射齐善行带领数百名骑兵逃回洺州。建德的余党想立建德的养子做君主，善行说："夏王平定河北，兵马精强，顷刻间被擒就像这样，难道不是天命已有所归属了吗？不如倾心于唐，请求保全生命，不要使百姓再受苦受难。”于是把仓库里的财物全都分给士兵，让他们各自散去。善行就同建德的右仆射裴矩、行台曹旦及建德的妻子，率领伪夏国官员献上山东的土地及夏皇帝的传国玺等八个印章投降唐朝。七月，秦王带着被俘的建德到京师，在长安的市场上将他处斩，当时他四十九岁。建德从起兵到灭亡，共六年。河北全部平定。这一年，刘黑闼又窃据山东反叛朝廷。

秦叔宝列传第十八

秦叔宝名琼，齐州历城人。大业中，为隋将来护儿帐内。叔宝丧母，护儿遣使吊之，军吏怪曰："士卒死亡及遭丧者多矣，将军未尝降问，独吊叔宝何也？"答曰："此人勇悍，加有志节，必当自取富贵，岂得以卑贱处之。"

隋末群盗起，从通守张须陀击贼帅卢明月于下邳。贼众十余万，须陀所统才万人，力势不敌，去贼六七里立栅，相持十余日，粮尽将退，谓诸将士曰："贼见兵却，必轻来追我。其众既出，营内即虚，若以千人袭营，可有大利。此诚危险，谁能去者？"人皆莫对，唯叔宝与罗士信请行。于是须陀委栅遁，使二人分领千兵伏于芦苇间。既而明月果悉兵追之，叔宝与士信驰至其栅，栅门闭不得入，二人超升其楼，拔贼旗帜，各杀数人，营中大乱。叔宝、士信又斩关以纳外兵，因纵火焚其三十余栅，烟焰涨天。明月奔还，须陀又回军奋击，大破贼众。明月以数百骑遁去，余皆虏之。由是勇气闻于远近。

【译文】

秦叔宝名琼，齐州历城人。大业中，在隋将来护儿军中做事。叔宝母亲去世，护儿派使者去吊唁，宫中官佐奇怪地问道："士兵死亡和遭遇丧事的人很多，将军不曾下问，唯独到叔宝家中吊唁，这是为什么呢？"回答说："这人勇猛强悍，加上有志向操守，必定能凭借自己的力量获取富贵，怎么能把他当成一个地位卑贱的人来对待呢。"

隋朝末年，群盗蜂起，叔宝跟随通守张须陀在下邳攻打盗贼首领卢明月。贼寇的徒众有十多万，须陀的部队才一万人，远非势均力敌，须陀在离贼寇六七里远的地方立营，与贼寇相持十多日，粮食用完，准备退兵，对部下的将士们说："贼寇见兵退走，一定会轻易地来追我们。敌人的部队既已出击，营内自然空虚，如果用一千人的兵力偷袭敌营，就可获得大胜利。这确实危险，谁可以去呢？"别人都不说话，只有叔宝和罗士信要求执行这一任务。于是须陀充营而逃，派他们两人各带一千名士兵埋伏在芦苇中。接着明月果然带领全军追击，叔宝和士信迅速跑到敌人的营地，营门紧闭无法进入，两人偷偷越过营栅，爬上敌人的营楼，拔掉敌军的旗帜，各杀死敌兵数名，营中大乱。叔宝、士信又砍断门闩放进在营外的士兵，接着纵火焚烧敌人的三十多座营垒，烟焰弥漫天空。明月急忙奔回，须陀又回师奋力进击，大破敌兵。明月率领数百名骑兵逃跑，其余全被俘虏。从此他的勇气远近闻名。

又击孙宣雅于海曲，先登破之。以前后累勋授建节尉。从须陀进击李密于荥阳，军败，须陀死之，叔宝以余众附裴仁基。会仁基以武牢降于李密，密得叔宝大喜，以为帐内骠骑，待之甚厚。密与化及大战于黎阳童山，为流矢所中，堕马闷绝。左右奔散，追兵且至，唯叔宝独捍卫之，密遂获免。叔宝又收兵与之力战，化及乃退。后密败，又为王世充所得，署龙骧大将军。叔宝薄世充之多诈，因其出抗官军，至于九曲，与程咬金、吴黑闼、牛进达等数十骑西驰百许步，下马拜世充曰："虽蒙殊礼，不能仰事，请从此辞。"世充不敢逼，于是来降。

高祖令事秦府，太宗素闻其勇，厚加礼遇。从镇长春宫，拜马军总管。又从征于美良川，破尉迟敬德，功最居多。高祖遣使赐以金瓶，劳之曰："卿不顾妻子，远来投我，又立功效。朕肉可为卿用者，当割以赐卿，况子女玉帛乎？卿当勉之。"寻授秦王右三统军。又从破宋金刚于介休。录前后勋，赐黄金百斤、杂彩六千段，授上柱国。从讨王世充，每为前锋。太宗将拒窦建德于武牢，叔宝以精骑数十先陷其阵。世充平，进封翼国公，赐黄金百斤、帛七千段。从平刘黑闼，赏物千段。

【译文】

又在沿海的偏僻地区攻打孙宣雅，捷足先登击破了敌军。由于前后多次立功被任命为建节尉。跟随须陀在荥阳进击李密，军队打了败仗，须陀去世，叔宝率领残余部队依附裴仁基。恰巧仁基献虎牢关投降李密，李密得到叔宝后非常高兴，让他在军中任骠骑将军，待他很不薄。李密同宇文化及在黎阳童山大战，被流箭射中，坠马晕倒。跟随左右的士卒逃散，追兵就要到达，叔宝独自保卫他，李密于是免于遭难。叔宝又收拢士卒与敌奋战，以及终于退兵。后来李密失败，叔宝又被王世充得到，世充任命他为龙骧大将军。叔宝鄙薄王世充的狡诈，趁他带兵出来抵抗官军，到了九曲的时候，与程咬金、刘黑闼、牛进达等数十人骑马西走百余步，然后下马拜辞世充说道："虽然蒙受您的特殊礼遇，但自思不能侍奉您，请就此告辞。"世充不敢逼他们留下，于是来投降官军。

高祖让叔宝在秦王府做事，太宗素闻叔宝勇猛，厚加礼遇。随从秦王坐镇长春宫，拜马军总管。又随从秦王出征美良川，击破尉迟敬德。这次战役功劳数他最多。高祖派使者赐给金瓶，慰问他说："卿不顾妻儿，从远方来投奔我，又立下功劳，朕的肉如果能为卿所用，也当割下赐给卿，更何况女子、玉器、丝织品呢！卿应当努力。"接着任秦王右三统军。又随从秦王在介休击破宋金刚。综合前后立下的功劳，赐给黄金百斤、各种颜色的丝织品六千段，加授上柱国。随从讨伐王世充，常担任前锋。太宗率兵在虎牢关抵抗窦建德的时候，叔宝带领数十名精壮骑兵首先攻陷敌阵。世充被平定后，进封翼国公，赐给黄金百、丝织品七千段。随从平定刘黑闼，赏给织物一千段。

叔宝每从太宗征伐，敌中有骁将锐卒，炫耀人马，出入来去者，太宗颇怒之，辄命叔宝往取。叔宝应命，跃马负枪而进，必刺之万众之中，人马辟易，太宗以是益重之，叔宝亦以此颇自矜尚。

六月四日，从诛建成、元吉。事宁，拜左武卫大将军，食实封七百户。其后每多疾病，因谓人曰："吾少长戎马，所经二百余阵，屡中重疮。计吾前后出血亦数斛矣，安得不病乎？"十二年卒，赠徐州都督，陪葬昭陵。太宗特令所司就其茔内立石人马，以旌战阵之功焉。十三年，改封胡国公。十七年，与长孙无忌等图形于凌烟阁。

【译文】

叔宝每次随从太宗出征，敌军中有骁勇的将领、精锐的士卒，在阵上出入来去，自我炫耀的，太宗看到后往往很生气，总是命令叔宝去收拾他们。叔宝应命，跃马扛枪进击，一定能在万众之中刺杀敌人，使他们的人马惊退，太宗因此更加看重他，叔宝也因此常自我夸耀。

武德九年六月四日，随从太宗诛杀建成、元吉。诸事安定之后，拜左武卫大将军，赐给封邑七百户。这以后常多疾病，于是对人说："我自幼生长于戎马之中，经历的战斗有二百多次，屡受重创。合计我前后流的血也有数十斗之多，怎能不病呢？"贞观十二年去世，赠徐州都督，让他葬在昭陵附近。太宗特令有关主管部门在他的坟墓内立石人石马，以表彰他的战功。十三年，改封胡国公。十七年，和长孙无忌等功臣一样，他的像也被画在凌烟阁上。

魏征传

魏征，字玄成，钜鹿曲城人也。父长贤，北齐屯留令。征少孤贫，落拓有大志。不事生业，出家为道士。好读书，多所通涉，见天下渐乱，尤属意纵横之说。

大业末，武阳郡丞元宝藏举兵以应李密，召征使典书记。密每见宝藏之疏，未尝不称善。既闻征所为，遽使召之。征进十策以干密，虽奇之而不能用。及王世充攻密于洛口，征说密长史郑颋曰："魏公虽骤胜，而骁将锐卒死伤多矣；又军无府库，有功不赏，战士心惰。此二者难以应敌。未若深沟高垒，旷日持久，不过旬月，敌人粮尽，可不战而退，追而击之，取胜之道。且东都食尽，世充计穷，意欲死战，可谓穷寇难与争锋，请慎无与战。"颋曰："此老生之常谈耳！"征曰："此乃奇谋深策，何谓常谈？"因拂衣而去。

【译文】

魏征，字玄成，钜鹿县曲城人。父亲魏长贤，任北齐屯留县令。魏征少年时孤苦贫穷，但风流洒脱，胸怀大志，不去谋生，出家做了道士。他喜好读书，往往能融会贯通。看到天下一天天混乱，便特别留意起纵横学说。

隋朝大业末年，武阳郡丞元宝藏起兵响应李密，召魏征掌管文书。李密每次见到元宝藏的书信，都要称赞一番，当他得知这些书信都出自魏征之手，立即派人把魏征召去。魏征向李密提出十条计策，李密虽然称奇却不采用。及至王世充在洛口攻打李密，魏征对李密的长史郑颋说："魏公（李密）虽然迅速取胜，但精兵强将死伤太多，加之军队没有钱物，有功将士得不到奖赏，士气低落。这两点使他的军队难于应敌。不如深挖沟，高筑墙，拖延时日，这样不出十天半月，敌人粮草用尽，就可以不战而退敌，此时再追击消灭敌人，这是取胜之道。而且东都洛阳粮尽，王世充无计可施，就要死战，可以说被逼入绝境的敌人很难与他争锋。请慎重考虑，不要与敌人交战。”郑颋说：“这些不过是老生常谈。”魏征说：“这是奇谋深策，怎么说是常谈？”于是拂袖而去。

及密败，征随密来降，至京师，久不见知，自请安辑山东，乃授秘书丞，驱传至黎阳。时徐世勣尚为李密拥众，征与世勣书曰：

自隋末乱离，群雄竞逐，跨州连郡，不可胜数。魏公起自叛徒，奋臂大呼，四方响应，万里风驰，云合雾聚，众数十万。威之所被，将半天下，破世充于洛口，摧化及于黎山。方欲西蹈咸阳，北凌玄阙，扬旌翰海，饮马渭川，翻以百胜之威，败于奔亡之虏。固知神器之重，自有所归，不可以力争。是以魏公思皇天之乃眷，入函谷而不疑。公生于扰攘之时，感知己之遇，根本已拔，确乎不动，鸠合遗散，据守一隅。世充以乘胜余勇，息其东略；建德因侮亡之势，不敢南谋。公之英声，足以振于今古。然谁无善始，终之虑难，去就之机，安危大节。若策名得地，则九族荫其余辉；委质非人，则一身不能自保。殷鉴不远，公所闻见。孟贲犹豫，童子先之，知几其神，不俟终日。今公处必争之地，乘宜速之机，更事迟疑，坐观成败，恐凶狡之辈，先人生心，则公之事去矣。

世勣得书，遂定计遣使归国，开仓运粮，以馈淮安王神通之军。

【译文】

等到李密失败，魏征随他一同降唐，来到京城。魏征很久得不到赏识，便自己请求去安抚山东地区。于是他被授为秘书丞，乘驿马赶到黎阳。当时徐世勣还在效忠李密，聚众一方，魏征投书徐世勣，信中写道：

自从隋末战乱分裂，争夺天下的群雄跨州连郡，数不胜数。魏公叛隋而起，振臂疾呼，四方响应，驱驰万里，追随之众如云合雾聚，以数十万计，威风所至，几达半壁天下。在洛口攻破王世充，在黎山摧毁宇文化及，正要西蹈咸阳，北夺玄阙，扬旌旗于瀚海，饮战马于渭川，却以百战百胜的神威败为奔亡逃命的穷寇。因此可知帝王之位，自有所归，不是奋力争夺就能得到的。为此，魏公念及皇帝眷顾，毫不迟疑西入函谷关。您生于乱世，感念魏公的知遇之恩。如今依靠的根基已撤，您却不改初衷，纠集残余部众，固守一隅。使王世充以乘胜余勇，不敢东向，窦建德顺有利之势，不敢南攻。您的英名足以传扬今古。然而谁没有好的开端呢？要想有好的结局却不易。背离唐还是归附唐是关系您安危的大计。如果接受唐的封爵，领受封地，那么九族都可以享受余荫；若误投他人，那么您就连自身也无法保全。前代已有教训，您已耳闻目睹。孟贲只因犹豫不决，就使童子先他一步，征兆一出现，应当立即把握，不能等到明天。现在您位于兵家必争之地，处在须尽快决断的关头，若再迟疑不决，坐观成败，恐怕凶顽狡诈之徒就会抢先一步萌生献地降唐之心，那样的话您的大势就无可挽回了。

徐世勣得到书信，便定计遣使归附唐朝，并开仓运粮，供应淮安王神通的军队。

俄而建德悉众南下，攻陷黎阳，获征，署为起居舍人。及建德就擒，与裴矩西入关。隐太子闻其名，引直洗马，甚礼之。征见太宗勋业日隆，每劝建成早为之所。及败，太宗使召之，谓曰：“汝离间我兄弟，何也？”征曰：“皇太子若从征言，必无今日之祸。”太宗素器之，引为詹事主簿。及践祚，擢拜谏议大夫，封钜鹿县男，使安辑河北，许以便宜从事。征至磁州，遇前宫千牛李志安、齐王护军李思行锢送诣京师。征谓副使李桐客曰：“吾等受命之日，前宫、齐府左右，皆令赦原不问。今复送思行，此外谁不自疑？徒遣使往，彼必不信，此乃差之毫厘，失之千里。且公家之利，知无不为，宁可虑身，不可废国家大计。今若释遣思行，不问其罪，则信义所感，无远不臻。古者，大夫出疆，苟利社稷，专之可也。况今日之行，许以便宜从事，主上既以国士见待，安可不以国士报之乎？”即释遣思行等，仍以启闻，太宗甚悦。

太宗新即位，励精政道，数引征入卧内，访以得失。征雅有经国之才，性又抗直，无所屈挠，太宗与之言，未尝不欣然纳受。征亦喜逢知己之主，思竭其用，知无不言。太宗尝劳之曰：“卿所陈谏，前后二百余事，非卿至诚奉国，何能若是？”其年，迁尚书左丞。或有言征阿党亲戚者，帝使御史大夫温彦博案验无状。彦博奏曰：“征为人臣，须存形迹，不能远避嫌疑，遂招此谤。虽情在无私，亦有可贵。”帝令彦博让征，且曰：“自今后不得不存形迹。”他日，征入奏曰：“臣闻君臣协契，义同一体。不存公道，唯事形迹，若君臣上下，同遵此路，则邦之兴丧，或未可知。”帝瞿然改容曰：“吾已悔之。”征再拜曰：“愿陛下使臣为良臣，勿使臣为忠臣。”帝曰：“忠、良有异乎？”征目：“良臣，稷、契、皋陶是也。忠臣，龙逢、比干是也。良臣使身获美名，君受显号，子孙传世，福禄无疆。忠臣身受诛夷，君陷大恶，家国并丧，空有其名。以此而言，相去远矣。”帝深纳其言，赐绢五百匹。

【译文】

不久窦建德率部众南下，攻占黎阳，俘获魏征，让他任起居舍人。等到窦建德被俘，他又和裴矩一起西行入关归唐。隐太子李建成听说他的名声，引荐他做太子洗马，对他十分尊敬。魏征看到太宗李世民的功业日盛一日，常劝建成对他早做防备。及至建成失败，太宗派人召来魏征，对他说：“你挑拨我们兄弟二人的关系，这是为什么？”魏征回答：“皇太子若是听从我的话，绝不会有今日的灾祸了。”太宗一直很器重他，引荐他做詹事主簿。太宗继位后，升魏征为谏议大夫，封钜鹿县男，派他去安抚河北地区，并准许他遇事相机处理，不必请示。魏征行至磁州，遇到李建成的东宫千牛李志安和齐王护军李思行正被枷梏押往京城。魏征对副使李桐客说：“我辈接受使命之日，原东宫太子府、齐王府的人，都已被圣命赦免，不再问罪。现在却又押送思行问罪，别人谁能不自生疑心，徒然派使臣前去，他们一定不会相信。这真是差之毫厘，失之千里。况且只要于国家有利，就该知无不为，宁可殃及自身，也不可败坏国家大计。现在如果放还思行，不向他问罪，那么朝廷信义能够感化之处，就会无远不及。古时，卿大夫出使边地，只要于国家有利的事，就可以专断，何况此次出行，允许我们有遇事随时处理、不必请示的权利。皇上既把我们当国士对待，我们怎么能够不以国士的身份行事以报效皇上呢？”他们立即开释思行等人，过后据实上报，太宗十分高兴。

太宗初即位，励精图治，多次领魏征进卧室，询问施政得失。魏征很有治国的才略，并且性情耿直，无所屈服。太宗与他谈话后，总是欣然采纳他的意见，他也欣喜遇到知己的君主，力图竭尽所能，知无不言。太宗曾慰劳他说：“卿所陈述劝谏的事，前后共有二百余条，如果不是卿竭诚为国效力，怎么能如此？”这一年，魏征升任尚书左丞。有人传言魏征偏袒自己的亲戚，皇帝派御史温彦博调查证明传言不实。温彦博奏报说：“魏征身为朝臣，应该检点自己的言行举止，他却不能避开嫌疑，所以招来这些非议。虽然在情理上他并没有徇私，但也有该受责备的地方。”皇帝命温彦博去责备魏征，并且说：“从今以后不可不注意自己行为的影响。”过了几天，魏征入朝上奏道：“臣听说君臣和协默契，二者道义上如同一个整体。哪有弃公道于不顾，只追求个人行为影响的。如果君臣上下，都按这条道路行事，那么国家的兴亡就不可预知了。”皇帝吃惊地变了脸色，说：“我已经悔悟了。”魏征再次叩拜说：“希望陛下让臣做良臣，不要让臣做忠臣。”皇帝说：“难道忠和良还有区别吗？”魏征答：“稷、契和皋陶就是良臣，而龙逄、比干则是忠臣。良臣能使自身获得美名，君主也获得显赫的尊号，并且子孙相传，福禄无穷。忠臣却不但自己遭杀身之祸，也使君主陷于罪恶深重的境地，自家、国家一同毁灭，只是空得一个忠臣的美名。由此而言，忠和良相差太远了。”皇帝诚恳地接受了他的意见，并赐给他五百匹绢。

贞观二年，迁秘书监，参与朝政。征以丧乱之后，典章纷杂，奏引学者校定四部书。数年之间，秘府图籍，粲然毕备。

时高昌王麴文泰将入朝，西域诸国咸欲因文泰遣使贡献，太宗令文泰使人厌怛纥干往迎接之。征谏曰：“中国始平，疮痍未复，若微有劳役，则不自安。往年文泰入朝，所经州县，犹不能供，况加于此辈。若任其商贾来往，边人则获其利，若为宾客，中国即受其弊矣。汉建武二十二年，天下已宁，西域请置都护，送侍子。光武不许，盖不以蛮夷劳弊中国也。今若许十国入贡，其使不下千人，欲使缘边诸州何以取济？人心万端，后虽悔之，恐无所及。”上善其议。时厌怛纥干已发，遽追止之。

【译文】

贞观二年，魏征迁秘书监，开始参与朝政。他提出战乱过后，典籍章册纷零杂乱，奏请选派学者校定经、史、子、集四部书，几年之内，国家书库的典藏已是洋洋大观、十分齐备了。

其时高昌国王麴文泰即将入京朝见，西域各国都想随文泰一行派使朝贡，太宗命令文泰的使臣厌怛纥干前往迎接他们。魏征劝阻说："中国刚刚安定，还没有从战争的创伤中恢复过来，如果稍有劳役，就会使自身不安定。往年文泰一人入朝，一路经过的州县都供他不起，更何况又加上这些来使。如果听任他们的商贾往来经商，边地的人还可以从中获利，但若作为宾客，中国很快就会受到他们的困累。东汉建武二十二年时，天下已经安定，西域请求汉设置都护，并遣送子弟入侍汉天子。光武皇帝没有同意，就是因为不想为了异族而使中国劳顿困竭。现在如果准许十国入朝进贡，十国的使臣不少于千人，想要让沿边各州拿什么来接待他们呢？人心万种，日后虽然后悔，恐怕也于事无补了。"皇帝认为他的意见很好。这时厌怛纥干已启程，于是立即派人去追赶并阻止他。

后太宗幸九成宫，因有宫人还京，憩于沣川县之官舍。俄又右仆射李靖、侍中王珪继至，官属移宫人于别所而舍靖等。太宗闻之，怒曰："威福之柄，岂由靖等？何为礼靖而轻我宫人！"即令案验沣川官属及靖等。征谏曰："靖等，陛下心膂大臣；宫人，皇后扫除之隶。论其委付，事理不同。又靖等出外，官吏访朝廷法式，归来，陛下问人间疾苦。靖等自当与官吏相见，官吏亦不可不谒也。至于宫人，供食之外，不合参承。若以此罪责县吏，恐不益德音，徒骇天下耳目。"帝曰："公言是也。"乃释官吏之罪，李靖等亦寝而不问。

寻宴于丹霄楼，酒酣，太宗谓长孙无忌曰："魏征、王珪，昔在东宫，尽心所事，当时诚亦可恶。我能拔擢用之，以至今日，足为无愧古人。然征每谏我不从，发言辄即不应，何也。"对曰："臣以事有不可，所以陈论，若不从辄应，便恐此事即行。"帝曰："但当时且应，更别陈论，岂不得耶？"征曰："昔舜诫群臣：'尔无面从，退有后言。'若臣面从陛下方始谏，此即'退有后言'，岂是稷、契事尧、舜之意耶？"帝大笑曰："人言魏征举动疏慢，我但觉妩媚，适为此耳。"征拜谢曰："陛下导之使言，臣所以敢谏，若陛下不受臣谏，岂敢数犯龙鳞？"

【译文】

后来，太宗游幸九成宫。因为有宫女要回京城，她们就住在沣川县的官舍里，不久右仆射李靖、侍中王珪相继到来，县里官吏把宫女从官舍移走，而让李靖等人住下。太宗得知后恼怒地说："威福的权柄难道归李靖这几个人吗？为什么优礼接待李靖而怠慢我的宫女。"随即下令查处沣川县官员和李靖等人。魏征劝阻说："李靖他们几人是陛下的心腹大臣，而宫女是替皇上皇后清扫的奴婢，若论他们各自的职守，完全不是一回事。何况李靖等人外出，各地官吏要向他们打听朝廷的纲纪，回朝后，陛下也要向他们询问民间的疾苦。李靖等人自然应当与下面的官吏见面，下面的官吏也不能不去参见大臣。至于宫女，除了供给她们饮食之外，并不需要另外参见逢承。如果以此为罪责罚县吏，恐怕不利于陛下仁德的名声，只会使天下人听说后惊骇。"太宗说："你的话很对。"于是宣布县官无罪，对李靖等人也不再责问。

不久太宗在丹霄楼设宴。酒兴正浓时，太宗对长孙无忌说："魏征、王珪过去在东宫做事尽心竭力，当时也实在可恶。我能提拔他们，一直到今天，完全算得上无愧于古人了。但是魏征每次劝谏，我不听从时，我说的话他总不立即回答，这是为什么？"长孙无忌回答："大臣们认为事情不妥，所以才陈述意见，如果陛下不听从而大臣马上回答，就恐事情会立即实行。"皇帝说："当时姑且先答应，过后再另外陈述意见，不是就可以了吗？"魏征说："往昔舜告诫群臣：'你们不要当面顺从我，退下后又有话说。'如果臣当面顺从陛下，回去后又要进谏，这就叫'退下后又有话说'，这哪里是稷、契用来侍奉尧、舜的心志呢。"皇帝大声笑道："人家都说魏征举止粗疏傲慢，我却只觉得他柔媚，刚才的事就是这样。"魏征拜谢道："陛下引导臣，让臣讲话，所以臣才敢进谏。如果陛下不接受臣的劝谏，臣岂敢屡次冒犯陛下？"

是月，长乐公主将出降，帝以皇后所生，敕有司资送倍于永嘉长公主。征曰："不可。昔汉明欲封其子，云'我子岂与先帝子等？可半楚、淮阳'。前史以为美谈。天子姊妹为长公主，子为公主，既加'长'字，即是有所尊崇。或可情有浅深，无容礼相逾越。”上然其言，入告长孙皇后，后遣使赍钱四十万、绢四百匹，诣征宅以赐之，寻进爵郡公。

七年，代王珪为侍中，尚书省滞讼有不决者，诏征评理之。征性非习法，但存大体，以情处断，无不悦服。

【译文】

当月，长乐公主将要下嫁，皇帝认为她是皇后所生，因此命主管官员送去的陪嫁比永嘉长公主多一倍。魏征说："不行。过去汉明帝要封自己的儿子时说：'我的儿子怎么可以与先帝的儿子同等待遇呢？只可以给他相当于楚王、淮阳王一半的封土。'这件事被前代的史书传为美谈。天子的姐妹称长公主，女儿称公主。既然加上'长'字，就表示尊崇的意思。或许对她们的感情可以有深浅之分，但是在礼遇上却不能越制。"皇帝同意他的话，回去后告诉给长孙皇后。皇后派人带上钱四十万、绢四百匹，到魏征家中赏赐给他。不久他的爵位进为郡公。

贞观七年，魏征代替王珪任侍中，尚书省有迟迟判决不下的案子，皇上命令魏征评断。魏征本不熟悉法律，他只是依据大的原则，按情理断处，没有人不心悦诚服。

初，有诏遣令狐德棻、岑文本撰《周史》，孔颖达、许敬宗撰《隋史》，姚思廉撰《梁》、《陈史》，李百药撰《齐史》。征受诏总加撰定，多所损益，务存简正。《隋史》序论，皆征所做，《梁》、《陈》、《齐》各为总论，时称良史。史成，加左光禄大夫，进封郑国公，赐物二千段。

征自以无功于国，徒以辩说，遂参帷幄，深惧满盈，后以目疾频表逊位。太宗曰："朕拔卿于仇虏之中，任公以枢要之职，见朕之非，未尝不谏。公独不见金之在矿也，何足贵哉，良冶锻而为器，便为人所宝，朕方自比于金，以卿为良匠。卿虽有疾，未为衰老，岂得便尔？"其年，征又面请逊位，太宗难违之，乃拜征特进，仍知门下事。其后又频上四疏，以陈得失。

【译文】

当初皇帝下诏令，派令狐德棻、岑文本撰写《周史》，派孔颖达、许敬宗撰写《隋史》，派姚思廉撰写《梁史》、《陈史》，李百药撰写《齐史》。魏征奉诏统一修订，对上面各书有多处删改，力求简明无误。《隋史》的序和论，都是魏征所作，他还为《梁史》、《陈史》、《齐史》各书写了总论。当时这几部书被称为良史。史书修成以后，魏征升左光禄大夫，进封为郑国公，受赐彩帛两千段。

魏征自认为对国家没有功劳，只是因为能言善辩，才参与国事的决策，生怕荣宠太过，后来便以眼疾为由多次上表辞官。太宗说："朕把卿从仇敌的阵营中提拔起来，让卿担任机要的职务，卿见到朕的过失，也从来没有不加以劝谏的。卿难道看不见，金属埋在矿里时，哪里值得珍惜，擅长冶炼的良匠把它锻造后制成器具，才被世人看作宝物。朕把自己比作金属，把卿比作良匠。卿虽然有病，却没有衰老，怎么能让卿就辞官呢？"这一年，魏征又当面向太宗请求辞官，太宗难于违背他的要求，于是拜他为特进，依旧让他掌管门下省政务。其后魏征又连上四篇章疏，论述治国成功与失败的经验。

其一曰：

臣观自古受图膺运，继体守文，控御英杰，南面临下，皆欲配厚德于天地，齐高明于日月，本枝百代，传祚无穷。然而克终者鲜，败亡相继，其故何哉？所以求之失其道也。殷鉴不远，可得而言。

昔在有隋，统一寰宇，甲兵强盛，三十余年，风行万里，威动殊俗，一旦举而弃之，尽为他人之有。彼炀帝岂恶天下之治安，不欲社稷之长久，故行桀虐，以就灭亡哉？恃其富强，不虞后患，驱天下以从欲，罄万物以自奉。采域中之子女，求远方之奇异。宫宇是饰，台榭是崇，徭役无时，干戈不戢，外示威重，内多险忌。谗邪者必受其福，忠正者莫保其生。上下相蒙，君臣道隔，人不堪命，率土分崩。遂以四海之尊，殒于匹夫之手，子孙殄灭，为天下笑，深可痛哉！

圣哲乘机，拯其危溺，八柱倾而复正，四维绝而更张。远肃迩安，不逾于期月；胜残去杀，无待于百年。今宫观台榭，尽居之矣，奇珍异物，尽收之矣；姬姜淑媛，尽侍于侧矣；四海九州，尽为臣妾矣。若能鉴彼之所以亡，念我之所以得，日慎一日，虽休勿休。焚鹿台之宝衣，毁阿房之广殿，惧危亡于峻宇，思安处于卑宫，则神化潜通，无为而理，德之上也。若成功不毁，即仍其旧，除其不急，损之又损。杂茅茨于桂栋，参玉砌以土阶，悦以使人，不竭其力。常念居之者逸，作之者劳，亿兆悦以子来，群生仰而遂性，德之次也。若惟圣罔念，不慎厥终，忘缔构之艰难，谓天命之可恃。忽采椽之恭俭，追雕墙之侈靡，因其基以广之，增其旧而饰之。触类而长，不知止足，人不见德，而劳役是闻，斯为下矣。譬之负薪救火，扬汤止沸，以乱易乱，与乱同道，莫可则也，后嗣何观？则人怨神怒；人怨神怒，则灾害必下，而祸乱必作。祸乱既作，而能以身名令终者鲜矣。顺天革命之后，隆七百之祚，贻厥孙谋，传之万世，难得易失，可不念哉。

【译文】

第一篇说：

臣考察自古以来凡接受版图配享天命、承继帝位恪守成法、统御英豪君临天下者，都希望道德崇厚达于天地，神思睿智与日月同辉，子孙百代，国运相传，没有穷尽。但是能够保全天下的很少，一个个相继败亡，这是什么缘故呢？我为此探求他们失败的原因。历史教训并不遥远，可以求得为陛下言说。

往昔隋朝，统一天下，军势强盛，三十余年间风行万里，声威远震异域，然而一旦举天下而弃之，天下便都为他人所有。难道他隋炀帝不喜欢天下太平安定，不想使国家命运长远，而故意像夏桀那样施行虐政，以致走向败亡吗？就是因为他自恃国家富强，不思虑以后的祸患。驱使天下人以放纵一己的私欲，耗尽天下资财以供自己享用，搜寻天下美女，求取远方珍奇异物，宫殿室宇务求装饰华丽，楼台亭榭务求建筑巍峨，徭役不息，战事不断，对外耀武扬威，内部危机四伏，奸诈邪恶者必定从中获福，忠臣义士不能保全性命。上下欺骗，君臣猜忌，百姓不堪重负，国家分崩离析，于是天下至尊之主死在匹夫手下，子孙也遭诛戮，最终为天下人耻笑，真是太让人痛惜了。

圣人贤哲善于把握时机，挽救危急沉沦的局势。支撑苍穹的八根立柱倾倒能使它重新竖起来，礼义廉耻四义沦丧能使它重新光大，不出十天半月，可使远近整肃安定，无须等待百年，便可使恶人归善而废除刑杀。如今隋朝的宫观楼台都已住上，珍奇异物都已收齐，又有妻妾嫔妃在身旁服侍，四海九州也已称臣称妾了。如果能够以隋亡的教训为鉴，记住我唐朝所以得天下的原因，一天比一天谨慎，虽政绩良好而不自以为好，焚烧商纣王鹿台的宝衣，捣毁秦始皇阿房宫宽广的殿堂，身处高大的宫殿便忧惧国家危亡，身居卑陋的宫室才能安然处之，那么就会暗通神灵化境，使天下无为而治，这是德之中最上乘的境界。如果不毁弃已经完成的功业，继续按照成规行事，停罢并非急需之务，将用度减损之后再减损，雕梁画栋间参以茅草，玉石台阶旁杂以土台，以和悦役使百姓而不穷竭民力，时常想到坐享其成者已十分安逸，劳作者却十分辛苦，百姓因愉悦而归顺，众生因仰慕而安守本分，这是德之中次一等的境界。如果不思念圣贤之道，不顾及日后的结局，忘却创业的艰难，自以为可以依恃天命，忽视建筑的俭朴，追求雕墙画栋的奢侈靡费，前代的宫室要拓宽，旧物添新再加粉饰，遇到相类似之物必定与之攀比、一争高下，而不想到适可而止，人们看不到德政，只听说无休止的劳役，这是德之中最下等的。这样做就如同背负柴草去救火，泼上开水以制止沸腾，这是以新乱代替旧乱，与原有的乱如出一辙，切不可以效法。这样做后果如何？会使天怒人怨。天怒人怨，就必定遭受灾害、引发祸乱。一旦祸乱发生，便很少有国君能够保全自家性命、留下美好名声的了。顺应天命改朝换代之后，国运兴盛七百年。这七百年的江山谁都想把它留给后人，传续万代。然而得天下难、失天下易，难道还能够不认真想一想吗！

其二曰：

臣闻求木之长者，必固其根本；欲流之远者，必浚其泉源；思国之安者，必积其德义。源不深而岂望流之远，根不固而何求木之长。德不厚而思国之治，虽在下愚，知其不可，而况于明哲乎！人君当神器之重，居域中之大，将崇极天之峻，永保无疆之休。不念于居安思危，戒贪以俭，德不处其厚，情不胜其欲，斯亦伐根以求木茂，塞源而欲流长者也。

凡百元首，承天景命，莫不殷忧而道著，功成而德衰。有善始者实繁，能克终者盖寡，岂其取之易而守之难乎？昔取之而有余，今守之而不足，何也？夫在殷忧必竭诚以待下，既得志则纵情以傲物。竭诚则胡越为一体，傲物则骨肉为行路。虽董之以严刑，振之以威怒，终苟免而不怀仁，貌恭而不心服。怨不在大，可畏惟人。载舟覆舟，所宜深慎，奔车朽索，其可忽乎？

君人者，诚能见可欲则思知足以自戒，将有所作则思知止以安人，念高危则思谦冲而自牧，惧满溢则思江海而下百川，乐盘游则思三驱以为度，恐懈怠则思慎始而敬终，虑壅蔽则思虚心以纳下，想谗邪则思正身以黜恶，恩所加则思无因喜以谬赏，罚所及则思无因怒而滥刑。总此十思，弘兹九德，简能而任之，择善而从之，则智者尽其谋，勇者竭其力，仁者播其惠，信者效其忠。文武争驰，君臣无事，可以尽豫游之乐，可以养松乔之寿，鸣琴垂拱，不言而化。何必劳神苦思，代下司职，役聪明之耳目，亏无为之大道哉！

【译文】

第二篇说：

臣听说要想树木茂盛，必须使它的根部扎得牢固；要想河水流得长远，必须疏浚它的源头；要想使国家安泰，必须积聚德政义行。源头不深怎么能希望河流长远，根部扎得不牢哪有树木的繁茂。德行不崇厚却希望国家大治，臣虽愚钝，也知道不行，更何况贤明圣哲呢。君主掌握国家的重权，居宇宙间道、天、地、王四大之一，其尊崇与上天一样高峻，应永保福运无疆。如果不想到居安思危，以节俭戒除贪婪，不能使德行聚累崇厚，不能用情理战胜欲望，这也就如同砍伐树根而想使它茂盛、阻塞源头而想使河流长远一样。

一切帝王，承受上天之命，没有不是深怀忧惧而治绩卓著、功业告成而德行衰微的。有良好开端的实在很多，能够贯彻到底的却很少。难道是夺取江山容易守护江山难吗？昔日夺取时力有余，如今守卫却力不足，原因何在？原来深怀忧患时必定竭尽诚心对待下面的人，已经实现志向后就会放纵自己，傲视一切。如果竭尽诚心，那么就会四海结为一家，如果傲视一切，那么至亲骨肉也会视同路人。虽以严刑管束、以威怒震摄，终究也只是免于刑罚而并不感念仁德，外表恭顺而内心不服。怨愤不在大小，可畏惧的是众人。（众人如水）水可以载舟，也可以覆舟，这是应该十分谨慎对待的；腐朽的绳索套着奔驰的车辆，这种危险是可以忽视的吗？

为人君主者，如果能做到见到引起贪欲之物就想到知足以警诫自己；将要有所举措时就想到应当适可而止以使百姓安定；每念身居高位面临危殆就想到谦虚淡泊以自处；惧怕满盈而溢出就想到要如江海那样低下以容纳百川；以巡游为乐就想到天子射猎应以三驱为限；恐怕松懈倦怠就要想到做事应当谨慎地开始、兢兢业业地结束；忧虑壅塞蒙蔽就要想到应虚心待人以接纳下面的意见；思虑谗言邪说就要想到端正自身以去除邪恶；有所赏赐就该想到不因个人喜好而误赏；有所惩罚就要想到不因盛怒而滥用刑罚。总结这“十思”，弘扬九德，选拔有才能者任用，择取好的意见听从，那么聪明的人就会献出全部智谋，勇敢的人就会献出全部力量，仁慈的人就会传播他们的恩惠，诚信的人就会贡献全部忠心。文臣武将争相效力，君臣之间没有嫌隙。这样就可以尽享悠游之乐，可以颐养天年、弹琴鸣曲，垂衣拱手，无须烦言而教化已成。何必劳费精神，苦苦思虑，代替臣下履行各自的职责，役使聪明的耳目，而有亏“无为而治”的大道呢！

其三曰：

臣闻《书》曰：“明德慎罚，惟刑恤哉！”《礼》云：“为上易事，为下易知，则刑不烦矣。上多疑则百姓惑，下难知则君长劳矣。”夫上易事，下易知，君长不劳，百姓不惑。故君有一德，臣无二心，上播忠厚之诚，下竭股肱之力，然后太平之基不坠，“康哉”之咏斯起。当今道被华夷，功高宇宙，无思不服，无远不臻。然言尚于简大，志在于明察，刑赏之本，在乎劝善而惩恶，帝王之所以与天下为画一，不以亲疏贵贱而轻重者也。今之刑赏，未必尽然。或申屈在乎好恶，轻重由乎喜怒。遇喜则矜其刑于法中，逢怒则求其罪于事外，所好则钻皮出其毛羽，所恶则洗垢求其瘢痕。瘢痕可求，则刑斯滥矣；毛羽可出，则赏典谬矣。刑滥则小人道长，赏谬则君子道消。小人之恶不惩，君子之善不劝，而望治安刑措，非所闻也。

且夫暇豫清谈，皆敦尚于孔、老；威怒所至，则取法于申、韩。直道而行，非无三黜，危人自安，盖亦多矣。故道德之旨未弘，刻薄之风已扇。夫上风既扇，则下生百端，人竞趋时，则宪章不一，稽之王度，实亏君道。昔州黎上下其手，楚国之法遂差；张汤轻重其心，汉朝之刑以弊。人臣之颇僻，犹莫能申其欺罔，况人君之高下，将何以措其手足乎！以睿圣之聪明，无幽微而不烛，岂神有所不达，智有所不通哉？安其所安，不以恤刑为念；乐其所乐，遂忘先笑之变。祸福相倚，吉凶同域，唯人所召，安可不思。顷者责罚稍多，威怒微厉，或以供给不赡，或以人不从欲，皆非致治之所急，实乃骄奢之攸渐。是知贵不与骄期而骄自来，富不与奢期而奢自至，非徒语也。

【译文】

第三篇说：

臣听《尚书》说："崇显道德而慎用刑罚，用刑务求慎重不滥！"《礼记》说："君主易于侍奉，臣民易于了解，那么刑罚就不至苛繁。如果君上多猜忌之心，百姓就会困惑；如果臣民难于了解，君上就要操劳。"君主易于侍奉，臣民易于了解，君主不操劳，臣民不困惑。君主有专一的美德，臣民就不会萌生异心，君主以忠厚的诚心待下，臣下就会效辅佐之力，这样太平的基业才不致坠亡，"康哉"的赞颂就会响起。当今圣道遍及华夏和异邦，功劳高达于宇宙，无处不归服，无远不向化。然而言谈崇尚简要，心志贵在明察。刑罚赏赐的本意在于劝善惩恶。帝王之所以要划一天下，就在于不因亲疏贵贱而使赏罚轻重不一。如今的刑罚和赏赐未必都适当，是非曲直以个人的好恶为准，赏罚的轻重视个人的喜怒而定。高兴时依法慎重量刑，发怒时则在事实之外寻找罪名。对于喜爱的人，不惜以皮上钻孔显露羽毛般的夸张去赞美，对于厌恶的人，则把瘢痕当作污点加以挑剔。瘢痕可以找到，刑罚就可以滥施，羽毛不难显露，赏赐便可以谬加。滥用刑罚，小人之道大张，赏赐失当，君子之道消亡。小人的恶行得不到惩处，君子的善举得不到鼓励，却希望天下安定，刑罚弃置不用，这样的事臣没有听说过。

而且闲暇清淡时，都信奉、推崇孔子、老子；一旦发威动怒，则效法申不害、韩非。凭道义行事，也难保不会被三次罢官；危害他人保全自己，这样的事大约也有许多。因此道德的宗旨没有弘扬，而刻薄的风习大张。上面已兴起风气，下面就会不断滋生事端。人人争相追逐时尚，法度规章便会不一致。稽考王者法度，这样实在有亏人君之道。昔日伯州黎与人串通作弊，楚国的法律于是败坏；张汤量刑轻重不一，汉朝的刑律便有偏差。臣下的偏颇，人们尚且不能申明他的欺瞒，更何况君主倚高倚低，将使下面何以适从呢！以圣上的聪明才智，应该无所不知。难道是神思有所不及，睿智有所不通吗？这是因为安于现状便不考虑刑罚须谨慎，乐于眼前便忘记先笑难免日后祸变。祸福相互依赖，凶吉连在一起，只在于人们自己招致，怎么可以不慎重考虑！近来对下责罚稍多，威怒稍盛，或由于供应物品不足，或由于不能顺遂自己的欲望，都不是达到天下太平所急须的事务，实际上是骄纵奢侈在渐渐滋长。由此可知尊贵没有与骄傲相约而骄傲自会到来，富足没有与奢侈相约而奢侈自会来到，这并不只是说说而已。

且我之所代，实在有隋。隋氏乱亡之源，圣明之所临照。以隋氏之甲兵，况当今之士马；以隋氏之府藏，譬今日之资储，以隋氏之户口，校今时之百姓，度长计大，曾何等级？然隋氏以富强而丧败，动之也；我以贫寡而安宁，静之也。静之则安，动之则乱，人皆知之，非隐而难见也，微而难察也。鲜蹈平易之涂，多遵覆车之辙，何哉？在于安不思危，治不念乱，存不虑亡之所致也。昔隋氏之未乱，自谓必无乱；隋氏之未亡，自谓必不亡。所以甲兵屡动，徭役不息，至于身将戮辱，竟未悟其灭亡之所由也。可不哀哉！

夫鉴形之美恶，必就于止水，鉴国之安危，必取于亡国。《诗》曰："殷鉴不远，在夏后之世。"又曰："伐柯伐柯，其则不远。"臣愿当今之动静，思隋氏以为鉴，则存亡治乱，可得而知。若能思其所以危，则安矣；思其所以乱，则治矣；思其所以亡，则存矣。存亡之所在，节嗜欲以从人，省畋游之娱，息靡丽之作，罢不急之务，慎偏听之怒。近忠厚，远便佞，杜悦耳之邪说，听苦口之忠言。去易进之人，贱难得之货，采尧、舜之诽谤，追禹、汤之罪己，惜十家之产，顺百姓之心，近取诸身，恕以待物，思劳谦以受益，不自满以招损。有动则庶类以和，出言而千里斯应，超上德于前载，树风声于后昆。此圣哲之宏规，帝王之盛业，能事斯毕，在乎慎守而已。

夫守之则易，取之实难，既得其所以难，岂不能保其所以易。其或保之不固，则骄奢淫泆动之也，慎终如始，可不勉欤！《易》云：“君子安不忘危，存不忘亡，治不忘乱，是以身安而国家可保。”诚哉斯言，不可以不深察也。伏惟陛下欲善之志，不减于昔时；闻过必改，少亏于曩日，若能以当今之无事，行畴昔之恭俭，则尽善尽美，固无得而称焉。

【译文】

况且我朝所取代的是隋朝，隋朝祸乱灭亡的根源，应该是圣上明君所对照思考的。以隋朝的兵马，比当今的军力；以隋朝的库藏，比当今的储备；以隋朝的户口，比当今的百姓；衡量两者的长短大小，有多大的差别呀！然而隋朝以富国强兵而丧乱败亡，因为国家动荡；我朝却以贫国寡民而邦国安宁，因为国家平静。以静治国则天下安定，以动治国则天下离乱，人人都明白这个道理，并非隐蔽不明显、细微难于觉察。但很少有人走平坦易行的道路，大多却跟从翻车的辙印，原因何在？就在于安定时不思虑危难，太平时想不到战乱，生存时不忧惧灭亡。往昔隋朝未乱时，自以为一定不会乱，未灭亡时，自以为一定不会亡。因此屡屡兴兵打仗，徭役不止，以至于自身行将被杀受辱，竟然还不知道灭亡的原因，不是很可悲吗？

照看相貌的美丑，一定要去静止的水面；照看国家的安危，一定要吸取亡国的教训。《诗经》说：“殷朝的借鉴不远，就在夏朝。”又说：“砍伐树枝做斧柄，斧柄尺度并不远。”臣希望当今有所举动时，要把隋朝作为镜子，那么存亡治乱的道理便可以明白了，若能想到隋朝危机的原因，就会安定；想到隋朝祸乱的原因，就会太平；想到隋朝灭亡的原因，就会长存。生存还是灭亡就在于：节制嗜好欲望以顺从他人，减少游猎的娱乐，制止靡费华丽的兴作，停办并非急需的事务，小心因偏听而犯怒，接近忠诚敦厚者，疏远巧言媚宠者，杜绝悦耳的邪说，听取逆耳忠言，使善于钻营的人远去，使稀罕的货物轻贱。采用尧舜树立诽谤之木的做法；追念夏禹、商汤责罚自己的美德。珍惜民产，顺应民心，近取自身为则，以宽恕待人接物，想到勤劳谦和可以受益，不要因自满而招致损害。这样便能有所动作而万众相和，说一句话便千里呼应，超越前代人高尚的道德，为后世树立良好的风范。这是圣哲的宏伟规划，帝王的盛大功业。要做的事就是这些，只在于慎重保守成业而已。

保守帝王的成业容易，夺取它却很困难。已经取得难于得到的，还能保不住容易守护的吗？如果保守得不稳固，那是因为骄奢淫逸动摇了它。因此怎能不努力，力求做到慎终如始呢！《易经》说：“君子平定不忘危险，生存不忘灭亡，太平不忘动乱，因此自身安全，国家也可以保全。”这些话千真万确，不能不深刻体会呀。臣唯愿陛下求善的心志不减当年，闻过必改的行为不逊于往日。若能在当今的太平之世，仍像往昔一样奉行恭谦节俭，那么尽善尽美自然是当之无愧的了。

其四曰：

臣闻为国之基，必资于德礼；君子所保，惟在于诚信。诚信立则下无二心，德礼形则远人斯格。然则德礼诚信，国之大纲，在于父子君臣，不可斯须而废也。故孔子曰：“君使臣以礼，臣事君以忠。”又曰：“自古皆有死，人无信不立。”文子曰：“同言而信，信在言前；同令而行，诚在令外。”然则言而不行，言不信也；令而不从，令无诚也。不信之言，无诚之令，为上则败国，为下则危身，虽在颠沛之中，君子所不为也。

自王道休明，十有余载，威加海外，万国来庭，仓廪日积，土地日广。然而道德未益厚，仁义未益博者，何哉？由乎待下之情未尽于诚信，虽有善始之勤，未睹克终之美故也。其所由来者渐，非一朝一夕之故。昔贞观之始，闻善若惊，暨五六年间，犹悦以从谏。自兹厥后，渐恶直言，虽或勉强，时有所容，非复曩时之豁如也。謇谔之士，稍避龙鳞；便佞之徒，肆其巧辩。谓同心者为朋党，谓告讦者为至公，谓强直者为擅权，谓忠谠者为诽谤。谓之朋党，虽忠信而可疑；谓之至公，虽矫伪而无咎。强直者畏擅权之议，忠谠者虑诽谤之尤。至于窃斧生疑，投杼致惑，正人不得尽其言，大臣莫能与之诤。荧惑视听，郁于大道，妨化损德，其在兹乎？故孔子恶利口之覆邦家，盖为此也。

【译文】

第四篇说：

臣听说治理国家的根本，必定要依靠德和礼；君子所保有的，只是诚和信。建立起诚、信，臣下就不会怀有二心；有了德、礼，远方异国的人也会感通圣德。所以德、礼、诚、信是治国的大纲，父子君臣之间，一刻也不能废弃。因此孔子说："君主以礼使用臣下，臣下以忠侍奉君主。"又说："自古人都有一死，做人如果没有信义便会一事无成。"文子说："同样的话有些能得到信任，可知在说话之前就有一个信义的问题；同样的命令，有些就能够施行，可见在命令之外，还有一个诚意的问题。"这样看来说过的话没有被实行，是因为说话不讲信义；下达的命令没有被遵从，是因为命令缺乏诚意。不讲信义的话语、缺乏诚意的命令，对上会使国家败亡，对下会危及自身，即使处在颠沛流离的困境，君子也是不会不讲诚信的。

自从实行帝王正道，天下美好清明，至今已有十余年，皇朝声威远播海外，万国前来朝贡，仓谷日益充实，土地日渐宽广。然而道德却没有更加崇厚，仁义也不见一天天广博，原因何在？就在于陛下还没有完全以诚意和信任对待臣下，虽然开始时十分勤奋，却不见坚持到底的美德。所以会这样是逐渐形成的，而非一朝一夕的缘故。过去在贞观初年，陛下听到善言就为之惊叹，乃至五六年间仍以听从劝谏为乐。但从此之后逐渐嫌恶直言，虽有时勉强接受，不时加以容忍，但已不再有往日的豁达大度了。正义直言的大臣，慢慢开始回避陛下；阿谀媚宠的小人却大肆施展巧辩的伎俩。彼此同心的大臣被指为朋党，揭短告密者被说成大公无私，坚强耿直者被说成专权，忠诚正直者被诬为诽谤。被指为朋党的大臣，虽忠诚守信义仍受到猜疑；被说成大公无私的小人，虽伪善虚假也不受责罚；坚强耿直者畏惧擅权的非议，忠诚正直者担心诽谤的罪名，以至于猜疑成风，谣言惑众，正直的人不能畅所欲言，大臣中没有人敢于争辩。蛊惑视听、阻塞正道，妨碍教化、亏损道德，不正是如此吗？孔子之所以厌恶以巧言善辩颠覆国家的人，大概就是因为这个道理。

且君子小人，貌同心异。君子掩人之恶，扬人之善，临难无苟免，杀身以成仁。小人不耻不仁，不畏不义，唯利之所在，危人以自安。夫苟在危人，则何所不至。今将求致治，必委之于君子；事有得失，或访之于小人。其待君子也则敬而疏，遇小人也必轻而狎，狎则言无不尽，疏则情或不通。是毁誉在于小人，刑罚加于君子，实兴丧所在，亦安危所系，可不慎哉！夫中智之人，岂无小慧，然才非经国，虑不及远，虽竭力尽诚，犹未免于倾败；况内怀奸利，承颜顺旨，其为祸患，不亦深乎？故孔子曰："君子或有不仁者焉，未见小人而仁者。"然则君子不能无小恶，恶不积无妨于正道；小人或时有小善，善不积不足以立忠。今谓之善人矣，复虑其有不信，何异夫立直木而疑其影之不直乎？虽竭精神，劳思虑，其不可亦已明矣。

夫君能尽礼，臣得竭忠，必在于内外无私，上下相信。上不信则无以使下，下不信则无以事上，信之为义大矣哉！故自天佑之，吉无不利。昔齐桓公问于管仲曰："吾欲酒腐于爵，肉腐于俎，得无害于霸乎？"管仲曰："此极非其善者，然亦无害霸也。"公曰："何如而害霸乎？"曰："不能知人，害霸也；知而不能用，害霸也；用而不能信，害霸也；既信而又使小人参之，害霸也。"晋中行穆伯攻鼓，经年而不能下，馈间伦曰："鼓之啬夫，间伦知之，请无疲士大夫而鼓可得。"穆伯不应。左右曰："不折一戟，不伤一卒，而鼓可得，君奚为不取？"穆伯曰："间伦之为人也，佞而不仁。若间伦下之，吾不可以不赏。赏之，是赏佞人也。佞人得志，是使晋国之士舍仁而为佞，虽得鼓，将何用之？"夫穆伯列国大夫，管仲霸者之佐，犹慎于信任，远避佞人也如此，况乎为四海之大君，应千龄之上圣，而可使巍巍之盛德，复将有所间然乎？

【译文】

况且君子和小人外表相同而内心不一样。君子替人掩恶扬善，危难临头不苟且免祸，而是杀身成仁。小人不耻于不讲仁，不畏惧丧失义，只要有利可图，就会危害他人以求自身平安。如果敢于危害他人，还有什么不敢干呢！现在要想达到天下太平，必定任用君子；事情有差错，有时又会询问小人。对待君子敬重而疏远，对待小人轻视而亲昵。亲昵就会无话不说，疏远就会情感互不相通。这样毁誉由小人决定，刑罚由君子担当，实在关系到国家的兴亡安危，怎么可以不慎重对待呀！才智中等的人，哪能没有小聪明，然而才能不足以治国，考虑问题不深远，虽然全力以赴、忠心耿耿，仍不免失败。更何况内心奸诈贪利、善于察颜观色迎合陛下心意的人，这种人造成的祸患还不够深吗？因此孔子说："君子中也有有时不仁的，但从未见到小人具有仁的品德的。"这样看来，君子不可能没有小恶，但只要恶不积累多就不会妨碍正道；小人有时也会有小善，但善不积累就不足以树立忠诚。现在说一个人善，却又担心他不讲信义，这同树立一根笔直的木头却怀疑它的影子不正有什么两样？这样做即使耗尽精神，殚思竭虑，依旧行不通，这也是十分明白的。

君王能尽礼，人臣能效忠，必定由于对内对外没有私心，上下彼此相信。君上不信任臣下就无法使用臣下，臣下不相信君上就不能侍奉君上，信的意义真是太大了！借此能得到上天的佑助，没有不吉不利的。从前齐桓公问管仲说："我想让酒在酒杯中发臭，让肉在砧板上烂掉，这不会妨害霸业吗？"管仲说："这样做非常不好，但是不妨害霸业。"齐桓公问："怎样做就会损害霸业呢？"齐桓公说："不能了解人损害霸业；了解了而不去任用损害霸业；任用了而不加信任损害霸业；已经给予信任了而又使小人参杂其间也损害霸业。"晋国中行穆伯攻打鼓国，过了一年仍不能攻克。馈间伦说："鼓国的啬夫，间伦认识。请允许我不使士大夫们劳累而夺取鼓国。"穆伯没有答应。随从问："不折毁一支戟，不伤害一个士兵，而鼓国可以攻克，您为什么不采用呢？"穆伯说："间伦为人，巧于谄媚而不讲仁义。如果他攻下鼓城，我不能不奖赏，奖赏他，就是奖赏谄媚的人，谄媚的人得志，这会使晋国士人放弃仁而去做谄媚的事。这样即使夺取鼓国，又有什么用呢。"穆伯身为列国大夫，管仲是霸业的辅臣，对于信任之人尚且如此慎重，远远避开谄媚之徒，何况陛下是身为四海大国的君主、享千年之寿的圣上，岂能使巍巍盛德，又稍有不足呢？

若欲令君子小人是非不杂，必怀之以德，待之以信，厉之以义，节之以礼，然后善善而恶恶，审罚而明赏。则小人绝其佞邪，君子自强不息，无为之化，何远之有。善善而不能进，恶恶而不能去，罚不及于有罪，赏不加于有功，则危亡之期，或可未保，永锡祚胤，将何望哉！

太宗手诏嘉美，优纳之。尝谓长孙无忌曰："朕即位之初，上书者或言'人主必须威权独运，不得委任群下'；或欲耀兵振武，慑服四夷。唯有魏征劝朕'偃革兴文，布德施惠，中国既安，远人自服'。朕从其语，天下大宁。绝域君长，皆来朝贡，九夷重译，相望于道。此皆魏征之力也。"

太宗尝嫌上封者众，不近事实，欲加黜责。征奏曰："古者立诽谤之木，欲闻己过，今之封事，谤木之流也。陛下思闻得失，只可恣其陈道。若所言衷，则有益于陛下；若不衷，无损于国家。"太宗曰："此言是也。"并劳而遣之。

【译文】

若要使君子和小人之间是非不致混杂，必须以德安抚臣民，以信对待臣民，以义鼓励臣民，以礼约束臣民，然后奖善惩恶，做到赏罚分明。这样小人就可以戒除阿谀奸邪的恶习，君子则会自强不息。陛下无为而臣民得到教化，还有比这更好的吗？奖善而不能使善者进升，惩恶而不能去除恶者，有罪不罚，有功不赏，那么国家危亡的日子，就不好说了。又将如何指望把福运永久赐给子孙后代呢！

太宗手写诏书表示称赞，优礼采纳。又对长孙无忌说："朕即位初期，上书者有的说：'人君必须独断威权，不能委任群臣。'有的想炫耀武功，使四方异族慑服。只有魏征劝朕'放弃武力，振兴教化，广布德政，遍施惠泽，中国安定之后，远方异族自然归服'。朕听从了他的话，天下于是十分安定，偏远僻地的君长都来朝贡，各国行人辗转翻译着彼此的语言，在大路上往来不断。这都是魏征的功劳。"

太宗曾经嫌上密封奏章的人太多，不合乎事实，想加以罢斥。魏征上奏说："古人立诽谤之木，想听到自己的过失，今天的密封奏书和古时的谤木是一样的意思。陛下想知道自己的得失，就只能任人说短论长，如果所说切合实际，就会有益于陛下，不切合实际，也无损于国家。"太宗说："这番话很对。"向魏征表示慰劳并送他离去。

后太宗在洛阳宫，幸积翠池，宴群臣，酒酣各赋一事。太宗赋《尚书》曰："日昃玩百篇，临灯披《五典》。夏康既逸豫，商辛亦流湎。恣情昏主多，克己明君鲜。灭身资累恶，成名由积善。"征赋西汉曰："受降临轵道，争长趣鸿门。驱传渭桥上，观兵细柳屯。夜宴经柏谷，朝游出杜原。终藉叔孙礼，方知皇帝尊。"太宗曰："魏征每言，必约我以礼也。"寻以修定《五礼》，当封一子为县男，请让孤兄子叔慈。太宗怆然曰："卿之此心，可以励俗。"遂许之。

十二年，礼部尚书王珪奏言："三品以上遇亲王于涂，皆降乘，违法申敬，有乖仪准。"太宗曰："卿辈皆自崇贵，卑我儿子乎？"征进曰："自古迄兹，亲王班次三公之下。今三品皆曰天子列卿及八座之长，为王降乘，非王所宜当也。求诸故事，则无可凭，行之于今，又乖国宪。"太宗曰："国家所以立太子者，拟以为君也。然则人之修短，不在老少，设无太子，则母弟次立。以此而言，安得轻我子耶？"征曰："殷家尚质，有兄终弟及之义；自周以降，立嫡必长，所以绝庶孽之窥觎，塞祸乱之源本，有国者之所深慎。"于是遂可珪奏。会皇孙诞育，召公卿赐宴，太宗谓侍臣曰："贞观以前，从我平定天下，周旋艰险，玄龄之功，无所与让。贞观之后，尽心于我，献纳忠谠，安国利民，犯颜正谏，匡朕之违者，唯魏征而已。古之名臣，何以加也。"于是亲解佩刀以赐二人。

【译文】

后来太宗在洛阳宫，游幸积翠池，宴请群臣。酒兴浓时，每人以一件事赋诗。太宗以《尚书》为题赋诗一首："日昃玩百篇，临灯披《五典》。夏康既逸豫，商辛亦流湎。恣情昏主多，克己明君鲜。灭身资累恶，成名由积善。"魏征以西汉历史为题赋诗一首："受降临轵道，争长趣鸿门。驱传渭桥上，观兵细柳屯。夜宴经柏谷，朝游出杜原。终藉叔孙礼，方知皇帝尊。"太宗说："魏征每次讲话，必定以礼约束我。"不久因魏征修成《五礼》，应当封他的一个儿子为县男。魏征请求把封爵让给亡兄的孤子叔慈。太宗凄然说："卿这样的心，可以激励世俗。"随后批准了他的请求。

贞观十二年，礼部尚书王珪上奏说："三品以上官员在路上遇到亲王，都要下马，这种违反法令以表示尊敬的做法，有悖于礼的准则。”太宗说：“大臣们都自认为尊崇高贵，难道我的儿子就卑下吗？”魏征进言说：“自古至今，亲王的等级在三公以下。如今三品官指的都是天子的列卿、尚书省长官和各部尚书，他们为亲王下马，可不是亲王应当承受的。查询以往的成例，没有凭据；实行到现在，又违背国家大法。”太宗说：“国家所以要立太子，就是准备让他做国君的。但是人寿命的长短，不在年长年少。假如没有太子，他的胞弟也会依次而立。以此而言，怎么可以轻视我的儿子呢？”魏征说：“殷商崇尚质朴，有兄长死后弟弟取代王位的做法。周朝以后，立嫡子必定立嫡长子，以此杜绝其余子嗣觊觎王位，堵塞祸乱的根源。这是掌管国家的人应当十分谨慎的。”于是太宗同意了王珪的奏言。适逢皇孙出世，太宗召集公卿赐宴。太宗说：“贞观以前，跟随我平定天下，在乱世奔波周旋的，房玄龄的功劳不可推让。贞观之后，对我尽心竭力，奉献忠诚，使国家平安、百姓获益、敢犯颜直谏、纠正朕的过失的，只有魏征一人了。古代的名臣又怎能比得上他呢。”于是亲自解下佩刀赐给房玄龄、魏征二人。

征以戴圣《礼记》编次不伦，遂为《类礼》二十卷，以类相从，削其重复，采先儒训注，择善从之，研精覃思，数年而毕。太宗览而善之，赐物一千段，录数本以赐太子及诸王，仍藏之秘府。

先是，遣使诣西域立叶护可汗，未还，又遣使多赍金银帛历诸国市马。征谏曰：“今以立可汗为名，可汗未定，即诣诸国市马，彼必以为意在市马，不为专意立可汗。可汗得立，则不甚怀恩。诸蕃闻之，以为中国薄义重利，未必得马而失义矣。昔汉文有献千里马者，曰：吾凶行日三十里，吉行五十里，銮舆在前，属车在后，吾独乘千里马将安之？乃赏其道里所费而返之。汉光武有献千里马及宝剑者，马以驾鼓车，剑以赐骑士。陛下凡所施为，皆邈逾三王之上，奈何至于此事，欲为孝文、光武之下乎？又魏文帝欲求市西域大珠，苏则曰：‘若陛下惠及四海，则不求自至，求而得之，不足为贵也。’陛下纵不能慕汉文之高行，可不畏苏则之言乎？”太宗纳其言而止。

【译文】

魏征因戴圣的《礼记》编排没有秩序，所以编《类礼》二十卷，分门别类，删除重复，采用前代大儒的训注，择善而从。研究精辟而思考深入，经过几年编成全书。太宗看了给予赞扬，赐给魏征帛一千段，又把书抄录了几部，赐给太子和各亲王，并将书收藏在秘书省书库中。

先前，朝廷曾派使臣到西域立叶护为可汗。使臣还没有回来，又派使节带上许多金、银、帛、缎到西域各国买马。魏征劝谏说：“现在以立可汗为名，去西域，可汗还没有确定，又到各国去买马，各国一定以为我们意在买马，并不专为立可汗。这样即使立了可汗，可汗也不会十分感恩戴德。而各国听说这件事，会认为中国薄义重利。我们未必能得到马，却又失去了义。过去汉文帝时有人献千里马，汉文帝说：‘我因凶丧的事出行，每日走三十里，因吉庆的事出行每日五十里，銮车在前，扈行车马在后，我独自骑着千里马能安然处之吗？’于是赏还路途费用后让献马的人返回。汉光武帝时有人献千里马和宝剑，光武帝用千里马驾车，把宝剑赐给骑士。陛下凡所作所为，都远远超过三王之上，为什么在这件事情上要在孝文帝、光武帝之下呢？再有，魏文帝想买西域的大珠，苏则说：‘如果陛下的惠泽遍及四海，那么大珠不求自来，经过索求才得到它，也就没有什么可珍贵的。’陛下纵然不能追慕汉文帝的高尚行为，能不以苏则的话为戒吗？”太宗接受了他的意见而停派买马使者。

时公卿大臣并请封禅，唯征以为不可。太宗曰：“朕欲卿极言之。岂功不高耶？德不厚耶？诸夏未治安耶？远夷不慕义耶？嘉瑞不至耶？年谷不登耶？何为而不可？”对曰：“陛下功则高矣，而民未怀惠；德虽厚矣，而泽未滂流；诸夏虽安，未足以供事；远夷慕义，无以供其求；符瑞虽臻，罻罗犹密；积岁丰稔，仓廪尚虚。此臣所以窃谓未可。臣未能远譬，且借喻于人。今有人十年长患瘵，治且愈，此人应皮骨仪存，便欲使负米一石，日行百里，必不可得。隋氏之乱，非止十年，陛下为之良医，疾苦虽已□安，未甚充实，告成天地，臣窃有疑。且陛下东封，万国咸萃，要荒之外，莫不奔走。今自伊、洛以东，暨乎海岱，灌莽巨泽，苍茫千里，人烟断绝，鸡犬不闻，道路萧条，进退艰阻，岂可引彼夷狄，示以虚弱？竭财以赏，未厌远人之望，重加给复，不偿百姓之劳。或遇水旱之灾，风雨之变，庸夫横议，悔不可追。岂独臣之恳诚，亦有舆人之诵。”太宗不能夺。是后，右仆射缺，欲拜之，征固让乃止。

及皇太子承乾不修德业，魏王泰宠爱日隆，内外庶僚，并有疑议。太宗闻而恶之，谓侍臣曰：“当今朝臣忠謇，无逾魏征，我遣傅皇太子，用绝天下之望。”十六年，拜太子太师，知门下省事如故。征自陈有疾，诏答曰：“汉之太子，四皓为助，我之赖公，即其义也。知公疾病，可卧护之。”

【译文】

其时公卿大臣一致请求举行封禅大典，只有魏征认为不可以。太宗说：“朕想让卿彻底说出对这件事的看法。难道朕功劳还不高、道德还不崇厚、国家还不太平安定、远方异邦还不仰慕大义、祥瑞还没有到来、粮谷还没有丰收吗？为什么不可以举行封禅大典？”魏征问答：“陛下的功勋当然很高，但是百姓还没有感怀恩惠；陛下的道德虽然崇厚，但圣泽还没有汇成巨流；国家虽然安定，但还不足以供奉国家大典；远方异邦虽仰慕大义，但我们还拿不出东西满足他们的索求；祥瑞虽然到来，但刑网还很密结；虽然连年丰收，但粮仓尚嫌空虚，这些就是臣私下以为不可以封禅的道理。臣不能借用太远的东西做比喻，姑且以人做比喻：现在有一个人，患病长达十年，刚刚治好，瘦得只剩下皮包骨。若马上就让他背上一石米，一天走百里路，必定做不到。隋朝的祸乱，不止十年，陛下做它的良医，疾病虽已治好，但是还不够强壮，就去向天地报告成功，臣私下有些怀疑。而且陛下要去东方封禅泰山，各国都要汇聚而来，连荒蛮极远之地，也没有不奔驰而来的。如今从伊水、洛水向东直到海岱，遍地灌木草莽和巨大的沼泽，苍茫千里，人烟断绝，听不到鸡鸣狗吠，道路萧条，前后都有艰难险阻。怎么可以引来异族，让他们看到我们的虚弱呢？穷竭财力去赏赐，也不能满足远方异族的愿望，加重偿还，仍不足以补偿百姓的辛劳。若再遇水旱灾害、风雨变幻，庸俗小人横加议论，就会追悔不及了。岂止臣一人有恳切劝谏的诚心，还有众人的公议。”太宗不能使魏征改变主张。此后，右仆射的官位空缺，太宗想让魏征担任，魏征坚决推辞，太宗才没有任命。

及至皇太子承乾不注意修行、道德，魏王李泰越来越受到皇上宠爱，内外百官都有疑议，太宗听说后十分厌恶，对侍臣说："当今朝臣中忠诚正直的，没有人能超过魏征，我要派他当太子的老师，以此断绝天下人改立太子的希望。"贞观十六年，拜魏征为太子太师，仍然知门下省事，魏征自己诉说有病。太宗下诏书答复："汉朝的太子，有商山四位皓首隐士辅佐，我依赖公，也是这个用意。我知道公有疾病在身，公可以卧床佑护太子。"

其年，称绵惙，中使相望。征宅先无正寝，太宗欲为小殿，辍其材为征营构，五日而成。遣中使赍素褥布被而赐之，遂其所尚也。及病笃，舆驾再幸其第，抚之流涕，问所欲言，征曰："嫠不恤纬，而忧宗周之亡。"后数日，太宗夜梦征若平生，及旦而奏征薨，时年六十四。太宗亲临恸哭，废朝五日，赠司空、相州都督，谥曰文贞，给羽葆鼓吹、班剑四十人，赙绢布千段，米粟千石，陪葬昭陵。及将祖载，征妻裴氏曰："征平生俭素，今以一品礼葬，羽仪甚盛，非亡者之志。"悉辞不受，竟以布车载柩，无文彩之饰。太宗登苑西楼，望丧而哭。诏百官送出郊外。帝亲制碑文，并为书石。其后追思不已，赐其实封九百户。尝临朝谓侍臣曰："夫以铜为镜，可以正衣冠；以古为镜，可以知兴替；以人为镜，可以明得失。朕常保此三镜，以防己过。今魏征殂逝，遂亡一镜矣！征亡后，朕遣人至宅，就其书函得表一纸，始立表草，字皆难识，唯前有数行，稍可分辨，云：'天下之事，有善有恶。任善人则国安，用恶人则国乱。公卿之内，情有爱憎。憎者唯见其恶，爱者唯见其善。爱憎之间，所宜详慎，若爱而知其恶，憎而知其善，去邪勿疑，任贤勿贰，可以兴矣。'其遗表如此。然在朕思之，恐不免斯事。公卿侍臣，可书之于笏，知而必谏也。"

征状貌不逾中人，而素有胆智。每犯颜进谏，虽逢王赫斯怒，神色不移。尝密荐中书侍郎杜正伦及吏部尚书侯君集有宰相之材。征卒后，正伦以罪黜，君集犯逆伏诛，太宗始疑征阿党。征又自录前后谏诤言辞往复以示史官起居郎褚遂良。太宗知之，愈不悦。先许以衡山公主降其长子叔玉，于是手诏停婚，顾其家渐衰矣。

【译文】

这一年，魏征病重，太宗派宦官前去看望。魏征的家宅原来没有正厅，太宗原要造一座小殿，于是停造小殿用其料为魏征家修建正厅，五天完工。又派宦官送来白色的褥子和布被赐给魏征，这是顺从魏征的喜好。待到魏征病危，太宗又亲自去他家，摸着魏征流下眼泪，问他还有什么话要说。魏征说："寡妇不担心纬纱少，而忧虑宗周的灭亡。"过了几天，太宗梦见魏征一如往常，等到天亮，就得到魏征去世的奏报。这一年魏征六十四岁。太宗亲自前去痛哭，五日不上朝办公。赠魏征司空、相州都督，加谥号文贞，供给有羽葆和鼓吹乐的仪仗以及佩剑护卫四十人，赐给绢布千段，粮谷千石，令在昭陵陪葬。等到即将抬棺柩上灵车行祖祭礼时，魏征夫人裴氏说："魏征一生节俭朴素，现在以一品官的礼遇安葬他，羽旗仪仗盛大，不合乎亡者的心愿。"于是退回所有的东西不受纳，最后以布幔的车子载着棺木，上面没有漆刻任何文彩做装饰。太宗登上禁苑西楼，遥望丧车而哭悼。下诏令百官送灵车出郊外。太宗亲自作碑文，并把它书写到碑石上。而后追思不已，赐给魏征遗属实封户九百家。太宗曾在朝廷对侍臣说："以铜为镜可以端正衣冠，以历史为镜可以知道兴衰的道理，以人为镜可以看清自己的得失，朕时常保有这三面镜子，以防止自己的过失，现在魏征去世，朕这是失去了一面镜子呀。魏征去世后，朕派人去他家，在他书写的函件中得到一纸表文，刚刚写了草稿，字迹都很难辨认，只有前面几行可以看得清楚些，上面说：'天下的事，有善有恶，任用善者国家就会平安，任用恶人国家就会动乱；公卿之间，陛下对他们的情感有爱有憎，对于憎恶的，只看到恶的一面，对于钟爱的，只看到善的一面。在爱憎之间，应当十分审慎。如果陛下能做到对于爱的知道恶的一面，对于憎的知道善的一面，去除邪恶毫不迟疑，任用贤能不加猜疑，国家就可以兴旺发达了。'魏征遗留表文的内容就是这些。然而在朕看来，仍恐怕不免要犯魏征所说的过错，公卿侍臣可以把表文书写在朝笏上，知道朕有过失一定要劝谏。"

魏征体态相貌不超过平常的人，但是向来有胆量、有智谋。每次冒犯天子进谏，虽然碰到天子勃然大怒，仍能做到面不改色。他曾秘密推荐中书侍郎杜正伦和史部尚书侯君集有做宰相的才干。魏征死后，杜正伦因犯罪被罢官，侯君集因叛逆罪被处死，太宗开始疑心魏征偏袒同党。魏征又自己抄录了先后劝谏皇帝的言辞，并把它拿给史官起居郎褚遂良看，太宗得知更加不高兴，原先曾答应把衡山公主嫁给魏征的长子叔玉，现在亲手写诏书停掉这门婚事。这样魏征的家也就渐渐衰落了。

征四子。叔琬、叔璘、叔瑜。叔玉袭爵国公，官至光禄少卿；叔瑜至潞州刺史；叔璘礼部侍郎，则天时为酷吏所杀。

神龙初，继封叔玉子膺为郑国公。

叔瑜子华，开元初太子右庶子。

【译文】

魏征有四个儿子，叔琬、叔璘、叔瑜。叔玉继承魏征国公的爵位，任官至光禄少卿；叔瑜任官至潞州刺史；叔璘任官至礼部侍郎，武则天时被酷吏杀害。

神龙初年，叔玉的儿子魏膺被续封为郑国公。

叔瑜的儿子魏华在开元初年任太子右庶子。

〔新唐书〕

杨贵妃传

玄宗贵妃杨氏，隋梁郡通守汪四世孙。徙籍蒲州，遂为永乐人。幼孤，养叔父家。始为寿王妃。开元二十四年，武惠妃薨，后廷无当帝意者。或言妃姿质天挺，宜充掖廷，遂召内禁中，异之，即为自出妃意者，丐籍女官，号“太真”，更为寿王聘韦诏训女，而太真得幸。善歌舞，邃晓音律，且智算警颖，迎意辄悟。帝大悦，遂专房宴，宫中号“娘子”，仪体与皇后等。

【译文】

唐玄宗贵妃杨氏，隋梁郡通守杨汪四代孙。她家移居蒲州，于是成为永乐人。她年幼时父母去世，在叔父家长大。起初当玄宗的儿子寿王的妃子。开元二十四年，武惠妃去世，后宫中没有找到皇帝中意的人。有人说杨妃天生丽质，可以充任妃嫔，于是玄宗就把她召入宫中，见过面后，玄宗认为杨妃不同于常人，就让她当成是出于自己的心意，请求担任宫中女官，并为她取号太真，另替寿王娶韦诏训的女儿为妻。太真入宫后就得到天子的宠幸。她能歌善舞，精通音律，而且才智超群，总能猜中他人心意。皇帝非常高兴，于是就只让她一人待寝侍宴，宫中称她为“娘子”，待她的礼仪规格和皇后一样。

天宝初，进册贵妃。追赠父玄琰太尉、齐国公。擢叔玄珪光禄卿，宗兄铦鸿胪卿，锜侍御史，尚太华公主。主，惠妃所生，最见宠遇。而钊亦浸显。钊，国忠也。三姊皆美劭，帝呼为姨，封韩、虢、秦三国，为夫人，出入宫掖，恩宠声焰震天下。每命妇入班，持盈公主等皆让不敢就位。台省、州县奉请托，奔走期会过诏敕。四方献饷结纳，门若市然。建平、信成二公主以与妃家忤，至追内封物，驸马都尉独孤明失官。

他日，妃以谴还铦第，比中仄，帝尚不御食，笞怒左右。高力士欲验帝意，乃白以殿中供帐、司农酒饩百余车送妃所，帝即以御膳分赐。力士知帝旨，是夕，请召妃还，下钥安兴坊门驰入。妃见帝，伏地谢，帝释然，抚尉良渥。明日，诸姨上食，乐作，帝骤赐左右不可赀。由是愈见宠，赐诸姨钱岁百万为脂粉费。铦以上柱国门列戟，与锜、国忠、诸姨五家第舍联亘，拟宪宫禁，率一堂费缗千万。见它第有胜者，辄坏复造，务以环侈相夸诩，土木工不息。帝所得奇珍及贡献分赐之，使者相衔于道，五家如一。

【译文】

天宝初年，皇帝册封太真为贵妃。追赠她的父亲杨玄琰为太尉、齐国公。提拔她的叔父杨玄珪任光禄卿，族兄杨铦任鸿胪卿，杨锜任侍御史，还让杨锜娶太华公主为妻。太华公主是武惠妃生的，最受玄宗宠爱优待。而杨钊的地位也逐渐显赫起来。杨钊就是杨国忠。贵妃的三个姊姊都长得漂亮，皇帝喊她们为姨，封她们为韩国、虢国、秦国夫人，她们出入宫廷，蒙受恩宠，声威气焰震动天下。每次宫外有封号的妇女入宫晋见，按规定的位次排列，玄宗的妹妹持盈公主等都谦让杨氏诸姨，不敢就位。中央官署和州县的官吏接受杨家人的私下嘱托，立即奔走办理、自定期限，比办皇帝下令要办的事还卖力。四方都有人送礼物与他们结交，杨家的门庭若市。玄宗的女儿建平、信成二公主因与贵妃家人不和，玄宗甚至把宫中分赐给她们的东西追回，信成公主的丈夫驸马都尉独孤明还因此而丢官。

有一天，贵妃因受到玄宗的责备被送回杨铦家中，等到过了中午，皇帝还不进食，抽打在身边侍候的人，对他们大发脾气。高力士想试探一下皇帝的心意，于是报告玄宗，请求把宫中张设的帷帐、司农寺供给的酒和食品等一百多车东西送到杨宅，皇帝不但同意，还当即把自己的御膳分赐给贵妃。力士明白皇帝的旨意，这天晚上，就请求把贵妃召回宫中，于是打开安兴坊坊门，贵妃的车马经那里驰入皇宫。贵妃见到皇帝，伏地谢罪，皇帝非常高兴，很好地抚慰了她一番。第二天，杨家诸姨往宫里进献美食，宴会的音乐一演奏起来，皇帝就猛给他身边的人赏赐东西，其数量多得无法计算。从此贵妃更加受到玄宗的宠爱。玄宗赐给杨家诸姨每人每年钱一百万，作为她们的脂粉费。杨铦以正二品勋官上柱国的身份，立戟于住宅门前，同杨铦、杨国忠、杨家诸姨等五家宅第相连，都仿效皇宫的建筑，大概建一个厅堂要费钱一千万。杨家人见别人的宅第有胜过自己的，就拆掉重盖，务必以宅第的瑰伟奢丽相夸耀，大兴土木，没有停止的时候。皇帝得到的奇珍异物及四方贡品都分赐给他们，宫中派出的送物使者接连不断，赐给五家的礼物都要一样。

妃每从游幸，乘马则力士授辔策。凡充锦绣官及冶瑑金玉者，大抵千人，奉须索，奇服秘玩，变化若神。四方争为怪珍入贡，动骇耳目。于是岭南节度使张九章、广陵长史王翼以所献最，进九章银青阶，擢翼户部侍郎，天下风靡。妃嗜荔枝，必欲生致之，乃置骑传送，走数千里，味未变已至京师。

天宝九载，妃复得谴还外第，国忠谋于吉温。温因见帝曰："妇人过忤当死，然何惜宫中一席广为铁锧地，更使外辱乎？"帝感动，辍食，诏中人张韬光赐之。妃因韬光谢帝曰："妾有罪当万诛，然肤发外皆上所赐，今且死，无以报。"引刀断一缕发奏之，曰："以此留诀。"帝见骇惋，遽召入，礼遇如初。因又幸秦国及国忠第，赐两家巨万。

国忠既遥领剑南，每十月，帝幸华清宫，五宅车骑皆从，家别为队，队一色，俄五家队合，烂若万花，川谷成锦绣，国忠导以剑南旗节。遗钿堕舄，瑟瑟玑琲，狼藉于道，香闻数十里。十载正月望夜，妃家与广宁主僮骑争阛门，鞭挺欢竞，主堕马，仅得去。主见帝泣，乃诏杀杨氏奴，贬驸马都尉程昌裔官。国忠之辅政，其息昢尚万春公主，暄尚延和郡主；弟鉴尚承荣郡主。又诏为玄琰立家庙，帝自书其碑。铦、秦国早死，故韩、虢与国忠贵最久。而虢国素与国忠乱，颇为人知，不耻也。每入谒，并驱道中，从监、侍姆百余骑，炬蜜如昼，靓妆盈里，不施帏帐，时人谓为"雄狐"。诸王子孙凡婚娉，必先因韩、虢以请，辄皆遂，至数百千金以谢。

【译文】

贵妃每次跟随天子出外游乐，贵妃骑马，高力士就亲自给她递缰绳、马鞭。总计宫中在负责织锦刺绣以及负责铸造、雕刻金玉器物的部门工作的工匠，大致有一千人，他们接受贵妃的索取，各种稀奇的服饰、珍玩都能制作，变化如神。四方争相制作奇珍异物进献给贵妃，东西的奇特精巧，每每骇人耳目。岭南节度使张九章、广陵长史王翼由于进献的东西没人能比得上，天子晋升张九章为从三品散官银青光禄大夫，提拔王翼为户部侍郎，天下人于是无不追随这股风。贵妃嗜食荔枝，一定要得到新鲜的，于是特设驿骑传送，跑数千里地，荔枝的味道还没有变化已送到了京师。

天宝九年，贵妃又受到天子的责备，被送回宫外的住宅，杨国忠跑去找吉温商议，吉温于是觐见皇帝说："妇女过分不顺从应当处死，但陛下为什么爱惜宫中可用来处斩的一张席子大的地方，却让她到外面去丢脸呢？"皇帝的感情被触动，停止进食，命令宦官张韬光把自己的食物赐给贵妃。贵妃依靠张韬光传话，与皇帝告别道："妾有罪应当被处死一万次，但除身体头发外，妾的所有东西都是皇上所赐，现在妾将死去，没有可用来报答皇上的东西。"随即拿刀割下一束头发进献给皇帝，说道："留下这东西与陛下诀别。"皇帝见到她的头发后，既吃惊又叹惜，急忙召她入宫，还像从前那样对她以礼相待。接着天子又亲临秦国夫人和杨国忠的府第，赐给这两家无数财物。

杨国忠遥领剑南节度使以后，每年十月，皇帝到华清宫，杨氏五家的人马都随从，每家单独排成一队，每队都穿同一种颜色的衣服，一会儿五家的队伍合在一起，灿烂犹如万花竞放，川谷化为锦绣，杨国忠还用剑南节度使的旌旗作为队伍的前导。队伍所经之地，遗落的首饰，扔下的鞋子，还有琴瑟、珠串，乱七八糟的在路上躺着，香气传到数十里之外。天宝十年正月十五晚上，贵妃家人与玄宗的女儿广宁公主的随从争过市门，杨氏家奴挥鞭打人，双方喧闹争吵，公主跌下马来，只得躲开。公主找皇上哭诉，于是玄宗下令杀掉杨氏家奴，但同时公主的丈夫驸马都尉程昌裔也被贬官。杨国忠当宰相，他的儿子杨昢娶玄宗的女儿万春公主为妻；杨暄娶延和郡主为妻；他的弟弟杨鉴娶承荣郡主为妻。玄宗又下令为贵妃的父亲杨玄琰立家庙，皇帝亲自书写家庙的碑文。杨铦、秦国夫人早死，所以韩国、虢国夫人和杨国忠显达的时间最长。虢国夫人向来和杨国忠淫乱，颇为外人所知，而不以为耻。每次入宫谒见天子，两人在道上并驾齐驱，随从的宦官、侍婢有一百多人，都骑在马上，蜡烛照耀得如同白昼，妆饰艳丽的妇女充满街巷，虢国夫人连帐帘都不用，当时人说这是齐襄公的淫妹行径。诸王的子孙凡有婚嫁之事，一定要先通过韩国、虢国夫人，然后向天子报告，这样做便都能如愿，诸王至于用数百金或上千金来感谢她们。

初，安禄山有边功，帝宠之，诏与诸姨约为兄弟，而禄山母事妃，来朝，必宴饯结欢。禄山反，以诛国忠为名，且指言妃及诸姨罪。帝欲以皇太子抚军，因禅位，诸杨大惧，哭于廷。国忠入白妃，妃衔块请死，帝意沮，乃止。及西幸至马嵬，陈玄礼等以天下计诛国忠，已死，军不解。帝遣力士问故，曰："祸本尚在！"帝不得已，与妃诀，引而去，缢路祠下，裹尸以紫茵，瘗道侧，年三十八。

帝至自蜀，道过其所，使祭之，且诏改葬。礼部侍郎李揆曰："龙武将士以国忠负上速乱，为天下杀之。今葬妃，恐反仄自疑。"帝乃止。密遣中使者具棺椁它葬焉。启瘗，故香囊犹在，中人以献，帝视之，凄感流涕，命工貌妃于别殿，朝夕往，必为哽欷。

马嵬之难，虢国与国忠妻裴柔等奔陈仓，县令率吏追之，意以为贼，弃马走林。虢国先杀其二子，柔曰："丐我死！"即并其女刺杀之，乃自刎，不殊，吏载置于狱，问曰："国家乎？贼乎？"吏曰："互有之。"乃死，瘗陈仓东郭外。

【译文】

起初，安禄山有边功，皇帝宠信他，命他与杨家诸姨结为兄弟，而禄山则拜贵妃为母，禄山每次来京朝见天子，杨家人必定设宴招待，同他建立友好关系。后来安禄山造反，以讨伐杨国忠为借口，而且公开指出贵妃及杨家诸姨的罪恶。皇帝想让皇太子统率军队，并把帝位禅让给他，杨家诸人极为恐惧，聚在庭院里痛哭。杨国忠入宫禀告贵妃，贵妃口衔土块请求天子将自己处死，皇帝心情沮丧，于是便没有那样做。等到潼关失守，玄宗西行到了马嵬驿，陈玄礼等就为天下人考虑而杀掉杨国忠，但杨国忠已死，军队将士仍不肯散去。皇帝派高力士询问原因，将士们说："祸乱的根子还在！"皇帝不得已，与贵妃诀别，让人把她带走，勒死在路旁的祠庙里，用紫色褥子裹尸，埋在大路边，这时贵妃三十八岁。

后来玄宗自蜀郡回长安，路经马嵬驿，派人祭奠贵妃，且下令改葬。礼部侍郎李揆说："龙武军将士因为杨国忠有负于皇上，招致祸乱，替天下人杀掉杨国忠。现在改葬贵妃，恐怕将士们会疑虑不安。"玄宗于是没有正式改葬贵妃。他秘密派遣宦官备好棺椁把贵妃的遗体迁移到别的地方安葬。挖开埋贵妃的地方，贵妃原先佩带的香囊还在，宦官把它献给玄宗，玄宗看到香囊后，伤感落泪，于是就命画工在偏殿里画贵妃的像，早晚前去看望，一定会为她哽咽抽泣。

马嵬驿事变发生的时候，虢国夫人和杨国忠的妻子裴柔等逃往陈仓，她们猜想是逆贼作乱，便扔下马跑进树林里。虢国夫人先杀掉她的两个孩子，裴柔说："请让我死！"虢国夫人马上把她和她的女儿一起刺死，然后自己抹脖子，但还没有断气，官吏就把她驮在马上送进监狱，虢国夫人问道："是国家要杀我们？还是逆贼作乱？"县吏回答说："都是。"于是死去，被埋在陈仓东城外。

魏徵列传

魏徵字玄成，魏州曲城人。少孤，落魄，弃赀产不营，有大志，通贯书术。

隋乱，诡为道士。武阳郡丞元宝藏举兵应李密，以徵典书檄。密得宝藏书，辄称善，既闻徵所为，促召之。徵进十策说密，不能用。王世充攻洛口，徵见长史郑颋曰：“魏公虽骤胜，而骁将锐士死伤略尽；又府无见财，战胜不赏。此二者不可以战。若浚池峭垒，旷日持久，贼粮尽且去，我追击之，取胜之道也。”颋曰：“老儒常语耳！”徵不谢去。

【译文】

魏徵字玄成，魏州曲城人。幼丧父母，穷困失意，扔下家产不经营，有远大志向，对各种书籍、学问都能融会贯通。

隋末天下大乱，假意出家为道士。武阳郡丞元宝藏起兵响应李密，让魏徵掌管文书。李密每次得到宝藏的书信，总称赞它写得好，后来听说是魏徵写的，马上把他召来。魏徵进献十条计策劝说李密，李密不能用。王世充进攻洛口，魏徵求见魏公李密的长史郑颋，说道：“魏公虽然屡次获胜，但精兵骁将有的死有的受伤已所剩无几；又仓库里没有财物，打胜仗不能给予奖赏。有这两条就不应该出战。如果我们挖深洛口的城壕，加高它的防御工事，拖延很长时间不和敌人作战，敌人粮食用完将会自己离开，那时我军再追击他们，这就是夺取胜利的方法。”郑颋说：“你这些话不过是老生常谈罢了！”魏徵不辞而别。

后从密来京师，久之未知名。自请安辑山东，乃擢秘书丞，驰驿至黎阳。时李勣尚为密守，徵与书曰：“始魏公起叛徒，振臂大呼，众数十万，威之所被半天下，然而一败不振，卒归唐者，固知天命有所归也。今君处必争之地，不早自图，则大事去矣！”勣得书，遂定计归，而大发粟馈淮安王之军。

会窦建德陷黎阳，获徵，伪拜起居舍人。建德败，与裴矩走入关，隐太子引为洗马。徵见秦王功高，阴劝太子早为计。太子败，王责谓曰："尔阋吾兄弟，奈何？"答曰："太子早从徵言，不死今日之祸。"王器其直，无恨意。

【译文】

后来魏徵随从李密降唐，到了京师，很长时间默默无闻。魏徵自己请求去安抚山东地区，天子于是提拔他为秘书丞，驾驿车疾行到了黎阳。当时李勣还在为李密守黎阳，魏徵写信给他说："当初魏公由叛逆者而起兵，振臂大呼，四方响应，有部下数十万，势力所及，近半个中国，然而一失败就再也振作不起来，最后终于归附唐朝，因此知道天命已有所归属。现在您处于兵家必争之地，如果自己不及早谋划，那么大事就会无可挽回！"李勣得到信，终于定计归附唐朝，并开仓发粮，赠给唐淮安王的军队。

恰巧窦建德攻陷黎阳，抓获了魏徵，于是让他担任起居舍人的伪官。建德失败，魏徵与裴矩西行入潼关，隐太子建成推荐他任太子洗马。魏徵见秦王李世民功高，暗中劝说太子早定对策。太子失败，秦王责问魏徵说："你让我们兄弟互相争斗，这是为什么呢？"回答说："如果太子早听魏徵的话，就不会死于今天的祸乱。"秦王器重魏徵敢于直言，毫无怨恨他的意思。

即位，拜谏议大夫，封钜鹿县男。当是时，河北州县素事隐、巢者不自安，往往曹伏思乱。徵白太宗曰："不示至公，祸不可解。"帝曰："尔行安喻河北。"道遇太子千牛李志安、齐王护军李思行传送京师，徵与其副谋曰："属有诏，宫府旧人普原之。今复执送志安等，谁不自疑者？吾属虽往，人不信。"即贷而后闻。使还，帝悦，日益亲，或引至卧内，访天下事。徵亦自以不世遇，乃展尽底蕴无所隐，凡二百余奏，无不剀切当帝心者。由是拜尚书右丞，兼谏议大夫。

左右有毁徵阿党亲戚者，帝使温彦博按讯，非是。彦博曰："徵为人臣，不能著形迹，远嫌疑，而被诽谤，是宜责也。"帝谓彦博行让徵。

徵见帝，谢曰："臣闻君臣同心，是谓一体，岂有置至公，事形迹？若上下共由兹路，邦之兴丧未可知也。"帝矍然，曰："吾悟之矣！"徵顿首曰："愿陛下俾臣为良臣，毋俾臣为忠臣。"帝曰："忠、良异乎？"曰："良臣，稷、契、咎陶也；忠臣，龙逢、比干也。良臣，身荷美名，君都显号，子孙传承，流祚无疆；忠臣，己婴祸诛，君陷昏恶，丧国夷家，只取空名。此其异也。"帝曰："善。"因问："为君者何道而明，何失而暗？"徵曰："君所以明，兼听也；所以暗，偏信也。尧、舜氏辟四门，明四目，达四聪。虽有共、鲧，不能塞也，靖言庸违，不能惑也。秦二世隐藏其身，以信赵高，天下溃叛而不得闻；梁武帝信朱异，侯景向关而不得闻；隋炀帝信虞世基，贼遍天下而不得闻。故曰，君能兼听，则奸人不得壅蔽，而下情通矣。"

【译文】

秦王即帝位，拜魏徵为谏议大夫，封钜鹿县男。正在这个时候，河北州县过去侍奉隐太子、巢王元吉的人都自己觉得不安全，往往成群藏匿思谋作乱。魏徵禀告太宗说："不向天下人显示天子至公无私，灾祸不能解除。"太宗说："你去安抚和开导一下河北的人。"魏徵在出使河北途中，遇到太子千牛李志安、齐王元吉府护军李思行被解往京师，魏徵同他的副使商议道："正好有诏令，前东宫、齐王府的旧人一律免罪，现在又拘捕、解送志安等人，谁心里不怀疑呢？我辈虽前去传达天子的旨意，人们一定不会相信。"立即赦免志安等人而后上报天子。魏徵出使回来，太宗非常高兴，对他日益亲近，有时把他领进卧室，询问天下的事情。魏徵也自认为得到君主非常的赏识，于是把心里的想法全部说出，毫不隐瞒，共提出建议二百多项，全都切实可行符合皇帝的心意。因此太宗任命他为尚书右丞，兼谏议大夫。

天子的近臣中有人诽谤魏徵偏袒自己的亲戚，皇帝让温彦博前去查问，结论是这种说法不符合事实。彦博说："魏徵作为臣子，不能使自己的行为痕迹显明，以避开嫌疑，因而受到意外的诽谤，这是应该责备的。"皇帝就叫彦博去责备魏徵。魏徵觐见皇帝，拒绝道："臣听说君臣应该同心，这叫作如同一个整体，哪有抛弃至公无私，只追求行为痕迹的？如果君臣上下共同遵循这条道路，那么国家是兴是亡就没法预料了。”皇帝一副吃惊的样子，说道：“我已经领悟你的意思了！”魏徵跪下叩头说：“愿陛下让臣做良臣，不要让臣做忠臣。”皇帝说：“忠臣、良臣有不同吗？”魏徵说：“良臣，就是稷、契、皋陶；忠臣，就是龙逄、比干。良臣，自身得美名，君主有尊号，子孙世代相继，福祚传之无穷；忠臣，自身得祸受戮，使君主陷于愚昧、凶暴的境地，国亡家灭，只得到一个空名。这就是忠臣与良臣的不同。”皇帝说：“说得好。”接着问道：“做君主的人用什么方法能做到明，犯什么错误会导致暗？”魏徵说：“君主之所以明，是由于能多方面地听取意见；之所以暗，是因为偏听偏信。从前尧、舜大开四方之门，广招贤才，目明能远视四方，耳聪能远听四方，虽有共工、鲧这样的恶人，不能蒙蔽他们；言语动听行为背谬，也不能使他们受迷惑。秦二世居于深宫，偏信赵高，天下离散叛乱却不知道；梁武帝偏信朱异，侯景领兵准备攻城却不知道；隋炀帝偏信虞世基，造反的人到处都是却不知道。所以说，君主能多方面地听取意见，那么奸臣就不可能蒙蔽君主，而下情也就能上达。”

郑仁基息女美而才，皇后建请为充华，典册具。或言许聘矣。徵谏曰：“陛下处台榭，则欲民有栋宇；食膏粱，则欲民有饱适；顾嫔御，则欲民有室家。今郑已约昏，陛下取之，岂为人父母意！”帝痛自咎，即诏停册。

贞观三年，以秘书监参豫朝政。高昌王麴文泰将入朝，西域诸国欲因文泰悉遣使者奉献。帝诏文泰使人厌怛纥干迎之。徵曰：“异时文泰入朝，所过供拟不能具，今又加诸国焉，则濒塞州县以乏致罪者众。彼以商贾来，则边人为之利；若宾客之，中国萧然耗矣。汉建武时，西域请置都护、送侍子，光武不许，不以蛮夷弊中国也。”帝曰：“善。”追止其诏。

【译文】

郑仁基的亲生女儿长得漂亮又有才华，皇后建议让她当九嫔中的充华，天子的封册都准备好了。有人说她已和别人有婚约，魏徵进谏道：

"陛下居于楼台，就想让百姓有房子住；吃精美的食物，就想让百姓能吃饱吃好；看到身边的侍妾，就想让百姓有家庭。现在郑家的女儿已有婚约，陛下娶她，哪里有一点做百姓父母的情意！"皇帝沉痛地责备自己，立即下令停止册封郑仁基的女儿为充华。

贞观三年，魏徵以秘书监的身份参预朝政。高昌王麹文泰将入京朝见天子，西域各国都想趁文泰入朝的机会派遣使者向天子进献方物。皇帝命令文泰的使臣厌怛纥干前去迎接西域各国的使者。魏徵说："往年文泰入京朝见天子，所经过的地方，计划供应的物品尚不能备齐，现在又加上各国的使者，那么近边的州县，由于物资供应不上而招致犯罪的人将会很多。西域人以商贾的身份前来，边地人民会因此而得利；如果作为宾客前来，那么中国就会因消耗大量资财而变得冷落了。东汉建武年间，西域诸国请求汉在西域设置都护并派遣王子入京侍奉皇帝，光武帝不答应，因为不愿为了异族而使中国受害。"皇帝说："你的意见很好。"立即把发布的诏令追回。

于是帝即位四年，岁断死二十九，几至刑措，米斗三钱。先是，帝尝叹曰："今大乱之后，其难治乎？"徵曰："大乱之易治，譬饥人之易食也。"帝曰："古不云善人为邦百年，然后胜残去杀邪？"答曰："此不为圣哲论也。圣哲之治，其应如响，期月而可，盖不其难。"封德彝曰："不然。三代之后，浇诡日滋。秦任法律，汉杂霸道，皆欲治不能，非能治不欲。徵书生，好虚论，徒乱国家，不可听。"徵曰："五帝、三王不易民以教，行帝道而帝，行王道而王，顾所行何如尔。黄帝逐蚩尤，七十战而胜其乱，因致无为。九黎害德，颛顼征之，已克而治。桀为乱，汤放之；纣无道，武王伐之。汤、武身及太平。若人渐浇诡，不复返朴，今当为鬼为魅，尚安得而化哉！"德彝不能对，然心以为不可。帝纳之不疑。至是，天下大治。蛮夷君长袭衣冠，带刀宿卫。东薄海，南逾岭，户阖不闭，行旅不赍粮，取给于道。帝谓群臣曰："此徵劝我行仁义，既效矣。惜不令封德彝见之！"

俄检校侍中，进爵郡公。帝幸九成宫，宫御舍围川宫下。仆射李靖、侍中王珪继至，吏改馆宫御以舍靖、珪。帝闻，怒曰："威福由是等邪！

何轻我宫人？”诏并按之。徵曰：“靖、珪皆陛下腹心大臣，宫人止后宫扫除隶耳。方大臣出，官吏谘朝廷法式；归来，陛下问人间疾苦。夫官舍，固靖等见官吏之所，吏不可不谒也。至宫人则不然，供馈之余无所参承。以此按吏，且骇天下耳目。”帝悟，寝不问。

【译文】

于是太宗即位四年，一年中判处死刑的只有二十九人，几乎达到对刑罚弃置不用的地步，米价每斗才三钱。在这之前，皇帝曾经感叹道：“现在处于大乱之后，国家很难治理吧！”魏徵说：“大乱之后容易治理，就像饥饿的人容易给他准备吃的。”皇帝说：“古人不是说善人治理国家经一百年，然后可以制伏凶残的人，从而废除死刑吗？”魏徵回答说：“这话不是为圣人哲人说的。圣人哲人治理国家，理应像回声一样，一年便可以有成效，并不是那么费力的事。”封德彝说：“不是这样的。夏、商、周三代之后，浮薄诡诈之风日益滋长。秦朝专用法律，汉朝杂用霸道，都想把国家治理好而不能，不是能把国家治理好而不想。魏徵是个书生，喜欢空谈，他的话只会使国家混乱，不可听从。”魏徵说：“五帝、三王不是换掉百姓而后教化，实行帝道便称帝于天下，实行王道便称王于天下，就看所实行的是什么了。黄帝驱逐蚩尤，经过七十次战争而制伏蚩尤的为害，于是达到无为而治。九黎危害道德，颛顼征讨它，获胜后天下就得到很好治理。桀作乱，汤放逐他；纣无道，武王讨伐他。汤、武王都在自己生前达到天下太平。如果人民日渐浮薄诡诈，不再返于淳朴，那么到了今天，应当都成为鬼怪，君主又怎么能教化他们呢！”德彝回答不上来，但内心以为魏徵的意见不可行。皇帝完全接受魏徵的意见而毫不怀疑。到这个时候，天下太平。边地异族君长受中华文明礼教的熏染，带刀到宫中担任警卫。东到海，南越过五岭，都夜不闭户，来往的旅客不用携带粮食，在路上就能得到供应。太宗对群臣说：“这都是因为魏徵劝我行仁义啊，现在已经有成效了。可惜封德彝已去世，不能让他见到了！”

不久魏徵任检校侍中，爵位晋升为郡公。皇帝到九成宫，有宫女住在九成宫下围川县的官舍里。尚书右仆射李靖、侍中王珪接着到来，县吏将宫女移到别的地方居住腾出官舍给李靖、王珪。皇帝听说这事，发怒道：

"权力归这些人吗！为什么轻视我的宫女？"下令审查县吏和李靖、王珪。魏徵说："李靖、王珪都是陛下的心腹大臣，宫女不过是后宫中负责打扫垃圾的奴婢。当大臣外出，官吏要向他们询问朝廷的法度；当他们归来，陛下要询问他们民间的疾苦。官舍，本是李靖等人接见官吏的地方，因为官吏是不能不拜见大臣的嘛。至于宫女就不是这样，除供给饮食之外，无须参见侍候。如果因此而审查官吏，将使天下人听了吃惊。"皇帝醒悟，便放下这事不再查问。

后宴丹霄楼，酒中谓长孙无忌曰："魏徵、王珪事隐太子、巢刺王时，诚可恶，我能弃怨用才，无羞古人，然徵每谏我不从，我发言辄不即应，何哉？"徵曰："臣以事有不可，故谏，若不从辄应，恐遂行之。"帝曰："弟即应，须别陈论，顾不得？"徵曰："昔舜诫群臣：'尔无面从，退有后言。'若面从可，方别陈论，此乃后言，非稷、卨所以事尧、舜也。"帝大笑曰："人言徵举动疏慢，我但见其妩媚耳！"徵再拜曰："陛下导臣使言，所以敢然；若不受，臣敢数批逆鳞哉！"

七年，为侍中。尚书省滞讼不决者，诏徵平治。徵不素习法，但存大体，处事以情，人人悦服。进左光禄大夫、郑国公。多病，辞职，帝曰："公独不见金在矿何足贵邪？善冶锻而为器，人乃宝之。朕方自比于金，以卿为良匠而加砺焉。卿虽疾，未及衰，庸得便尔？"徵恳请，数却愈牢。乃拜特进，知门下省事，诏朝章国典，参议得失，禄赐、国官、防阁并同职事。

【译文】

后来，皇帝在丹霄楼宴请近臣，饮酒之中，天子对长孙无忌说："魏徵、王珪侍奉隐太子、巢刺王的时候，确实可恶，我能抛弃旧怨，任用有才能的人，也算无愧于古人了。但魏徵每次进谏，如果我不从，我发话，他总不马上答应，这是为什么呢？"魏徵说："臣认为事情有不合适的地方，所以进谏，如果陛下不从而臣马上答应，便怕事情就这样施行。"皇帝说："只管马上答应，等机会再另陈述意见，难道不行吗？"魏徵说："从前舜告诫群臣说：'你们不要当面顺从我，退下后又有话说。'如果臣当面顺从，答应陛下，又另找机会陈述意见，这就是‘退下后又有话说’，不是稷、离用来侍奉尧、舜的办法。”皇帝大笑道：“别人说魏徵举止粗暴傲慢，我却只看到他的柔媚。”魏徵一拜再拜，说道：“陛下引导臣让臣说话，所以敢这样；如果陛下不接受进谏，臣又怎敢多次触怒陛下呢！”

贞观七年，魏徵任侍中。当时尚书省有长期不决的诉讼案件，天子命令魏徵秉公处理。魏徵不是特别熟悉法律，只抓住原则，按照实际情况处理，大家都心悦诚服。天子进封魏徵为左光禄大夫、郑国公。魏徵多病，请求辞去官职，太宗说：“您难道没有看见金属在矿里，没有什么值得珍贵的，擅长冶炼金属的工匠把它锻造成器物，人们才觉得它宝贵。朕正把自己比作金属，把卿比作好的工匠，而对它加以磨砺。卿虽有病，但还未衰老，哪能就这样辞官呢？”魏徵恳切请求，多次推辞官职，态度更加坚决。太宗于是改命魏徵为特进，仍旧让他执掌门下省事务，命令朝廷的规章、国家的制度，由魏徵参议得失。他的俸禄、属吏、卫士都同职事官侍中一样。

文德皇后既葬，帝即苑中作层观，以望昭陵，引徵同升，徵孰视曰：“臣眊昏，不能见。”帝指示之，徵曰：“此昭陵邪？”帝曰：“然。”徵曰：“臣以为陛下望献陵，若昭陵，臣固见之。”帝泣，为毁观。寻以定五礼，当封一子县男，徵请封孤兄子叔慈。帝怆然曰：“此可以励俗。”即许之。

后幸洛阳，次昭仁宫，多所谴责。徵曰：“隋惟责不献食，或供奉不精，为此无限，而至于亡。故天命陛下代之，正当兢惧戒约，奈何令人悔为不奢。若以为足，今不啻足矣；以为不足，万此宁有足邪？”帝惊曰：“非公不闻此言。”退又上疏曰：

【译文】

太宗文德皇后安葬后，太宗就在禁苑建高层望楼，用它瞭望昭陵，有一次领着魏徵一起登上望楼，魏徵细看后说道：“臣两眼昏花，看不到什么。”皇帝指给他看，魏徵说：“这是昭陵吗？”皇帝说：“是。”魏徵说："臣以为陛下是望高祖献陵呢，如果是昭陵，臣原已看到了。"皇帝哭泣，为此毁掉望楼。接着魏徵由于修定吉、嘉、宾、军、凶礼，应封自己的一个儿子为县男，魏徵请求封自己哥哥的孤儿叔慈，皇帝悲伤地说："这样可以劝导世俗的人。"就答应了他。

后来太宗往洛阳，途中住在昭仁宫，对负责供应物资的官吏多所谴责。魏徵说："隋朝专门指责郡县不进献食物，或者指责奉献的物品不精美，因做这种事没有节制，而至于灭亡。所以上天命令陛下取代隋朝，陛下正应当谨慎戒惧，警告约束自己，怎么能让人因为不奢侈而后悔呢！如果认为充足，那么现在这样已经很充足了；如果认为不充足，那么等于现在这样的一万倍难道就会觉得充足吗？"皇帝吃惊地说："没有你，朕听不到这样的话。"魏徵退下后又进献奏疏说：

《书》称"明德慎罚"，"惟刑之恤"。《礼》曰："为上易事，为下易知，则刑不烦。""上多疑，则百姓惑；下难知，则君长劳。"夫上易事，下易知，君长不劳，百姓不惑，故君有一德，臣无二心。夫刑赏之本，在乎劝善而惩恶。帝王所与，天下画一，不以亲疏贵贱而轻重者也。今之刑赏，或由喜怒，或出好恶。喜则矜刑于法中，怒则求罪于律外；好则钻皮出羽，恶则洗垢索瘢。盖刑滥则小人道长，赏谬则君子道消。小人之恶不惩，君子之善不劝，而望治安刑措，非所闻也。且暇豫而言，皆敦尚孔、老；至于威怒，则专法申、韩。故道德之旨未弘，而锲薄之风先摇。昔州犁上下其手而楚法以敝，张汤轻重其心而汉刑以谬，况人主而自高下乎！顷者罚人，或以供张不赡，或不能从欲，皆非致治之急也。夫贵不与骄期而骄自至，富不与奢期而奢自至，非徒语也。

且我之所代，实在有隋。以隋府藏况今之资储，以隋甲兵况今之士马，以隋户口况今之百姓，挈长度大，曾何等级焉！然隋以富强而丧，动之也；我以贫寡而安，静之也。静之则安，动之则乱，人皆知之，非隐而难见、微而难察也。不蹈平易之涂，而遵覆车之辙，何哉？安不思危，治不念乱，存不虑亡也。方隋未乱，自谓必无乱；未亡，自谓必不亡。所以甲兵亟动，徭役不息，以至戮辱而不悟灭亡之所由也，岂不哀哉！夫监形之美恶，必就止水；监政之安危，必取亡国。《诗》曰："殷鉴不远，在夏后之世。”臣愿当今之动静，以隋为鉴，则存亡治乱可得而知。思所以危则安矣，思所以乱则治矣，思所以亡则存矣。存亡之所在，在节嗜欲，省游畋，息靡丽，罢不急，慎偏听，近忠厚，远便佞而已。夫守之则易，得之实难。今既得其所难，岂不能保其所易？保之不固，骄奢淫泆有以动之也。

【译文】

《尚书》说“宣扬道德，小心刑罚”，“只有惧用刑法”。《礼记》说：“处在上级地位的人容易侍奉，处在下级地位的人容易了解，那么刑罚就不会繁多。”“处在上级地位的人多疑，那么百姓就会感到迷惑；处在下级地位的人难于了解，那么君长就会觉得疲劳。”处在上级地位的人容易侍奉，处在下级地位的人就容易了解，那么君长就不会觉得疲劳，百姓就不会感到迷惑。所以君主有一种美德，臣下就不会有二心。刑罚赏赐的根本，在于劝善惩恶。帝王给赏赐用刑罚，全国划一，是不应因为亲疏贵贱而有所轻重的。现在的刑罚赏赐则不这样，有时因为高兴生气，有时出于喜好厌恶。遇上高兴的时候就惜于用刑，虽然依照法律应当用刑，遇上生气的时候就离开法律去寻找别人的罪过；自己喜好的人就极力赞美，言过其实，自己厌恶的人就故意挑剔。（这样必将导致刑罚过度、赏赐不当。）刑罚过度，那么小人之道就会增长，赏赐不当，那么君子之道就会消亡。小人的恶行不惩罚，君子的善行不奖励，而希望达到天下太平、刑罚弃置不用，这是我没有听说过的。而且空闲时清淡，都笃信、崇尚孔子、老子；到了发威动怒的时候，就专门效法申不害、韩非。所以道德的好处未能推广，刻薄的风尚已先煽起。从前伯州犁与人串通作弊，楚国的法律便遭破坏，张汤心有所轻重，汉朝的刑罚便会出差错，更何况身为君主而自己有偏颇呢！近来处罚人，有的由于供应物品不充足，有的因为不能顺从自己的欲望，这些都不是为达到太平而急需办理的事务。古人说，尊贵没有与骄傲相约而骄傲自来，富裕没有与奢侈相约而奢侈自到，这并不是空话。

况且我们所取代的是隋朝。以隋朝的仓库，比今日的储备，以隋朝的军队，比今日的兵马；以隋朝的户口，比今日的百姓，计量其长短大小，有多少差别呀！然而隋朝以富强而灭亡，原因是国家动荡；我们以贫乏而安宁，原因是国家平静。平静就安宁，动荡就混乱，这大家都知道，并不是隐晦难见、微细难察的道理。不走平坦的道路，而遵循已倾覆的车子的行迹，这是为什么呢？原因在于安宁时没想到危险，太平时没想到动乱，生存时没考虑到灭亡。当隋朝还没有乱的时候，自以为一定不会乱；还没有亡的时候，自以为一定不会亡。所以屡次发动战争，徭役不息，直到被杀受辱，还不明白灭亡的原因，岂不可悲！照看长相的美丑，一定要用静止的水，照看国家政治的安危，一定要找已灭亡的国家。《诗经》说："殷朝的借鉴不远，就在前一代的夏朝。"臣希望现今的行动，能以隋朝为借鉴，那么存亡治乱的道理就能知道了。如能想到导致危险的原因就会安宁，想到导致动乱的原因就会太平，想到导致灭亡的原因就能生存。生存灭亡的症结，只在于节制嗜好与欲望，减少出游和打猎，摆脱奢华，停止办理非急迫事务，小心不要偏听偏信，亲近忠厚的人，疏远善于阿谀逢迎的人罢了。保持帝王之业是容易的，但取得它则确实困难。现在既然已取得那难于取得的帝王之业，难道就不能保持这易于保持的帝业了吗？保持它不牢固，是因为有骄奢淫逸之心在动摇它。

帝宴群臣积翠池，酣乐赋诗。徵赋《西汉》，其卒章曰："终借叔孙礼，方知皇帝尊。"帝曰："徵言未尝不约我以礼。"他日，从容问曰："比政治若何？"徵见久承平，帝意有所忽，因对曰："陛下贞观之初，导人使谏。三年以后，见谏者悦而从之。比一二年，勉强受谏，而终不平也。"帝惊曰："公何物验之？"对曰："陛下初即位，论元律师死，孙伏伽谏以为法不当死，陛下赐以兰陵公主园，直百万。或曰：'赏太厚。'答曰：'朕即位，未有谏者，所以赏之。'此导人使谏也。后柳雄妄诉隋资，有司得，劾其伪，将论死，戴胄奏罪当徒，执之四五然后赦。谓胄曰：'弟守法如此，不畏滥罚。'此悦而从谏也。近皇甫德参上书言：'修洛阳宫，劳人也；收地租，厚敛也；俗尚高髻，宫中所化也。'陛下恚曰：'是子使国家不役一人，不收一租，宫人无发，乃称其意。'臣奏：'人臣上书，不激切不能起人主意，激切即近讪谤。'于时，陛下虽从臣言，赏帛罢之，意终不平。此难于受谏也。"帝悟曰："非公，无能道此者。人苦不自觉耳！”

先是，帝作飞山宫，徵上疏曰：

【译文】

皇帝在洛阳宫积翠池宴请群臣，酒喝得高兴，和群臣一起赋诗。魏徵赋《西汉》诗，它的末章说：“终借叔孙礼，方知皇帝尊。”皇帝说：“魏徵说话，没有不用礼来约束我的。”有一天，皇帝不慌不忙地问魏徵说：“近来国家的政治怎么样？”魏徵见国家长时间太平，皇帝的思想上有所忽视，于是回答说：“陛下在贞观初年，引导臣下使他们进谏。三年以后，遇到进谏能高兴地听取。近一二年，勉强接受进谏，而心里终究愤慨不满。”皇帝吃惊地说：“你有什么事例可作为证明？”魏徵回答说：“陛下刚即位的时候，判处元律师死刑，孙伏伽进谏，认为按法律不应处死，陛下赐给他兰陵公主的别墅，值一百万钱。有人说：‘赏赐太厚。’陛下回答说：‘朕即位以来，还没有进谏的人，所以给予厚赏。’这就是引导臣下使他们进谏。后来柳雄乱报在隋朝做官的资历，有关官吏得到实情，弹劾他弄虚作假，陛下判处他死刑，戴胄进言，说他的罪只应当处以徒刑，戴胄坚持了四五次，然后陛下才宣布赦免柳雄的死罪。陛下对戴胄说：‘只管像这样严格执行法律，就不怕会有滥罚的现象了。’这就是能高兴地听从谏言。近时皇甫德参上书说：‘修建洛阳宫，是让百姓受累；收地租，是滥征捐税；世俗好梳高髻，是受到宫中的影响。’陛下发怒道：‘这人要国家不役使一个人，不收一斗租，宫女都没有头发，才算合他的心意。’臣进言道：‘臣下上书，不激切不能动君主之心，激切就近于毁谤。’当时，陛下虽听从臣的话，赏给德参丝织物，没有治他的罪，但心里终究愤慨不满。这就是不大容易接受进谏。”皇帝于是醒悟，说道：“不是你，没有人能说出这样的话。人往往苦于不能自己知道自己。”

在这之前，皇帝想建造飞山宫，魏徵进献奏疏说：

隋有天下三十余年，风行万里，威詟殊俗，一旦举而弃之。彼炀帝者，岂恶治安、喜灭亡哉？恃其富强，不虞后患也。驱天下，役万物，以自奉养，子女玉帛是求，宫宇台榭是饰，徭役无时，干戈不休，外示威重，内行险忌，谗邪者进，忠正者退，上下相蒙，人不堪命，以致殒匹夫之手，为天下笑。圣哲乘机，拯其危溺。今宫观台榭，尽居之矣；奇珍异物，尽收之矣；姬姜淑媛，尽侍于侧矣；四海九州，尽为臣妾矣。若能鉴彼所以亡，念我所以得，焚宝衣，毁广殿，安处卑宫，德之上也。若成功不废，即仍其旧，除其不急，德之次也。不惟王业之艰难，谓天命可恃，因基增旧，甘心侈靡，使人不见德而劳役是闻，斯为下矣。以暴易暴，与乱同道。夫做事不法，后无以观。人怨神怒，则灾害生；灾害生，则祸乱作；祸乱作，而能以身名令终者鲜矣。是岁，大雨，谷、洛溢，毁宫寺十九，漂居人六百家。徵陈事曰：

臣闻为国基于德礼，保于诚信。诚信立，则下无二情；德礼形，则远者来格。故德礼诚信，国之大纲，不可斯须废也。传曰："君使臣以礼，臣事君以忠。""自古皆有死，民无信不立。"又曰："同言而信，信在言前；同令而行，诚在令外。"然则言而不行，言不信也；令而不从，令无诚也。不信之言，不诚之令，君子弗为也。

【译文】

隋朝据有天下三十多年，教化传布于万里之外，威力使异邦的人感到畏惧，然而一时之间，天下却全部丧失。那炀帝，难道讨厌太平而喜欢灭亡吗？这是由于他依仗国家的富强不考虑后患的缘故。炀帝驱遣天下之人，役使万物，以奉养自己，搜求妇女、财物，修整宫殿楼台，徭役随时都有，战争连年不断，向外显示自己的威严，对内行其险诈猜忌之道，邪恶的人受重用，忠正的人被斥逐，上下相互欺骗，百姓实在无法活命，因而导致自身死于平民之手，被天下人耻笑。圣人趁这个机会，拯救天下的危难。现在隋帝的宫殿楼台，陛下已全部住上了；奇珍异物，陛下已全收敛入宫；贵妇美女，已全在陛下的身旁侍候；四海九州的人，已全成为陛下的臣妾。陛下如果能借鉴隋朝之所以灭亡的原因，思考我之所以得天下的原因，焚毁隋宫的宝衣，废弃隋帝的广殿，安居于低矮的宫室，那就具有最高一等的道德。假如已成就的事业不败落，能继续承袭原有的传统，取消一切非急迫事务，那就具有次一等的道德。如果不考虑创立帝业的艰难，认为天命可以依恃，凭借旧基址扩大宫殿，增饰原有的建筑，甘心过奢侈糜烂的生活，使百姓看不到君王的德政，而只听到要他们服劳役的事，那就是最下等的了。用暴虐代替暴虐，将走上动乱的道路。做事情不能为后人所效法，子孙就看不到榜样。（这样，必将导致民怨神怒。）民怨神怒，那么自然灾害就会发生；自然灾害发生，那么祸乱就会出现；祸乱出现，自己的躯体名声能够善终的那就很少了。

这一年，天降大雨，谷水、洛水泛滥，毁坏官观十九处，冲走居民六百家。魏徵上书陈述政事的得失时说：

臣听说治国用德、礼作基础，以诚、信为领先。诚、信建立，那么处在下级地位的人就不会有二心；德、礼具备，那么远方的人就会前来朝贡。所以德、礼、诚、信，是治国的重要纲领，不可以有片刻时间废弃。古人的书上说："君主应该按礼来使用臣子，臣子应该以忠来侍奉君主。""自古以来，人总是要死的，如果老百姓不信任统治者，国家也就立不住脚了。"又说："同样的言语，有时能被信任，（有时不被信任）可见在言语之前，存在着一个信任的问题；同样的命令，有时能被执行，（有时不被执行）可见在命令之外，存在着一个是否真诚待人的问题。"这样看来，言语不能执行，是因为言语不被信任；命令不被听从，是因为命令缺少真诚待人之意。不被信任的言语，不能真诚待人的命令，君子是不发出的。

自王道休明，绵十余载，仓廪愈积，土地益广，然而道德不日博，仁义不日厚，何哉？由待下之情，未尽诚信，虽有善始之勤，而无克终之美。故便佞之徒得肆其巧，谓同心为朋党，告讦为至公，强直为擅权，忠谠为诽谤。谓之朋党，虽忠信可疑，谓之至公，虽矫为无咎。强直者畏擅权而不得尽，忠谠者虑诽谤而不敢与之争。荧惑视听，郁于大道，妨化损德，无斯甚者。

今将致治则委之君子，得失或访诸小人，是誉毁常在小人，而督责常加君子也。夫中智之人，岂无小惠，然虑不及远，虽使竭力尽诚，犹未免倾败，况内怀奸利，承颜顺旨乎？故孔子曰："君子而不仁者有矣，未有小人而仁者。"然则君子不能无小恶，恶不积无害于正；小人时有小善，善不积不足以忠。今谓之善人矣，复虑其不信，何异立直木而疑其景之曲乎？故上不信则无以使下，下不信则无以事上。信之为义大矣！

【译文】

自从帝王的正道美善兴旺，已延续十余年，国家仓库里的粮食越来越多，土地更加广大，然而道德不能一天天增广，仁义不能一天天加深，这是为什么呢？因为陛下对待臣下，还没有能完全达到真诚、信任，虽有善始的勤劳，却无善终的优点。所以阿谀奉迎之徒得以尽力施展他们的巧辩伎俩，说彼此同心的人是结党营私，说揭人隐私的人是大公无私，说刚强正直的人是专权，说忠直敢谏的人是诽谤。说成结党营私，虽然忠实不欺也值得怀疑；说成大公无私，虽然弄虚作假也没有过错。刚强正直的人害怕专权的非议而不能全部说出自己想说的话，忠直敢谏的人考虑到诽谤的指责而不敢直言谏争。惑乱视听，阻滞正道，妨害教化，损伤道德，没有比这更厉害的。

现在要追求达到太平，就把任务托付给君子，而事情的得失，有时则询问小人，这样诽谤赞誉便常操控在小人手里，而督察责罚则常加到君子头上。中等才智的人，难道没有点小聪明，然而其心思不能达到远大，即使他们竭诚尽力，仍不能免于使国家倾覆败亡，更何况内心怀有用不正当手段营利的企图，专门承顺天子的脸色、旨意行事的人呢！所以孔子说："君子中没有仁德的人是有的，没有小人而具有仁德的。"这样看来，君子不能没有小恶，但恶不多不妨害他是正人；小人也时常有小善，但善不多不足以使他成为忠臣。现在说某人是善人，又考虑他不可信任，这和竖立一根直的木头却怀疑它的影子不直有什么不同呢？所以上级不被下级信任就无法使唤下级，下级不被上级信任就无法侍奉上级，信任的意义是很重大的呀！

昔齐桓公问管仲曰："吾欲使酒腐于爵，肉腐于俎，得无害霸乎？"管仲曰："此固非其善者，然无害霸也。"公曰："何如而害霸？"曰："不能知人，害霸也；知而不能用，害霸也；用而不能任，害霸也；任而不能信，害霸也；既信而又使小人参之，害霸也。"晋中行穆伯攻鼓，经年而不能下，馈闲伦曰："鼓之啬夫，闲伦知之，请无疲士大夫，而鼓可得。”穆伯不应。左右曰：“不折一戟，不伤一卒，而鼓可得，君奚不为？”穆伯曰：“闲伦之为人也，佞而不仁。若使闲伦下之，吾不可以不赏，若赏之，是赏佞人也。佞人得志，是使晋国舍仁而为佞，虽得鼓，安用之！”夫穆伯，列国大夫，管仲，霸者之佐，犹能慎于信任，远避佞人，况陛下之上圣乎？若欲令君子小人是非不杂，必怀之以德，待之以信，厉之以义，节之以礼，然后善善而恶恶，审罚而明赏，无为之化何远之有！善善而不能进，恶恶而不能去，罚不及有罪，赏不加有功，则危亡之期或未可保。

帝手诏嘉答。于是，废明德宫玄圃院赐遭水者。

【译文】

从前齐桓公问管仲说：“我要让祭祀时用的酒在酒爵里发臭，用的肉在俎上腐烂，该不会妨害成就霸业吧？”管仲说：“这固然不好，但不会妨害成就霸业。”桓公说：“怎么样会妨害成就霸业呢？”管仲说：“不能了解人，会妨害成就霸业；了解而不能使用，会妨害成就霸业；使用而不能授给官职，会妨害成就霸业；授给官职而不能信任，会妨害成就霸业；既加以信任而又让小人参与他的事务，会妨害成就霸业。”晋国中行穆伯攻打鼓国，历时一年而不能攻下，馈闲伦说：“鼓国的啬夫，闲伦认识，请不必让士大夫们受累，鼓国便可以得到。”穆伯不答应。穆伯身边的人说：“不折断一枝戟，不伤害一个士兵，而鼓国便可以得到，这样的事您为什么不做呢？”穆伯说：“闲伦的为人，善于阿谀奉承，而没有仁德。如果让闲伦拿下鼓国，我不可以不给奖赏，如果奖赏他，就是奖赏善于阿谀奉承的人。善于阿谀奉承的人得志，这是让晋国的人舍弃仁德而效法阿谀奉承，虽然得到鼓国，又有什么用呢！”穆伯不过是春秋列国的大夫，管仲只是霸主的辅佐，尚且能够对应该信任什么人十分谨慎，远远地躲开善于阿谀奉承的人，更何况陛下这样的大圣人呢！如果想让君子小人和是非不混杂，一定要用德来安抚臣下，用信来对待臣下，用义来激励臣下，用礼来约束臣下，然后奖善而嫉恶，使赏罚分明，这样，以德化民、无为而治的美政，离我们也就并不远了！如果奖善而不能提拔善人，嫉恶而不能除去恶人，惩罚不给予有罪的人，奖赏不施与有功的人，那就会有危亡的时候，国家也许不能保住。

皇帝亲自写诏书给予表扬和批复。于是，下令废除明德宫玄圃院，将它赐给遭水淹的人家。

他日，宴群臣，帝曰：“贞观以前，从我定天下，间关草昧，玄龄功也。贞观之后，纳忠谏，正朕违，为国家长利，徵而已。虽古名臣，亦何以加！”亲解佩刀，以赐二人。帝尝问群臣：“徵与诸葛亮孰贤？”岑文本曰：“亮才兼将相，非徵可比。”帝曰：“徵蹈履仁义，以弼朕躬，欲致之尧、舜，虽亮无以抗。”时上封者众，或不切事，帝厌之，欲加谯黜，徵曰：“古者立谤木，欲闻己过。封事，其谤木之遗乎！陛下思闻得失，当恣其所陈。言而是乎，为朝廷之益；非乎，无损于政。”帝悦，皆劳遣之。

十三年，阿史那结社率作乱，云阳石然，自冬至五月不雨，徵上疏极言曰：

臣奉侍帷幄十余年，陛下许臣以仁义之道，守而不失；俭约朴素，终始弗渝。德音在耳，不敢忘也。顷年以来，浸不克终。谨用条陈，裨万分一。

【译文】

有一天，太宗宴请群臣，皇帝说：“贞观以前，跟随我平定天下，辗转奔波于乱世，这是房玄龄的功劳。贞观之后，进献忠诚的劝告，纠正朕的过错，为国家的长远利益着想，只有魏徵一人而已。即使是古代的名臣，也不能超越他们！”于是亲自解下佩刀，赐给他们两人。皇帝曾经问群臣说：“魏徵与诸葛亮相比哪一个贤能？”岑文本说：“诸葛亮兼备将相的才干，魏徵不能同他相比。”皇帝说：“魏徵实践仁义，以辅佐朕自己，想使朕达到尧、舜的地步，即使是诸葛亮也无法同他匹敌。”当时进献密封奏章的人很多，有的不切合世事，皇帝厌烦，想加以贬斥，魏徵说：“古时，尧设立诽谤之木，想知道自己的过错。密封的奏章，就是古时立谤木制度的遗留吧！陛下想知道政事的得失，就当听任人们上言。话说得对，有益于朝廷；说得不对，无损于国家政治。”皇帝很高兴，对进献密封奏章的人都加以抚慰而后才让他们离去。

贞观十三年，突厥人阿史那结社率在京师作乱，云阳的石头自己燃烧，自去年冬天到今年五月不下雨，魏徵于是进献奏章全部道出自己的心里话：

臣在皇宫的帷幕内侍奉陛下十余年，陛下答应臣实行仁义之道，保持它不丧失；节俭朴素，始终不变。陛下的善言还在耳边，臣不敢忘记。近年以来，陛下逐渐不能坚持到底。现恭敬地分条陈述，或可裨补缺失于万分之一。

陛下在贞观初，清净寡欲，化被荒外，今万里遣使，市索骏马，并访怪珍。昔汉文帝却千里马，晋武帝焚雉头裘。陛下居常论议，远辈尧、舜，今所为，更欲处汉文、晋武下乎？此不克终一渐也。子贡问治人。孔子曰："懔乎若朽索之驭六马。"子贡曰："何畏哉？"对曰："不以道导之，则吾仇也，若何不畏！"陛下在贞观初，护民之劳，煦之如子，不轻营为。顷既奢肆，思用人力，乃曰："百姓无事则易骄，劳役则易使。"自古未有百姓逸乐而致倾败者，何有逆畏其骄而为劳役哉？此不克终二渐也。陛下在贞观初，役己以利物，比来纵欲以劳人。虽忧人之言不绝于口，而乐身之事实切诸心。无虑营构，辄曰："弗为此，不便我身。"推之人情，谁敢复争？此不克终三渐也。在贞观初，亲君子，斥小人。比来轻亵小人，礼重君子。重君子也，恭而远之；轻小人也，狎而近之。近之莫见其非，远之莫见其是。莫见其是，则不待间而疏；莫见其非，则有时而昵。昵小人，疏君子，而欲至治，非所闻也。此不克终四渐也。在贞观初，不贵异物，不作无益。而今难得之货杂然并进，玩好之作无时而息。上奢靡而望下朴素，力役广而冀农业兴，不可得已。此不克终五渐也。贞观之初，求士如渴，贤者所举，即信而任之，取其所长，常恐不及。比来由心好恶，以众贤举而用，以一人毁而弃，虽积年任而信，或一朝疑而斥。夫行有素履，事有成迹，一人之毁未必可信，积年之行不应顿亏。陛下不察其原，以为臧否，使谗佞得行，守道疏间。此不克终六渐也。在贞观初，高居深拱，无田猎毕弋之好。数年之后，志不克固，鹰犬之贡，远及四夷，晨出夕返，驰骋为乐，变起不测，其及救乎？此不克终七渐也。在贞观初，遇下有礼，群情上达。今外官奏事，颜色不接，间因所短，诘其细过，虽有忠款，而不得申。此不克终八渐也。在贞观初，孜孜治道，常若不足。比恃功业之大，负圣智之明，长傲纵欲，无事兴兵，问罪远裔。亲狎者阿旨不肯谏，疏远者畏威不敢言。积而不已，所损非细。此不克终九渐也。贞观初，频年霜旱，畿内户口并就关外，携老扶幼，来往数年，卒无一户亡去。此由陛下矜育抚宁，故死不携贰也。比者疲于徭役，关中之人，劳弊尤甚。杂匠当下，顾而不遣。正兵番上，复别驱任。市物襁属于廛，递子背望于道。脱有一谷不收，百姓之心，恐不能如前日之怙泰。此不克终十渐也。

【译文】

陛下在贞观初年，清净寡欲，教化遍及荒远之地。现在派遣使者到万里之外，购买、索取骏马，并寻访奇珍异物。从前汉文帝推辞不接受千里马，晋武帝烧毁用雉鸡头羽制成的裘。陛下平时议论，自己远比于尧、舜，现在所作所为，却要处于汉文帝、晋武帝之下吗？这就是逐渐不能坚持到底的第一件事。子贡问治理百姓的事，孔子说："多么危险啊，就像用朽烂的缰绳去驾驭马车上的六匹马。"子贡说："为什么这样害怕呢！"孔子回答说："不用道去引导百姓，百姓就会成为我的仇敌，怎么能不害怕呢？"陛下在贞观初年，救助百姓的劳苦，爱抚他们如同自己的儿子一般，不轻易经营建造宫室。近来既奢侈放纵，就想使用民力，于是说："百姓无事就容易傲慢，让他们服劳役就容易使唤。"自古以来不曾有百姓安乐而导致国家倾覆败亡的，哪有预先害怕他们傲慢而要他们服劳役的呢！这就是逐渐不能坚持到底的第二件事。陛下在贞观初年，役使自己以利于他人，近年来则纵欲而劳民。虽然嘴里不停地说着忧民的话，而心里实际关切的是使自身快乐的事。不考虑修筑建造的事，就说："不做这些事，不利于我的身体。"按人的常情推论，这样说还有谁敢再争辩呢！这就是逐渐不能坚持到底的第三件事。在贞观初年，陛下亲近君子，排斥小人。近来则亵渎小人，敬重君子。敬重君子，是对他们敬而远之；亵渎小人，是对他们亲近宠幸。亲近小人，就不能看到他们的非，疏远君子，就不能看到他们的是。不能看到他们的是，那么就会不等有嫌隙而自然疏远；不能看到他们的非，那么过一定的时候就会自然亲昵。对小人亲昵，对君子疏远，而想达到政治清明，臣没有听说过。这就是逐渐不能坚持到底的第四件事。在贞观初年，陛下不看重奇异的物品，不做无益的事情，而现在各种稀有难得的物品，纷杂繁多，一齐送进皇宫，各种陛下赏玩嗜好之物的制作，没有停止的时候。上级奢侈糜烂而希望下级朴素，劳役广泛而盼望农业兴盛，是不可能的。这就是逐渐不能坚持到底的第五件事。贞观初年，陛下求贤若渴，贤人所推荐的人，陛下就信赖和任用，各取他们的所长，常害怕做不到这样。近来陛下用人由内心的好恶出发，有时由于贤人们的推荐而任用，因为一个人的诽谤而抛弃，即使是多年任用和信赖的人，有时由于一时的怀疑即加以斥逐。人的行为有他一向遵循的东西，事情各有它既成的痕迹，一个人的诽谤未必可信，多年的行为不应当一下勾销。陛下不考察事情的根源，以一人的诽谤作为褒贬的依据，这让恶意中伤、花言巧语得以通行，使坚持正道的人日益被疏远和产生隔阂。这就是逐渐不能坚持到底的第六件事。在贞观初年，陛下居于高位，拱手安坐，没有打猎的嗜好。数年之后，不能保持原有的心志，于是连四方的少数民族地区，也远来进献打猎用的鹰犬，陛下晨出夜归，以驰马射猎为乐，倘若有意外的事故，能来得及解救吗？这就是逐渐不能坚持到底的第七件事。在贞观初年，陛下对待臣下有礼貌，群情能够上达。现在地方官员入朝奏事，见不到天子的容颜，偶然因为有短处，便受到指责，连小过也不放过，他们虽有忠诚，又怎能表达。这就是逐渐不能坚持到底的第八件事。在贞观初年，陛下孜孜不倦地寻求治国之道，常常感到自己好像有不足之处。近来陛下依仗建立的功业之大，凭恃自己才智的超凡、英明，增长骄气，放纵欲望，无事而出动军队，向边远地区的人问罪。被陛下亲近宠幸的人迎合陛下的旨意不肯进谏，被陛下疏远的人则害怕陛下的威势而不敢说话。这类事不停地积累，损害是不会小的。这就是逐渐不能坚持到底的第九件事。贞观初年，连年有霜灾旱灾，京师附近地区的住户都到关外避灾，扶老携幼，来往数年，终无一户逃亡。这是由于陛下的怜惜抚养，所以百姓死不离心。近年来百姓疲于徭役，尤其是关中地区，人民更加疲惫不堪。各种工匠服役期限已到，应当放回，又强留雇用不予遣返；适龄的兵士轮番值勤，到期又另外派给任务。官府向百姓议价购买的货物很多，背东西的人相接于市肆，长途转运传递货物的丁壮往来于道路，前后相继。现在倘若有一年粮食没有收成，百姓的心，恐怕是不会像从前那样安定妥帖的。这就是逐渐不能坚持到底的第十件事。

夫祸福无门，惟人之召，人无衅焉，妖不妄作。今旱熯之灾，远被郡国，凶丑之孽，起于毂下，此上天示戒，乃陛下恐惧忧勤之日也。千载休期，时难再得，明主可为而不为，臣所以郁结长叹者也！

疏奏，帝曰："朕今闻过矣，愿改之，以终善道。有违此言，当何施颜面与公相见哉！方以所上疏，列为屏障，庶朝夕见之，兼录付史官，使万世知君臣之义。"因赐黄金十斤，马二匹。

【译文】

祸与福没有定规，只在于人们自己招致，人无缝隙，怪异反常的事物就不会随便出现。现在干旱的灾害，远及各郡，恶人制造的祸害，就出现在京城，这是上天用来向我们表示警告的，也是陛下应当忧愁、恐惧和操劳的时候。当今是千载一遇的盛世吉期，机会不容易再得到，贤明的君主能做到而不做，这就是臣之所以忧思积聚深深叹息的原因。

这篇奏疏呈送给天子，皇帝说："朕现在已经知道自己的过错了，愿意改正它，以使已推行的善道得以坚持到底。如果违背这些话，朕与您相见，当把这脸面往哪里放呢！正准备把您呈送的这篇奏疏，安置在屏风上，让朕早晚都能见到它，还准备将它抄送史官，使千秋万代都知道什么是君臣之间的大义。"于是赐给魏徵黄金十斤，马两匹。

高昌平，帝宴两仪殿，叹曰："高昌若不失德，岂至于亡！然朕亦当自戒，不以小人之言而议君子，庶几获安也。"徵曰："昔齐桓公与管仲、鲍叔牙、宁戚四人者饮，桓公请叔牙曰：'盍起为寡人寿？'叔牙奉觞而起曰：'愿公无忘在莒时，使管仲无忘束缚于鲁时，使宁戚无忘饭牛车下时。'桓公避席而谢曰：'寡人与二大夫能无忘夫子之言，则社稷不危矣。'"帝曰："朕不敢忘布衣时，公不得忘叔牙之为人也。"

帝遣使者至西域立叶护可汗，未还，又遣使赍金帛诸国市马。徵曰：

“今立可汗未定，即诣诸国市马，彼必以为意在马，不在立可汗。可汗得立，必不怀恩。诸蕃闻之，以中国薄义重利，未必得马而行先义矣。魏文帝欲求市西域大珠，苏则以为惠及四海，则不求自至；求而得之，不足贵也。陛下可不畏苏则言乎！”帝遂止。

是后右仆射缺，欲用徵，徵让，得不拜。皇太子承乾与魏王泰交恶，帝曰：“当今忠謇贵重无逾徵，我遣傅皇太子，一天下之望，羽翼固矣。”即拜太子太师。徵以疾辞，诏答曰：“汉太子以四皓为助，我赖公，其义也。公虽卧，可拥全之。”

【译文】

高昌平定以后，皇帝在两仪殿设宴招待群臣。叹息说：“高昌如果不丧失道德，哪至于灭亡呢！然而朕也应当自己警告自己，不用小人的话来非议君子，国家差不多就能得到安定了。”魏徵说：“从前齐桓公与管仲、鲍叔牙、宁戚一共四人在一起喝酒，桓公要求叔牙说：‘为什么不站起来为寡人祝寿？’叔牙手捧酒杯站起来说：‘愿您不要忘记逃到莒国的日子，让管仲不要忘记在鲁国被囚禁的日子，让宁戚不要忘记在车下喂牛的日子。’桓公离开坐位向叔牙表示感谢道：‘寡人和两位大夫能不忘记先生的话，那么国家就不会有危险了。’”皇帝说：“朕不敢忘记当平民的日子，您不可忘记鲍叔牙的为人。”

皇帝派遣使者到西域立西突厥沙钵罗叶护为可汗，使者还没有回来，皇帝又派遣使者携带金银绢帛到西域诸国买马，魏徵说：“现在立可汗的事还没有确定下来，就派人到西域诸国买马，西域人一定会以为陛下意在买马，不在立可汗。可汗能够被立，一定不会怀念陛下的恩德。西域各属国听说这事，会以为中国轻义重利，于是不一定能得到马却先把义给丢掉了。从前魏文帝想寻找、购买西域大珠，苏则认为如果天子的恩泽达于四海，那么东西就会不寻找而自来；寻找而后得到它，也不值得宝贵。陛下能不敬畏苏则的议论吗！”皇帝于是停止派遣买马的使者。

这以后尚书右仆射的职位空缺，太宗想任用魏徵，魏徵谦让，于是得以不担任这一职务。皇太子承乾与魏王李泰彼此怀恨，皇帝说：“当今朝臣忠直尊贵的，没有人能超过魏徵，我派他辅佐皇太子，统一天下人的希望，皇太子的翅膀也就结实了。”于是任命魏徵为太子太师。魏徵因病推辞，太宗下诏回答说：“汉朝的太子以四皓为辅佐，我现在依靠您，也是这个道理。您虽然卧病，也能保全太子。”

十七年，疾甚。徵家初无正寝，帝命辍小殿材为营构，五日毕。并赐素褥布被，以从其尚。令中郎将宿其第，动静辄以闻，药膳赐遗无算，中使者缀道。帝亲问疾，屏左右，语终日乃还。后复与太子至徵第，徵加朝服，拖带。帝悲愤，拊之流涕，问所欲。对曰：“嫠不恤纬，而忧宗周之亡！”帝将以衡山公主降其子叔玉，时主亦从，帝曰：“公强视新妇！”徵不能谢。是夕，帝梦徵若平生，及旦，薨。帝临哭，为之恸，罢朝五日。太子举哀西华堂。诏内外百官朝集使皆赴丧，赠司空、相州都督，谥曰文贞，给羽葆、鼓吹、班剑四十人，陪葬昭陵。将葬，其妻裴辞曰：“徵素俭约，今假一品礼，仪物褒大，非徵志。”见许，乃用素车，白布幨帷，无涂车、刍灵。帝登苑西楼，望哭尽哀。晋王奉诏致祭。帝作文于碑，遂书之。又赐家封户九百。

帝后临朝叹曰：“以铜为鉴，可正衣冠；以古为鉴，可知兴替；以人为鉴，可明得失。朕尝保此三鉴，内防己过。今魏徵逝，一鉴亡矣。朕比使人至其家，得书一纸，始半藁，其可识者曰：‘天下之事，有善有恶，任善人则国安，用恶人则国弊。公卿之内，情有爱憎，憎者惟见其恶，爱者止见其善。爱憎之间，所宜详慎。若爱而知其恶，憎而知其善，去邪勿疑，任贤勿猜，可以兴矣。’其大略如此，朕顾思之，恐不免斯过。公卿侍臣可书之于笏，知而必谏也。”

【译文】

贞观十七年，魏徵病重。魏徵家的住宅原先没有正室，皇帝命令停建一座小殿，用小殿的材料为魏徵修造正室，五天就修成了。皇帝还赐给魏徵白色褥子、布被，这样做是出于遵从魏徵的爱好。太宗命令中郎将住在魏徵家中，有什么动静立即上报，赐给魏徵的药物、膳食无从计算，宫中派出的送物使者相接于道。皇帝亲自到魏徵家中问病，屏退左右，单独和魏徵谈了一整天才回宫。后来又与太子一起到魏徵的住宅，魏徵不能起床，把朝服盖在身上，拖着腰带。皇帝忧伤烦闷，用手抚摸魏徵，流下了眼泪，问魏徵有什么要求，魏徵回答说："寡妇不忧虑纬线之少，而忧虑宗周的危亡！"皇帝准备把衡山公主嫁给魏徵的儿子叔玉，当时公主也跟随皇帝到魏徵家中，皇帝对魏徵说："您勉强看一下新娘子吧！"魏徵已说不出话，不能表示感谢。这一天晚上，皇帝梦见魏徵还像平时一样，到了天亮，魏徵便去世了。皇帝亲临哭吊，极其悲痛，下令朝廷停止办公五天。太子在西华堂哭祭魏徵。天子命令朝廷内外官吏朝集使都前去送葬，追赠魏徵为司空、相州都督，定谥号为文贞，官府供给手持羽葆、班剑的仪仗队和鼓吹乐手共四十人，令他陪葬昭陵。将要下葬的时候，魏徵的妻子裴氏推辞说："魏徵平素节俭，现在让他按一品官的礼节安葬，所需仪仗、器物极多，不符合魏徵的心意。"太宗答应她的要求，于是用未经雕饰上漆的车载棺柩，用白布作丧车的帷幔，不用陶车、草人草马等随葬器物。皇帝登上长安禁苑的西楼，遥望魏徵的灵车而哭泣，尽情倾吐自己的哀痛之意。晋王奉天子之命，在道旁设食祭奠。皇帝亲自为魏徵作碑文，并将它书写在石上。又赐给魏徵家封户九百。

皇帝后来在朝廷处理政事，叹息道："人用铜做镜子，可以使衣冠整齐；用历史做镜子，可以知道兴亡；用人做镜子，可以看清得失。朕曾依靠这三面镜子，以防止自己犯错误。现在魏徵去世，我丧失一面镜子了。朕最近派人到魏徵家里，得到他遗表的草稿，只有一页纸，才写了一半，其中可辨认的几行字说：'天下的事情，有善有恶，任用善人国家就安定，任用恶人国家就破败。公卿大臣之中，陛下对他们的感情有爱有憎，往往憎的只看到他们的恶，爱的只看到他们的善。爱憎之间，应当审慎。如果爱而知道他们的恶，憎而知道他们的善，除去恶人不犹豫，任用贤人不猜忌，国家就能兴旺发达了。'遗表的大意就是这样。朕思考这事，自己恐怕不能避免魏徵所说的这种过错。公卿侍臣，可把魏徵的这些话写在手板上，知道朕有这种过错，一定要进谏。"

徵状貌不逾中人，有志胆，每犯颜进谏，虽逢帝甚怒，神色不徙，而天子亦为霁威。议者谓贲、育不能过。尝上冢还，奏曰："向闻陛下有关南之行，既办而止，何也？"帝曰："畏卿，遂停耳。"始，丧乱后，典章湮散，徵奏引诸儒校集秘书，国家图籍粲然完整。尝以《小戴礼》综汇不伦，更作《类礼》二十篇，数年而成。帝美其书，录置内府。帝本以兵定天下，虽已治，不忘经略四夷也。故徵侍宴，奏《破阵武德舞》，则俯首不顾，至《庆善乐》，则谛玩无斁，举有所讽切如此。

徵亡，帝思不已，登凌烟阁观画像，赋诗悼痛。闻者媢之，毁短百为。徵尝荐杜正伦、侯君集才任宰相，及正伦以罪黜，君集坐逆诛，孅人遂指为阿党；又言徵尝录前后谏争语示史官褚遂良。帝滋不悦，乃停叔玉昏，而仆所为碑，顾其家衰矣。

【译文】

魏徵的相貌不超过平常人，有志向胆量，常冒犯天子的威严进谏，即使遇到皇帝大发脾气，仍然神色不变，而天子也往往为之收敛威严。人们议论，说孟贲、夏育的勇气也不能超过魏徵。有一次魏徵上坟回来，对太宗说："过去听说陛下想到关南去，已经准备好了却没有去，为什么呢？"皇帝说："怕卿进谏，于是停下来。"起初，天下经历祸乱之后，图书湮没散失，魏徵报告天子，带领诸儒校勘宫中藏书和搜集图书，于是国家的图书便很有条理和完整了。魏徵曾认为《小戴礼记》编次没有条理，于是又作《类礼》二十篇，历经数年完成。皇帝称赞他的这部书，把它抄录下来收入宫中藏书处。皇帝本靠武力平定天下，虽然天下已太平，也不忘经营四方少数民族地区。所以魏徵陪从天子宴饮，当表演《破阵武德舞》的时候，就低下头不看，到表演《庆善乐》的时候，便仔细欣赏，毫不厌倦，他的举动含有讽喻、责备之意就像这一类。

魏徵去世，皇帝思念不已，曾登上凌烟阁看魏徵的画像，赋诗哀悼。知道这事的人嫉妒魏徵，百般诽谤他。魏徵曾推荐杜正伦、侯君集才干可担任宰相，等到杜正伦因犯罪被免职，侯君集因犯叛逆罪被处死，小人于是指责魏徵偏袒同党；又说魏徵曾抄录前后直言规劝天子的话给史官褚遂良看。皇帝更加不高兴，于是取消公主与叔玉的婚约，推倒自己书写的魏徵碑，所以魏徵家也就逐渐衰落了。

辽东之役，高丽、靺鞨犯阵，李勣等力战破之。军还，怅然曰："魏徵若在，吾有此行邪！”即召其家到行在，赐劳妻子，以少牢祠其墓，复立碑，恩礼加焉。

四子：叔玉、叔琬、叔璘、叔瑜。叔玉袭爵为光禄少卿。神龙初，以其子膺绍封。叔璘，礼部侍郎，武后时，为酷吏所杀。叔瑜，豫州刺史，善草隶，以笔意传其子华及甥薛稷。世称善书者“前有虞、褚，后有薛、魏”。华为检校太子左庶子、武阳县男。开元中，寝堂火，子孙哭三日，诏百官赴吊。

……

赞曰：君臣之际，顾不难哉！以徵之忠，而太宗之睿，身殁未几，猜谮遽行。始，徵之谏累数十余万言，至君子小人，未尝不反复为帝言之，以佞邪之乱忠也。久犹不免。故曰：“皓皓者易污，峣峣者难全”，自古所叹云。唐柳芳称：“徵死，知不知莫不恨惜，以为三代遗直。”谅哉！

【译文】

太宗攻打辽东的战役，高丽、靺鞨的军队进犯唐阵，李勣等人力战破敌。太宗回师，心里不痛快，说道：“魏徵如果在世，我会有这次出征吗？”立即下令召魏徵的家人到天子所在的地方，赏赐、慰问魏徵的妻子、儿子，派人用羊猪二牲到魏徵的墓上祭奠，又把魏徵碑竖立起来，对他的礼遇增加了。

魏徵有四个儿子：叔玉、叔琬、叔璘、叔瑜。叔玉承袭魏徵的爵位，任光禄少卿。神龙初年，让他的儿子魏膺继承爵位。叔璘，任礼部侍郎，武后时代，被酷吏杀害。叔瑜，任豫州刺史，擅长草书、隶书，把自己的书法风格传授给他的儿子魏华和外甥薛稷。世人称擅长书法的人，“前有虞、褚，后有薛、魏。”魏华任检校太子左庶子，封武阳县男。开元年间，他家卧室失火，子孙痛哭三天，天子命令百官前去吊问。

……

赞辞：君臣之间相处，难道不难吗？以魏徵的忠诚，太宗的明智，魏徵身亡不久，猜忌诬陷便立即畅行。起初，魏徵的谏辞，累计数十余万言，谈到君子小人，未尝不反复为皇帝说明，这是因为谄谀奸恶之徒会祸害忠臣的缘故。时间一长，魏徵仍不能免于被祸害，所以说“洁白的东西易于被玷污，刚直的人难于自全”，这是自古以来人们所叹息的。唐柳芳说：“魏徵死，无论认识他与不认识他的人，没有不感到遗憾、惋惜的，都认为他正直，有三代遗风。”这话一点不错呵！

杜甫列传

甫字子美，少贫不自振，客吴越、齐赵间。李邕奇其材，先往见之。举进士不中第，困长安。

天宝十三载，玄宗朝献太清宫，飨庙及郊，甫奏赋三篇。帝奇之，使待制集贤院，命宰相试文章，擢河西尉，不拜，改右卫率府胄曹参军。数上赋颂，因高自称道，且言："先臣恕、预以来，承儒守官十一世，迨审言，以文章显中宗时。臣赖绪业，自七岁属辞，且四十年，然衣不盖体，常寄食于人，窃恐转死沟壑，伏惟天子哀怜之。若令执先臣故事，拔泥涂之久辱，则臣之述作虽不足鼓吹《六经》，至沈郁顿挫，随时敏给，扬雄、枚皋可企及也。有臣如此，陛下其忍弃之？"

【译文】

杜甫字子美，年幼时家贫不能自我救助，客居于吴越、齐赵之间。李邕认为杜甫的才能特殊，自己先主动去见他。杜甫应进士试没有考中，困居于长安。

天宝十三年，玄宗到太清宫祭祀，又在太庙祭祀和在南郊祭天，杜甫进献自己写的赋三篇。皇帝读过后认为他的才能特殊，让他在集贤院候命，又命令宰相考他的文章，考后提拔他为河西县尉，杜甫不接受这一任命，于是改授右卫率府胄曹参军。杜甫多次进献赋颂，于是过高地自己称道自己，而且对天子说："自臣的祖先杜恕、杜预以来，承继儒业保持官位共十一代，到了杜审言，以擅长文章显扬于中宗的时代。臣依赖祖先的遗业，自七岁开始写作，至今将近四十年，但仍衣不蔽体，常依附他人而生活，臣私下常害怕流离转徙，死于山沟荒野，希望天子哀怜。如果陛下让依照臣祖先的旧事，将臣从处于卑下地位的长期屈辱中拔出，那么臣的著作，虽然不能宣扬《六经》，但是文章的深沉蕴积，抑扬有致，随时而作，才思敏捷，如扬雄、枚皋之类，臣却可以企及。有这样的臣下，陛下能忍心抛弃他吗？"

会禄山乱，天子入蜀，甫避走三川。肃宗立，自鄜州羸服欲奔行在，为贼所得。至德二年，亡走凤翔上谒，拜右拾遗。与房琯为布衣交，琯时败陈涛斜，又以客董廷兰，罢宰相。甫上疏言："罪细，不宜免大臣。"帝怒，诏三司杂问。宰相张镐曰："甫若抵罪，绝言者路。"帝乃解。甫谢，且称："琯宰相子，少自树立为醇儒，有大臣体，时论许琯才堪公辅，陛下果委而相之。观其深念主忧，义形于色，然性失于简。酷嗜鼓琴，廷兰托琯门下，贫疾昏老，依倚为非，琯爱惜人情，一至玷污。臣叹其功名未就，志气挫衄，觊陛下弃细录大，所以冒死称述，涉近讦激，违忤圣心。陛下赦臣百死，再赐骸骨，天下之幸，非臣独蒙。"然帝自是不甚省录。

时所在寇夺，甫家寓鄜，弥年艰窭，孺弱至饿死，因许甫自往省视。从还京师，出为华州司功参军。关辅饥，辄弃官去，客秦州，负薪采橡栗自给。流落剑南，结庐成都西郭。召补京兆功曹参军，不至。会严武节度剑南东、西川，往依焉。武再帅剑南，表为参谋，检校工部员外郎。武以世旧，待甫甚善，亲入其家。甫见之，或时不巾，而性褊躁傲诞，尝醉登武床，瞪视曰："严挺之乃有此儿！"武亦暴猛，外若不为忤，中衔之。一日欲杀甫及梓州刺史章彝，集吏于门。武将出，冠钩于帘三，左右白其母，奔救得止，独杀彝。武卒，崔旰等乱，甫往来梓、夔间。

【译文】

恰巧安禄山叛乱，玄宗进入蜀地，杜甫于是逃到三川避乱。肃宗即位，杜甫穿贫贱人的衣着，想由鄜州奔往肃宗所在的地方，结果被叛军捉住。至德二年，杜甫逃到凤翔晋见肃宗，被任命为右拾遗。杜甫同房琯是贫贱之交，房琯当时带兵讨伐叛军，在陈涛斜打了败仗，又因为以董廷兰为门客，被免去宰相的职务。杜甫上疏说："罪过小，不应当因此而罢免大臣。"皇帝发怒，命令三司共同审问杜甫。宰相张镐说："杜甫如果因此而获罪，会断绝言路。"皇帝于是免除了他的罪责。杜甫感谢天子的恩典，并说："房琯是宰相的儿子，年幼时能自建树，成为学识精纯的儒者，有大臣的气质，当代的舆论认可他的才干能够承当三公、辅相的重任，陛下果然委任他为宰相。臣观他能念念不忘君主的忧虑，仗义之气时时流露在脸上，但性情失之于高傲。又酷爱弹琴，琴师董廷兰寄身于房琯门下，他贫病交迫，年老糊涂，依仗房琯做坏事，房琯爱惜人的情感，终至于受玷污。臣叹惜房琯功名尚未成就，志气受到挫折，希望陛下弃小取大，所以冒死称述，言辞近于激烈率直，违反了圣上的心意。陛下赦免臣该死一百次的罪过，再次赐给臣身体生命，这是天下人的幸运，不止是臣一个独自蒙受好处。”但皇帝从此不大理睬和任用杜甫。

当时天下大乱，到处有攻劫掠夺之事，杜甫的家属住在鄜州，整年生活贫困艰难，幼儿弱女甚至被饿死，于是天子准许杜甫亲往鄜州探望家人。杜甫的家属随从他回到京师。接着天子命令杜甫离京出任华州司功参军。当时关中地区发生饥荒，杜甫便弃官离开关中，客居于秦州，亲自背柴、采集栎树的果实，借此自己维持生活。后杜甫流落剑南，在成都西城造房子居住。朝廷征召杜甫回京任京兆府功曹参军，杜甫没有到任。恰巧严武出任剑南东、西川节度使，杜甫便前去依附他。严武再次出镇剑南，上表奏请杜甫任剑南节度参谋、检校工部员外郎。严武因为和杜甫是世交，对待杜甫很友善，常亲自到杜甫家中探望。杜甫见严武，有时不戴头巾，而且他性情狭隘急躁，傲慢放诞，曾喝醉酒登上严武的坐床，瞪大眼睛对严武说：“严挺之却有这样的儿子！”严武也暴躁凶猛，外表似乎不以为杜甫冒犯了他，实际则怀恨在心。有一天，想杀杜甫和梓州刺史章彝，把官吏聚集到衙门里。严武将出家门，他的帽子接连三次被门帘钩住，严武左右的人报告严武的母亲，严母急忙跑来解救，这事才得到制止，只杀死了章彝。严武去世，崔旰等人在蜀中作乱，杜甫往来于梓州、夔州之间。

大历中，出瞿唐，下江陵，溯沅、湘以登衡山，因客耒阳。游岳祠，大水遽至，涉旬不得食，县令具舟迎之，乃得还。令尝馈牛炙白酒，大醉，一昔卒，年五十九。

甫旷放不自检，好论天下大事，高而不切。少与李白齐名，时号“李杜”。尝从白及高适过汴州，酒酣登吹台，慷慨怀古，人莫测也。数尝寇乱，挺节无所污，为歌诗，伤时桡弱，情不忘君，人怜其忠云。

赞曰：唐兴，诗人承陈、隋风流，浮靡相矜。至宋之问、沈佺期等，研揣声音，浮切不差，而号“律诗”，竞相袭沿。逮开元间，稍裁以雅正，然恃华者质反，好丽者壮违，人得一概，皆自名所长。至甫，浑涵汪茫，千汇万状，兼古今而有之，它人不足，甫乃厌余，残膏剩馥，沾丐后人多矣。故元稹谓："诗人以来，未有如子美者。"甫又善陈时事，律切精深，至千言不少衰，世号"诗史"。昌黎韩愈于文章慎许可，至歌诗，独推曰："李、杜文章在，光焰万丈长。"诚可信云。

【译文】

大历年间，杜甫出瞿唐峡，沿长江东下到江陵，又逆沅水、湘水而上，登上了衡山，于是客居于耒阳。有一次杜甫游岳祠，忽然发大水，有十天弄不到吃的，耒阳县令备下小船迎接他，才得以回还。县令曾赠给杜甫牛肉白酒，杜甫吃得大醉，一个晚上便去世了，当时他五十九岁。

杜甫放任不羁，举止不自检束，好议论天下大事，立论高远而不切合实事。年轻时与李白齐名，当时人称为"李杜"。杜甫曾随从李白和高适路过汴州，酒喝得痛快尽兴然后登上吹台，怀想古人，激昂慷慨，人们都摸不透他们的用意。杜甫多次经历盗贼作乱，都能坚持节操，无所玷污；作歌诗，忧念时世，俯就弱者，情不忘君，人们无不爱慕他的忠诚。

赞辞：唐朝兴起，诗人承继陈、隋遗风，以浮华绮靡相夸耀。到宋之问、沈佺期等人，研究揣摩诗歌的声韵，平仄丝毫不差，号称"律诗"，人们竞相沿袭。到了开元年间，逐渐以雅正为取舍标准，但诗人依赖华美的同质朴相反，喜好绮丽的与雄壮相违，人各取得一个方面，都自称道其所长。到了杜甫，广大深沉，千态万状，兼有古今各种体势，他人感到不足之处，杜甫却有多余，他的余泽，滋润后人实在是很多的。所以元稹说："自有诗人以来，没有人能像子美这样的。"杜甫的诗又擅长陈述时事，格律切合，精密深远，长的至于上千言而笔力不稍衰减，世人称为"诗史"。昌黎韩愈对于文章从不随便认可，至于歌诗，唯独推崇说："李杜文章在，光焰万丈长。"这话确实可信。

李白列传

李白字太白，兴圣皇帝九世孙。其先隋末以罪徙西域，神龙初，遁还，客巴西。白之生，母梦长庚星，因以命之。十岁通诗书，既长，隐岷山。州举有道，不应。苏颋为益州长史，见白异之，曰："是子天才英特，少益以学，可比相如。"然喜纵横术，击剑为任侠，轻财重施。更客任城，与孔巢父、韩准、裴政、张叔明、陶沔居徂徕山，日沈饮，号"竹溪六逸"。

天宝初，南入会稽，与吴筠善，筠被召，故白亦至长安。往见贺知章，知章见其文，叹曰："子，谪仙人也！"言于玄宗，召见金銮殿，论当世事，奏颂一篇。帝赐食，亲为调羹，有诏供奉翰林。白犹与饮徒醉于市。帝坐沈香子亭，意有所感，欲得白为乐章，召入，而白已醉，左右以水颒面，稍解，授笔成文，婉丽精切，无留思。帝爱其才，数宴见。白尝侍帝，醉，使高力士脱靴。力士素贵，耻之，擿其诗以激杨贵妃，帝欲官白，妃辄阻止。白自知不为亲近所容，益骜放不自修，与知章、李适之、汝阳王琎、崔宗之、苏晋、张旭、焦遂为"酒八仙人"。恳求还山，帝赐金放还。白浮游四方，尝乘月与崔宗之自采石至金陵，著宫锦袍坐舟中，旁若无人。

【译文】

李白字太白，是兴圣皇帝的九代孙。他的祖先在隋末因犯罪被流放到西域，中宗神龙初年，由西域逃回国，客居巴西。李白出生的时候，他的母亲梦见太白星，所以用它命名。李白十岁就精通《诗经》、《尚书》，长大以后，隐居于岷山。州中荐举李白参加有道科考试，他未响应。苏颋任益州长史，见到李白后认为他不同寻常，说道："此人天才出众，学业略增进，就可以同司马相如相比。"但李白喜欢纵横之术，好击剑，常干一些打抱不平的侠义举动，看轻钱财，重视施惠于人。又客居任城，与孔巢父、韩准、裴政、张叔明、陶沔住在徂徕山，每天痛饮，当时人称他们为“竹溪六逸”。

天宝初年，李白南行入会稽，同吴筠亲善，吴筠被皇帝征召进京，所以李白也跟着到了长安。李白去见贺知章，知章看到他的诗文后，感叹道：“你，是谪居世间的仙人！”知章向玄宗介绍李白，于是玄宗在金銮殿召见李白，李白同玄宗谈论当代之事，进献颂一篇。皇帝赐给李白饮食，亲自在他的汤里放调味品，下诏让他当翰林院供奉。李白好喝酒，仍然每天在市上与酒徒们一起喝得大醉。有一次，皇帝坐在沉香子亭里，心有所感，想让李白为他写歌词，于是召李白入宫，而李白已经喝醉，皇帝左右的人用冷水给李白洗脸，李白醉意略消，拿到别人给他的笔便很快写成，文词婉转华美，精致贴切，诗思毫不迟滞。皇帝喜爱李白的才能，多次在清闲的时候召见他。李白有一次侍奉皇帝，喝醉了酒，让大宦官高力士为他脱靴子。力士素来地位尊贵，以此为平生的耻辱，于是摘取李白诗中之事以激起杨贵妃的不满，皇帝想让李白做官，贵妃就加以阻止。李白自知不被皇帝亲近的人所容，便更加放任，不修养自身，与贺知章、李适之、汝阳王李琎、崔宗之、苏晋、张旭、焦遂结为“饮酒八仙人”。李白恳求玄宗让自己回山隐居，皇帝于是赐给黄金而后放他回山。这以后，李白浪游四方，曾有一次趁月色明亮与崔宗之乘船自采石矶到达金陵，李白穿用宫中特制的锦缎做成的长袍坐在船上，旁若无人。

安禄山反，转侧宿松、匡庐间，永王璘辟为府僚佐。璘起兵，逃还彭泽；璘败，当诛。初，白游并州，见郭子仪，奇之。子仪尝犯法，白为救免。至是子仪请解官以赎，有诏长流夜郎。会赦，还寻阳，坐事下狱。时宋若思将吴兵三千赴河南，道寻阳，释囚辟为参谋，未几辞职。李阳冰为当涂令，白依之。代宗立，以左拾遗诏，而白已卒，年六十余。

白晚好黄老，度牛渚矶至姑孰，悦谢家青山，欲终焉。及卒，葬东麓。元和末，宣歙观察使范传正祭其冢，禁樵采。访后裔，惟二孙女嫁为民妻，进止仍有风范，因泣曰：“先祖志在青山，顷葬东麓，非本意。”传正为改葬，立二碑焉。告二女，将改妻士族，辞以孤穷失身，命也，不愿更嫁。传正嘉叹，复其夫徭役。

文宗时，诏以白歌诗、裴旻剑舞、张旭草书为“三绝”。

【译文】

安禄山造反，李白辗转于松滋、匡庐之间，永王李璘征召他为幕府佐吏。李璘起兵反叛朝廷，李白逃回彭泽；李璘失败，李白罪该处死。起初，李白游并州，见到郭子仪，认为他才能超群。子仪曾犯法，李白加以援救，使他得以免罪。到这时候，子仪请求解除自己的职务以弥补李白的罪过，天子下令将李白长期流放到夜郎。恰巧遇到天子发布赦令，李白便回到寻阳，因事犯罪被关进监狱。当时宋若思率领吴地士兵三千赴河南，路经寻阳，将李白从狱中放出，征聘他为参谋，没多久李白又辞去职务。李阳冰做当涂县令，李白前去依附于他。代宗即位，征召李白任左拾遗，而李白当时已去世，享年六十余。

李白晚年好黄老之术，他渡过牛渚矶到姑孰，喜欢谢朓家青山，想老死于此。等到他去世，就葬在青山东边山脚下。元和末年，宣歙观察使范传正到李白的墓上祭奠，明令禁止在那里打柴。又寻访李白的后裔，只找到他的两个孙女，已嫁给平民为妻，但举止仍有风度，她们哭着说："先祖父意在青山，仓促间葬在东边山脚下，不符合他的本意。"传正于是为李白改葬，在墓上立了二块碑。又告诉李白的两个孙女，说准备让她们改嫁给世家子弟，两人推辞说，自己因为孤苦穷困而失身于平民，这是命运的安排，不愿意再改嫁。传正为她们而赞叹，免除了她们丈夫的徭役。

文宗的时候，天子下诏以李白的歌诗、裴旻的剑舞、张旭的草书为"三绝"。

〔旧五代史〕

刘知俊列传

刘知俊，字希贤，徐州沛县人也。姿貌雄杰，倜傥有大志。始事徐帅时溥，为列校，溥甚器之，后以勇略见忌。唐大顺二年冬，率所部二千人来降，即署为军校。知俊被甲上马，轮剑入敌，勇冠诸将。太祖命左右义胜两军隶之，寻用为左开道指挥使，故当时人谓之“刘开道”。后讨秦宗权及攻徐州皆有功，寻补徐州马步军都指挥使。攻海州下之，遂奏授刺史。天复初，历典怀、郑二州，从平青州，以功奏授同州节度使。天祐三年冬，以兵五千破岐军六万于美原。自是连克鄜、延等五州，乃加检校太傅、平章事。开平二年春三月，命为潞州行营招讨使。知俊未至潞，夹寨已陷，晋人引军方攻泽州，闻知俊至，乃退。寻改西路招讨使。六月，大破岐军于幕谷，俘斩千计，李茂贞仅以身免。三年五月，加检校太尉、兼侍中，封大彭郡王。

【译文】

刘知俊，字希贤，徐州沛县人。身材魁梧，相貌不凡，风度潇洒，胸有大志。起初在徐州镇主帅时溥属下谋事，是列校之一，很受时溥器重，后因有勇有谋受到猜忌。唐大顺二年冬天，率部属两千人来降，被后梁太祖任为军校。知俊常披甲骑马，挥舞宝剑冲入敌阵，勇猛为诸将之最。太祖令将左右义胜两军归他指挥，不久又任为左开道指挥使，所以当时人又称他为“刘开道”。随从太祖讨伐秦宗权及进攻徐州，都立有战功，不久又补任为徐州马步军都指挥使。攻取海州后，随即又奏授他为刺史。天复初年，历任怀、郑二州刺史，随从太祖平定青州，因战功被奏授为同州节度使。天祐三年冬天，率军五千于美原击败岐军六万。此后接连攻克鄜、延等五州，于是加官为检校太傅、平章事。开平二年春季三月，又被任为潞州行营招讨使。知俊还未到达潞州，夹寨就已经陷落，晋军正移军进攻泽州，听说知俊率军前来，就退了回去。不久又改任西路招讨使。六月，于幕谷大破岐军，俘获、斩首敌军数以千计，李茂贞只身逃脱。三年五月，又加官检校太尉、兼侍中，封为大彭郡王。

时知俊威望益隆，太祖雄猜日甚，会佑国军节度使王重师无罪见诛，知俊居不自安，乃据同州叛，送款于李茂贞。又分兵以袭雍、华，雍州节度使刘捍被擒，送凤翔害之，华州蔡敬思被伤获免。太祖闻知俊叛，遣近臣谕之曰："朕待卿甚厚，何相负耶？"知俊报曰："臣非背德，但畏死耳!王重师不负陛下，而致族灭。"太祖复遣使谓知俊曰："朕不料卿为此。昨重师得罪，盖刘捍言阴结邠、凤，终不为国家用。我今虽知枉滥，悔不可追，致卿如斯，我心恨恨，盖刘捍误予事也，捍一死固未塞责。"知俊不报，遂分兵以守潼关。太祖命刘鄩率兵进讨，攻潼关，下之。时知俊弟知浣为亲卫指挥使，闻知俊叛，自洛奔至潼关，为鄩所擒，害之。寻而王师继至，知俊乃举族奔于凤翔，李茂贞厚待之，伪加检校太尉、兼中书令，以土疆不广，无藩镇以处之，但厚给俸禄而已。寻命率兵攻围灵武，且图牧圉之地。灵武节度使韩逊遣使来告急，太祖令康怀英率师救之，师次邠州长城岭，为知俊邀击，怀英败归。茂贞悦，署为泾州节度使。复命率众攻兴元，进围西县，会蜀军救至，乃退。

【译文】

这时知俊的威望越来越高，太祖的猜忌也逐渐加深，又碰上佑国军节度使王重师无罪被杀，知俊更加坐卧不安，就据同州称兵反叛，并向李茂贞表示愿意归附。同时还分兵袭击雍州、华州，雍州节度使刘捍被他擒获，送至凤翔后被杀，华州的蔡敬思受伤后才脱险。太祖听说知俊反叛，就派亲近的大臣前往说明利害，对他说："朕待你很优厚，为什么背叛呢？"知俊回答说："我并不愿意背叛您的恩德，只是害怕被害而已。王重师没有对不起陛下，却遭到族灭之祸。"太祖又派使者前往告诉知俊说："朕没有料到你是因为这件事。不久前重师被治罪，是因为刘捍说他暗中勾结邠宁镇、凤翔镇，最终不会为国家效力。我现在虽然知道冤枉了他，可是悔不可及，又导致了你目前这样，我心里很悔恨，是刘捍误了我的事，刘捍虽然死了也弥补不了他的罪责。"知俊不予作答，于是分出一部分兵力扼守潼关。太祖命令刘鄩率兵进讨，很快就攻克了潼关。当时知俊的弟弟知浣担任亲卫指挥使，听说知俊反叛，就从洛阳逃奔，在潼关被刘鄩擒获、杀害。不久后梁军队相继赶到，知俊就举族逃奔于凤翔，李茂贞对他厚礼相待，加授伪官检校太尉、兼中书令，因为辖区不大，没有给他藩镇的名号，只是给予优厚的俸禄而已。不久命他率兵围攻灵武，并进一步图谋夺取牧业区。灵武节度使韩逊派使者来朝廷告急，太祖命令康怀英率军前往救援，部队进至邠州长城岭，受到知俊的伏击，怀英失败而归。李茂贞很高兴，任知俊为泾州节度使，又命令他率军进攻兴元，进围西县，等到蜀兵救兵来到，才退了回来。

既而为茂贞左右石简颙等间之，免其军政，寓于岐下，掩关历年。茂贞犹子继崇镇秦州，因来宁觐，言知俊途穷至此，不宜以谗嫉见疑，茂贞乃诛简颙等以安其心。继崇又请令知俊挈家居秦州，以就丰给，茂贞从之。未几，邠州乱，茂贞命知俊讨之。时邠州都校李保衡纳款于朝廷，末帝遣霍彦威率众先入于邠，知俊遂围其城，半载不能下。会李继崇以秦州降于蜀，知俊妻孥皆迁于成都，遂解邠州之围而归岐阳。以举家人蜀，终虑猜忌，因与亲信百余人夜斩关奔蜀。

王建待之甚至，即授伪武信军节度使。寻命将兵伐岐，不克，班师，因围陇州，获其帅桑弘志以归。久之，复命为都统，再领军伐岐。时部将皆王建旧人，多违节度，不成功而还，蜀人因而毁之。先是，王建虽加宠待，然亦忌之，尝谓近侍曰："吾渐衰耗，恒思身后。刘知俊非尔辈能驾驭，不如早为之所。"又嫉其名者于里巷间作谣言云："黑牛出圈棕绳断。"知俊色黔而丑生，棕绳者，王氏子孙皆以"宗"、"承"为名，故以此构之。伪蜀天汉元年冬十二月，建遣人捕知俊，斩于成都府之炭市。及王衍嗣伪位，以其子嗣禋尚伪峨眉长公主，拜驸马都尉。后唐同光末，随例迁于洛，卒。

【译文】

不久受到李茂贞的亲信石简颙的挑拨离间，被夺掉了军政大权，寓居于岐下，好多年闭门不出。李茂贞的侄子李继崇镇守秦州，在进见茂贞的时候说道：知俊是在无路可走的情况下来投奔的，不应该因谗言嫉妒而受到猜疑，茂贞于是杀掉简颙等人来安抚知俊。继崇又提议让知俊全家迁居秦州，靠近富裕的地区，茂贞答应了。时间不长，邠州发生变乱，茂贞命令知俊前往讨伐。当时邠州都校李保衡向朝廷投诚，末帝派霍彦威率军抢先进入了邠州城，知俊于是率军包围了邠州城，围城半年未能攻下。后逢李继崇在秦州投降前蜀，知俊的妻儿老小都随迁到了成都，他于是就放弃了对邠州的包围而回到岐阳，由于全家已经入蜀，到底还是担心遭猜忌，就借机与亲信百余人利用夜晚的时间夺关而逃，投奔了前蜀。

王建待他很周到，随即授予他伪武信军节度使一职。不久命他率军进攻岐州镇，没有攻克，班师途中又顺路围攻陇州，带着俘获的陇州主帅桑弘志返回了蜀境。过了很久时间，又任他为都统，再次领兵讨伐岐州。这时的部将都是王建的旧部，很多人都不听指挥，结果无功而返，蜀人便借机诋毁排挤他。先前，王建对他虽是优礼相待，但也猜忌他，曾对亲随说："我慢慢衰老了，常常思考身后的安排。刘知俊不是你们等人所能驾驭的，不如尽早给他做出安排。"嫉妒他名声的人，在民间散布谣言说："黑牛出圈棕绳断。"知俊脸色黝黑，生于丑牛年；所谓"棕绳"，是指王氏的子孙都以"宗"、"承"起名，因这句话含有王氏将要灭绝的意思，就以此诬陷知俊。伪蜀政权天汉元年冬季十二月，王建派人逮捕知俊，在成都府的炭市将他斩首。以后等王衍继承伪皇帝位，就以知俊的儿子刘嗣禋娶伪峨眉长公主为妻，拜官驸马都尉。后唐同光末年，嗣禋依例迁居洛阳，死于该地。

知俊族子嗣彬，幼从知俊征行，累迁为军校。及知俊叛，以不预其谋，得不坐。贞明末，大军与晋王对垒于德胜，久之，嗣彬率数骑奔于晋，具言朝廷军机得失，又以家世仇怨，将以报之。晋王深信之，即厚给田宅，仍赐锦衣玉带，军中目为"刘二哥"。居一年，复来奔，当时晋人谓是刺客，以晋王恩泽之厚，故不窃发。龙德三年冬，从王彦章战于中都，军败，为晋人所擒。晋王见之，笑谓嗣彬曰："尔可还予玉带。"嗣彬惶恐请死，遂诛之。

【译文】

知俊的族子刘嗣彬，年幼时即随从知俊征战，逐渐升至军校。及知俊反叛，他因没有参与谋反，未受到株连。贞明末年，后梁大军与晋王对峙于德胜一带，过了一段时间，嗣彬便带领几名骑兵投奔了晋军，和盘托出朝廷的军事机密和处置得失，又因有家族世仇，发誓要报仇。晋王很相信他，随即赏给了很多田地和房子，还赐给他锦衣玉带，在军中被视为“刘二哥”。过了一年，又投奔了过来，当时晋军都说他是刺客，因为晋王待他恩德很厚，所以没有暗中下手。龙德三年冬天，跟随王彦章在中都作战，失败后被晋军俘获。晋王见到他，笑着对他说：“你可以还给我的玉带了。”嗣彬很恐慌，请求一死，于是被杀。

周德威传

周德威，字镇远，小字阳五，朔州马邑人也。初事武皇为帐中骑督，骁勇便骑射，胆气智数皆过人，久在云中，谙熟边事，望烟尘之警，悬知兵势。乾宁中，为铁林军使，从武皇讨王行瑜，以功加检校左仆射，移内衙军副。光化二年三月，汴将氏叔琮率众逼太原，有陈章者，以虓勇知名，众谓之“夜叉”，言于叔琮曰：“晋人所恃者周阳五，愿擒之，请赏以郡。”陈章尝乘骢马朱甲以自异。武皇戒德威曰：“我闻陈夜叉欲取尔求郡，宜善备之。”德威曰：“陈章大言，未知鹿死谁手。”他日致师，戒部下曰：“如阵上见陈夜叉，尔等但走。”德威微服挑战，部下伪退，陈章纵马追之，德威背挥铁檛击堕马，生获以献，由是知名。

天复中，我师不利于蒲县，汴将朱友宁、氏叔琮来逼晋阳。时诸军未集，城中大恐，德威与李嗣昭选募锐兵出诸门，攻其垒，擒生斩馘，汴人支吾不暇，乃退。天祐三年，与李嗣昭合燕军攻潞州，降丁会，以功加检校太保、代州刺史，代嗣昭为蕃汉都将。李思安之寇潞州也，德威军于余吾。时汴军十万筑夹城，围潞州，内外断绝，德威以精骑薄之，屡败汴人，进营高河，令游骑邀其刍牧。汴军闭壁不出，乃自东南山口筑甬道树栅以通夹城，德威之骑军，倒墙堙堑，日数十战，前后俘馘，不可胜纪。梁有骁将黄角鹰、方骨仑，皆生致之。

【译文】

周德威，字镇远，小字阳五，朔州马邑人。起初在武皇李克用手下任帐中骑督，骁勇善战，尤其擅长骑马射箭，胆量、气魄、智慧和计谋都有过人之处。由于长期居住在云中地区，十分熟悉边境一带的事情。望见烟尘升起，便能料算到兵力有多少。乾宁年间，担任铁林军使，跟随武皇征讨王行瑜，因功加官为检校左仆射，移任内衙军副。光化二年三月，汴将氏叔琮率军进逼太原，有一个名叫陈章的人，号称像猛虎一样凶猛，大家都称他“夜叉”。他对叔琮说：“晋军所依恃的人是周阳五，我愿生擒他，请赏给我刺史的官职。”陈章经常骑着一匹青白色的战马，披挂着鲜红色的铠甲来显示自己与众不同。武皇告诫周德威说：“我听说陈夜叉想活捉你来谋得刺史的官做，应当好生提防他。”周德威说：“陈章净说大话，还不知鹿死谁手呢。”隔几天来到部队，他叮嘱部下说：“如果在阵上看见陈夜叉，你们尽管跑开好了。”周德威穿着普通士兵的服装出马挑战，他的部下佯装退却，陈章拍马追来，周德威从背后挥动铁锤把他击落马下，活捉了陈章并将其献于武皇帐下。通过这一仗，周德威的名声大振。

天复年间，晋王军队在蒲县失利，汴将朱友宁、氏叔琮率军迫近晋阳。当时各支部队还没有集结，晋阳城中十分惊恐。周德威与李嗣昭仔细选拔了精锐士兵从几个城门同时出击，攻打敌军的营垒，抓住敌人就割下左耳，汴军招架不迭，就撤退了。天祐三年，周德威与李嗣昭会同燕军攻打潞州，梁将丁会投降，周德威因功加授检校太保、代州刺史，接替李嗣昭担任蕃汉都将。李思安侵犯潞州的时候，周德威的军队正驻扎在余吾。当时汴军十万人沿城筑起长围，围困潞州，断绝了城内和城外的联系。周德威用精锐的骑兵逼近敌人，屡次打败汴梁军队。随后进至高河安营，命令游动的骑兵阻截出来割草放牧的敌人，于是汴军紧闭营门，拒不出战。又从东南山口修筑了一条两侧是墙并竖立栅栏的通道通往环城长围。周德威的骑兵推倒墙壁，填平壕沟，一天之内战斗几十次，前后活捉的俘虏和从敌尸上割下的耳朵，多得数不过来，梁军的猛将黄角鹰、方骨仑都被活捉。

五年正月，武皇疾笃，德威退营乱柳。武皇厌代，四月，命德威班师。时庄宗初立，德威外握兵柄，颇有浮议，内外忧之。德威既至，单骑入谒，伏灵柩哭，哀不自胜，由是群情释然。是月二十四日，从庄宗再援潞州。二十九日，德威前军营横碾，距潞四十五里。五月朔，晨雾晦暝，王师伏于三垂岗下，翌日，直趋夹城，斩关破垒，梁人大败，解潞州之围。初，德威与李嗣昭有私憾，武皇临终顾谓庄宗曰：“进通忠孝不负我，重围累年，似与德威有隙，以吾命谕之，若不解重围，殁有遗恨。”庄宗达遗旨，德威感泣，由是励力坚战，竟破强敌，与嗣昭欢爱如初。以功加检校太保、同平章事、振武节度使。

六年，岐人攻灵夏，遣使来求助，德威渡河以应之，师还，授蕃汉马步总管。七年十一月，汴人据深、冀，汴将王景仁军八万次柏乡，镇州节度使王镕来告难，帝遣德威率前军出井陉，屯于赵州。十二月，帝亲征，二十五日，进薄汴营，距柏乡五里，营于野河上。汴将韩勍率精兵三万，铠甲皆被缯绮，金银炫耀，望之森然，我军惧形于色。德威谓李存璋曰："贼结阵而来，观其形势，志不在战，欲以兵甲耀威耳。我军人乍见其来，谓其锋不可当，此时不挫其锐，吾军不振矣！"乃遣存璋谕诸军曰："尔见此贼军否？是汴州天武健儿，皆屠沽佣贩，虚有表耳，纵被精甲，十不当一，擒获足以为资。"德威自率精骑击其两偏，左驰右决，出没数四。是日，获贼百余人，贼渡河而退。德威谓庄宗曰："贼骄气充盛，宜按兵以待其衰。"庄宗曰："我提孤军，救难解纷，三镇乌合之众，利在速战，卿欲持重，吾惧其不可使也。"德威曰："镇、定之士，长于守城，列阵野战，素非便习。我师破贼，唯恃骑军，平田广野，易为施功。今压贼营，令彼见我虚实，则胜负未可必也。"庄宗不悦，退卧帐中。德威患之，谓监军张承业曰："王欲速战，将乌合之徒，欲当剧贼，所谓不量力也。去贼咫尺，限此一渠水，彼若早夜以略彴渡之，吾族其为俘矣。若退军鄗邑，引贼离营，彼出则归，复以轻骑掠其刍饷，不逾月，败贼必矣。"承业入言，庄宗乃释然。德威得降人问之，曰："景仁下令造浮桥数日"，果如德威所料。二十七日，乃退军保鄗邑。

【译文】

五年正月，武皇病重，周德威退兵驻守在乱柳。武皇去世。四月，命周德威班师回朝。这时，庄宗刚刚即位，周德威在外地掌握兵权，招来许多流言和议论，朝廷上下对此十分担忧。周德威来到之后，一个人进朝拜谒，趴在武皇李克用的棺材上放声痛哭，控制不住自己的悲哀之情。于是大家的情绪才安稳下来。这个月二十四日，周德威跟随庄宗再度增援潞州。二十九日，周德威率领前锋部队进驻横碾，距离潞州有四十五里的路程。五月初一清晨，大雾弥漫、朦胧不清，庄宗的军队埋伏在三垂岗下面。第二天，直奔环城长围，砍开关门，摧毁营壁，梁军大败，终于解除了潞州之围。当初，周德威与李嗣昭有个人私怨，武皇临终前对庄宗说："进通（嗣昭字）是个忠孝之人，不会背叛我，他身处重围中一年多了，好像与周德威有矛盾，你要把我的命令告诉周德威，倘若不解除重围，我死有遗恨。"庄宗转达了这一遗旨，周德威感动地流下了眼泪，因此奋勇作战，终于打败了强敌，与李嗣昭彼此和好如初。因功而升任检校太保、同平章事、振武节度使。

六年，岐人进攻灵夏，派遣使者来请求援助。周德威渡过黄河去策应他们。部队回来，被授为蕃汉马步总管。七年十一月，汴军占据深、冀，他们的将领王景仁率领八万人马兵临柏乡，镇州节度使王镕赶来告急。庄宗派周德威率领先头部队从井陉出发，屯驻于赵州。十二月，庄宗亲自出征。二十五日，部队向前接近汴军营地，离柏乡五里安营扎寨于野河北面。汴军将领韩勍率精兵三万人，盔甲上都披挂着丝绸、金银装饰来炫耀军威，远远望去十分整齐森严，晋军见之害怕得变了脸色。周德威对李存璋说："贼军布下阵势前来，看他们的样子，意图不在交战，只是想用兵甲来炫耀武力罢了。我军士兵刚刚看到他们来到，就说其兵锋不可阻挡，现在如果不挫败他们的锐气，我军就无法振作起来。"于是派李存璋通告全军说："你们看见这些贼军了吗？这些所谓的汴州天武健儿，都是杀猪、卖酒、走卒、小贩之流，只有虚假的外表而已，尽管他们穿着精美的铠甲，但十个人也赶不上我军一个人，捉住他们足以满足我们的费用。"周德威亲率精锐骑兵攻击梁军的两侧，左冲右突，出入敌军阵地四次。这一天，俘获敌人一百多人，敌军渡河撤退。周德威对庄宗说："贼军骄傲的气势非常充沛强盛，应当按兵不动来等待他们的衰弱。"庄宗说："我统领一支孤军来挽救危难解除纷乱，三镇之兵都是乌合之众，利在速战速决，你想要稳重行事，我却担心你的计策不能使用啊。"周德威说："镇州、定州的人，擅长坚守城池，而布阵野战，本来他们就不习惯，我军击败敌军，只有依靠骑兵，平旷的田地和宽广的野外，正容易施展我们的长处。现在去逼近敌营，让他们知道我军的虚实情况，这样一来胜负就不一定了。"庄宗听了很不高兴，回身去帐中躺下。周德威对此十分着急，对监军张承业说："大王想要速战，率领乌合之众，去面对厉害的贼军，这是不能正确估计自己的力量啊。离贼这么近，又仅有这么一条河水为阻隔，他们如果早晚造桥渡河过来，我们这些人就都成为他们的俘虏了。假如我们把部队撤退到鄗邑，引诱敌人离开营寨，他们出击我们则返回来，再用轻骑兵抢掠他们的粮草军需，不超过一个月，打败敌军是必然的。”张承业进去向庄宗陈述了周德威的意见，庄宗才高兴起来。周德威审问一个投降过来的人，这人回答：“王景仁下令建造浮桥已经几天了。”果然像周德威预料的一样。二十七日，撤军保卫鄗邑。

八年正月二日，德威率骑军致师于柏乡，设伏于村坞间，令三百骑以压汴营。王景仁悉其众结阵而来，德威转战而退，汴军因而乘之，至于鄗邑南。时步军未成列，德威阵骑河上以抗之。亭午，两军皆阵，庄宗问战时，德威曰：“汴军气盛，可以劳逸制之，造次较力，殆难与敌。古者师行不逾一舍，盖虑粮饷不给，士有饥色。今贼远来决战，纵挟糗糒，亦不遑食。晡晚之后，饥渴内侵，战阵外迫，士心既倦，将必求退。乘其劳弊，以生兵制之，纵不大败，偏师必丧。以臣所筹，利在晡晚。”诸将皆然之。时汴军以魏、博之人为右广，宋、汴之人为左广，自未至申，阵势稍却，德威麾军呼曰：“汴军走矣！”尘埃涨天，魏人收军渐退，庄宗与史建瑭、安金全等因冲其阵，夹攻之，大败汴军，杀戮殆尽，王景仁、李思安仅以身免，获将校二百八十人。八月，刘守光僭称大燕皇帝。十二月，遣德威率步骑三万出飞狐，与镇州将王德明、定州将程严等军进讨。九年正月，收涿州，降刺史刘知温。五月七日，刘守光令骁将单廷珪督精甲万人出战，德威遇于龙头岗。初，廷珪谓左右曰：“今日擒周阳五。”既临阵，见德威，廷珪单骑持枪躬追德威，垂及，德威侧身避之。廷珪少退，德威奋楇击坠其马，生获廷珪，贼党大败，斩首三千级，获大将李山海等五十二人。十二日，德威自涿州选军良乡、大城。守光既失廷珪，自是夺气。德威之师，屡收诸郡，降者相继。十年十一月，擒守光父子，幽州平。十二月，授德威检校侍中、幽州卢龙等军节度使。

【译文】

八年正月二日，周德威率骑兵进至柏乡，预先在村落中设置了埋伏，命令三百个骑兵迫近汴梁军营寨。王景仁率全部人马列阵应战，周德威且战且退，汴梁军趁机追赶。到了鄗邑城南，这时步兵还没有摆好队形，周德威把骑兵列阵于河边高地抵抗敌人。正午，两军各自摆好阵势，庄宗问出战的时机，周德威答道："汴梁军气势昂盛，只能以逸待劳才能制服他们，轻易地与他们比试力量，几乎很难取胜。古时候军队行军一次不超过三十里，就是怕粮饷接应不上，战士们有饥饿的脸色。现在贼军自远方前来决战，纵使携带着干粮也没有空吃，从中午到晚上后，饥饿和干渴在内部侵袭，战阵又在外部施以压力，战士的士气既然懈怠，其将领一定谋划撤兵，趁着他们疲劳困苦，用我们的生力军去压制他们，敌人纵然不会溃败，也要丧失一部分部队。以我之见，最好的出战时机在傍晚。"众将都赞同这个看法。当时，汴梁军以魏、博的部队为右军，宋、汴的部队为左军，从未时到申时，阵势渐退。周德威指挥部下大声叫道："汴梁军逃走了！"尘土扬天，魏人收缩兵力逐渐退却。庄宗与史进瑭、安金全等人趁机冲击他们的阵地，两下夹攻，汴梁军大败，几乎被全歼，王景仁、李思安仅以身免，俘获了将校二百八十人。

八月，刘守光自称大燕皇帝。十二月，庄宗派周德威率步骑三万人出飞狐，与德州将领王德明、定州将领程严进军讨伐。九年正月，收复涿州，刺史刘知温投降。五月七日，刘守光命令骁将单廷珪统领精兵一万出战，与周德威遭遇于龙头岗。开始，单廷珪对部下说："今天一定要活捉周阳五。"随即来到阵前，看见周德威，单廷琏单枪匹马躬身来追周德威，等他接近时，周德威侧身避过，单廷珪稍微后退，周德威举起马鞭把他击落下马，生擒了单廷珪，贼众大败，斩首三千级，俘获大将李山海等五十二人。十二月，周德威自涿州进军良乡、大城。刘守光既然损失了单廷珪，从此就丧失了勇气。周德威的军队接连收复了几个郡，投降的人接连不断。十年十一月，抓获了刘守光父子，平定了幽州。十二月，周德威被授为检校侍中、幽州卢龙等军节度使。

德威性忠孝，感武皇奖遇，尝思临难忘身。十二年，汴将刘鄩自洹水乘虚将寇太原，德威在幽州闻之，径以五百骑驰入土门，闻鄩军至乐平不进，德威径至南宫以候汴军。初，刘鄩欲据临清以扼镇、定转饷之路，行次陈宋口，德威遣将擒数十人，皆剸割刃于背，縶而遣之。既至，谓刘鄩曰："周侍中已据宗城矣！"德威其夜急骑扼临清，刘鄩乃入贝州。是时德威若不至，则胜负未可知也。

十四年三月，契丹寇新州，德威不利，退保范阳。敌众攻城仅二百日，外援未至，德威抚循士众，昼夜乘城，竟获保守。十五年，我师营麻口渡，将大举以定汴州。德威自幽州率本军至，十二月二十三日，军次胡柳陂。诘旦，骑报曰："汴军至矣！"庄宗使问战备，德威奏曰："贼倍道而来，未成营垒，我营栅已固，守备有余，既深入贼疆，须决万全之策。此去大梁信宿，贼之家属，尽在其间，人之常情，孰不以家国为念？以我深入之众，抗彼激愤之军，不以方略制之，恐难必胜。王但按军保栅，臣以骑军疲之，使彼不得下营，际晚，粮饷不给，进退无据，因以乘之，破贼之道也。"庄宗曰："河上终日挑战，恨不遇贼，今款门不战，非壮夫也。"乃率亲军成列而出，德威不获已，从之。谓其子曰："吾不知其死所矣！"庄宗与汴将王彦章接战，大败之。德威之军在东偏，汴之游军入我辎重，众骇，奔入德威军，因纷扰无行列。德威兵少，不能解，父子俱战殁。先是，镇星犯上将，星占者云，不利大将。是夜收军，德威不至，庄宗恸哭谓诸将曰："丧我良将，吾之咎也。"

【译文】

周德威天性忠心耿耿，崇尚孝义，感怀武皇李克用的奖掖与恩遇，常常想着一旦国家有难就奋不顾身。十二年，汴梁军将领刘鄩打算从洹水乘虚进犯太原，德威在幽州闻听此讯，立刻率五百名骑兵径直奔向土门，听说刘鄩的部队到了乐平就停止不前，周德威直接赶到南宫等候汴梁军。开始，刘鄩打算占据临清以扼守镇、定二州转运饷银的道路。行进至陈宋口，周德威派将领抓获了汴梁军几十人，用刀剑插入他们的后背，然后用绳子捆绑上放他们回去。这些人回去后，对刘鄩说："周侍中已经占领宗城了！"周德威这天晚上率骑兵急速赶往临清扼守，刘郡只得退入贝州。这个时候，周德威如果不来，那么胜败就很难预料了。

十四年三月，契丹进犯新州，周德威的军队失利，退守范阳。敌人攻城近二百天，援兵仍然未到，周德威安抚将士，昼夜上城督战，终于坚守住了范阳城。十五年，晋军屯驻麻口渡，即将大举进攻以平定汴州。周德威从幽州率部下赶到。十二月二十三日，部队在胡柳陂宿营。次日早晨，哨骑报告说："汴梁军到了！"庄宗派人来问战斗准备情况，周德威回答说："汴梁军日夜兼程而来，还没有来得及修筑营垒，而我军的营栅却已固立，坚守防备已经够用。既然深入到敌境，必须决定一个万全的计策。这里离大梁只有一天一夜的路程，敌军的家属全在城里，人之常情，谁不牵挂自己的家园和国家？用我们这些深入到敌境的部众，来对抗他们群情激愤的军队，如果不用计谋遏制敌人，恐怕难于必胜。晋王您只管按兵不动，保守营寨，我用骑兵骚扰他们，使其无法立下营寨，到了晚上，敌粮草供给不上，进不得，退不得，乘势出击，这是打败敌人的途径。"庄宗说："我们在大河岸上整天挑战，遗憾的是没有遇上敌人，现在敲响敌人的大门却不出击，这不是壮士的行为！"然后就率领亲军排队出战，周德威没办法只好从命。对他儿子说："我不知道将死在哪里呀。"庄宗与汴梁军将领王彦章交战，彦章大败。周德威的部队在东边，汴梁军的游动部队进入晋军的辎重中，晋军士兵惊恐万状，飞跑入周德威的部队中，所以纷纷扰扰不成队形，德威的兵力少，不能解救危机，父子二人都战死了。在此之前，土星触犯了上将星，星象家说，这种天象不利于大将。这天夜里收兵，周德威没回来，庄宗悲哀已极，哭着对众将说："损失了我的良将，这是我的过错啊。"

德威身长面黑，笑不改容，凡对敌列阵，凛凛然有肃杀之风，中兴之朝，号为名将。及其殁也，人皆惜之。同光初，追赠太师。天成中，诏与李嗣昭、符存审配飨庄宗庙廷。晋高祖即位，追封燕王。

子光辅，历汾、汝州刺史。

【译文】

周德威身材魁伟，面目黝黑，笑起来容貌不改，每当临阵对敌，威风凛凛有一种肃杀的气度。在朝廷中兴时期，号称名将，他死后，人们都痛惜不已。同光初年，朝廷追赠周德威为太师。天成年间，下诏把周德威和李嗣昭、符存审的灵牌放入庄宗庙内。晋高祖即位后，又追封周德威为燕王。

周德威的儿子周光辅，历任汾、汝州刺史。

冯道传

冯道，字可道，瀛州景城人。其先为农为儒，不恒其业。道少纯厚，好学能文，不耻恶衣食，负米奉亲之外，唯以披诵吟讽为事，虽大雪拥户，凝尘满席，湛如也。天祐中，刘守光署为幽州掾。守光引兵伐中山，访于僚属，道常以利害箴之，守光怒，置于狱中，寻为人所救免。守光败，遁归太原，监军使张承业辟为本院巡官。承业重其文章履行，甚见待遇。时有周玄豹者，善人伦鉴，与道不洽，谓承业曰："冯生无前程，公不可过用。"时河东记室卢质闻之曰："我曾见杜黄裳司空写真图，道之状貌酷类焉，将来必副大用，玄豹之言不足信也。"承业寻荐为霸府从事，俄署太原掌书记，时庄宗并有河北，文翰甚繁，一以委之。

庄宗与梁军夹河对垒，一日，郭崇韬以诸校伴食数多，主者不办，请少罢减。庄宗怒曰："孤为效命者设食都不自由，其河北三镇，令三军别择一人为帅，孤请归太原以避贤路。"遽命道对面草词，将示其众。道执笔久之，庄宗正色促焉，道徐起对曰："道所掌笔砚，敢不供职。今大王屡集大功，方平南寇，崇韬所谏，未至过当，阻拒之则可，不可以向来之言，喧动群议，敌人若知，谓大王君臣之不和矣。幸熟而思之，则天下幸甚也。"俄而崇韬入谢，因道之解焉，人始重其胆量。

【译文】

冯道，瀛洲景城人，字号可道。他的祖先有的务农，有的从学，没有固定从事的职业。冯道小时候就纯朴厚道，喜欢学习，善于写作，不以布衣食物粗劣为耻，除了供养孝敬养父母之外，其余时间都用作诵读诗书典籍，不论是大雪封门，还是积尘满席，他也仍然平淡自足。

在天祐年间，他被刘守光任用为幽州掾吏。当刘守光领兵攻伐中山时，刘守光向幕僚属吏咨询，而冯道却经常用成败关系重大来规谏他。刘守光大怒，把冯道关押在监狱中，随即被人解救。刘守光失败后，冯道逃奔到太原，监军使张承业招他为本院巡官。张承业器重冯道的文章操行，冯道很受礼遇厚待。当时有个叫周玄豹的，善于评论人，但与冯道不融洽，就对张承业说："姓冯的没有发展的前途，您不可过分任用。"当时河东记室卢质闻知此言说："我曾见过杜黄裳司空的肖像图，冯道的相貌和他十分类似，将来必受重用，周玄豹的话不值得听信。"张承业随即荐举冯道为河东镇府从事，不久又被委任为太原掌书记。当时庄宗李存勖兼并占有河北，文书事务极为繁忙，全委托给冯道处理。

庄宗同梁军在黄河两岸对峙。一天，郭崇韬因众将校中吃闲饭无事可做的人数量过多，主管部门供给不上，请求稍稍裁减。李存勖发怒说："我为卖命效力的人谋取食物都不自由，对于河北三镇三军将士另外选择一个人当主帅，我自请返归太原来为贤者让路。"他立即命令冯道当面草拟文辞，准备向他的部众宣布。冯道执笔很久，李存勖神色严肃地催促他，冯道慢慢地起身回答说："我所担任的是文职工作，怎敢不按职责办事。但如今大王屡建大功，正在平定南方贼寇，郭崇韬的进谏，并不过分失当，拒绝他就可以了。千万不可用刚才的话，引起部众喧哗骚动。敌人倘若知道，就认为大王君臣之间不和了。望您深思熟虑，则天下大幸啊。"不一会儿郭崇韬前来道歉，这是由于冯道的劝解，人们这才看重冯道的胆量。

庄宗即位邺宫，除省郎，充翰林学士，自绿衣赐紫。梁平，迁中书舍人、户部侍郎。丁父忧，持服于景城。遇岁俭，所得俸余，悉赈于乡里，道之所居，唯蓬茨而已，凡牧宰馈遗，斗粟匹帛，无所受焉。时契丹方盛，素闻道名，欲掠而取之，会边人有备，获免。

明宗入洛，遽谓近臣安重诲曰："先帝时冯道郎中何在？"重诲曰："近除翰林学士。"明宗曰："此人朕素谙悉，是好宰相。"俄拜端明殿学士，端明之号，自道始也。未几，迁中书侍郎、刑部尚书平章事。凡孤寒士子，抱才业、素知识者，皆与引用，唐末衣冠，履行浮躁者，必抑而置之。有工部侍郎任赞，因班退，与同列戏道于后曰："若急行，必遗下《兔园册》。"道知之，召赞谓曰："《兔园册》皆名儒所集，道能讽之。中朝士子止看文场秀句，便为举业，皆窃取公卿，何浅狭之甚耶！"

赞大愧焉。复有梁朝宰臣李琪，每以文章自擅，曾进《贺平中山王都表》，云“复真定之逆城”。道让琪曰：“昨来收复定州，非真定也。”琪昧于地理，顿至折角。其后百僚上明宗徽号凡三章，道自为之，其文浑然，非流俗之体，举朝服焉。道尤长于篇咏，秉笔则成，典丽之外，义含古道，必为远近传写，故渐畏其高深，由是班行肃然，无浇醨之态。继改门下侍郎、户部吏部尚书、集贤殿弘文馆大学士，加尚书左仆射，封始平郡公。一日，道因上谒既退，明宗顾谓侍臣曰：“冯道性纯俭，顷在德胜寨居一茅庵，与从人同器食，卧则刍藁一束，其心晏如也。及以父忧退归乡里，自耕樵采，与农夫杂处，略不以素贵介怀，真士大夫也。”

【译文】

庄宗在邺宫即位，任命冯道为尚书省郎官，充翰林学士，官服由绿衣改赐高官的紫服。在平定梁朝时，他又被迁升为中书舍人、户部侍郎。到他父亲去世后，冯道在景城守孝服丧。灾荒之年，冯道便将自己所得俸禄的节余，全用作赈济分给乡里百姓。冯道所居住的，只是柴门茅屋而已。凡是州守县令的馈赠，冯道连一斗粮食、一匹绢帛都不接受。当时契丹势力正盛，早就听说冯道的名声，打算劫掠而夺取他；适逢边境军队有防备，冯道得以免遭厄运。

唐明宗进入洛阳之时，立即对身边大臣安重诲说：“先皇帝时的冯道郎中现在在什么地方呢？”安重诲回答道：“新近被任命为翰林学士。”明宗说：“这个人朕非常熟悉，他是个好宰相。”不久任命冯道为端明殿学士。因而端明这个称号，从冯道开始使用。不久，冯道迁升中书侍郎、刑部尚书平章事。凡是出身卑微的士人学子，具有才干学识的，冯道全都加以引荐任用；像唐末官员操行浮躁的，冯道必定抑制而弃置不用。有个工部侍郎任赞，趁着列班退朝，和同僚在后面奚落冯道说：“倘若行走太急，必定会掉下《兔园册》(乡儒习书)。”冯道知道后，召见任赞说：“《兔园册》都是名儒所集录的，我能背诵。朝中士人只看考场文章的佳句，便当作科举学业，都想借以窃取公卿高位，为何浮浅狭隘到如此地步呀！”任赞大为惭愧。又有原后梁宰辅大臣李琪，常以写文章作为自己的专长，曾经献进《贺平中山王都表》，说什么“收复真定之叛城”。冯道责备李琪说："日前收复的是定州，不是真定。"李琪不明地理，顿时被驳正受挫。此后朝廷百官总共三次进献上明宗徽号的表章，都由冯道亲笔撰写。其文浑然一体，不同流行庸俗的体制，举朝上下为之叹服。冯道尤其擅长文章诗词，提笔即成，除了词语典雅华丽之外，还具义理包含古道，必定被远近四方传诵抄写。所以群臣逐渐敬畏冯道学问的高深，从此朝班行列风气严肃，没有轻薄之态。接着冯道改官门下侍郎、户部吏部尚书、集贤殿弘文馆大学士，加官尚书左仆射，封始平郡公。有一天，在冯道朝见退下后，唐明宗回头对侍从大臣说："冯道天性纯朴，先前在德胜寨居住在一个茅草小庵，和随从同用一个餐具吃饭，睡觉就用干草一捆，他心境平和、安定。当他因父亲去世离任回乡，一点不把尊贵放在心上，亲自从事耕作打柴，和农夫共处，是真正的士大夫啊。"

天成、长兴中，天下屡稔，朝廷无事。明宗每御延英，留道访以外事，道曰："陛下以至德承天，天以有年表瑞，更在日慎一日，以答天心。臣每记在先皇霸府日，曾奉使中山，经井陉之险，忧马有蹶失，不敢怠于衔辔。及至平地，则无复持控，果为马所颠仆，几至于损。臣所陈虽小，可以喻大。陛下勿以清晏丰熟，便纵逸乐，兢兢业业，臣之望也。"明宗深然之。他日又问道曰："天下虽熟，百姓得济否？"道曰："谷贵饿农，谷贱伤农，此常理也。臣忆得近代有举子聂夷中《伤田家诗》云：'二月卖新丝，五月粜秋谷，医得眼下疮，剜却心头肉。我愿君王心，化作光明烛，不照绮罗筵，偏照逃亡屋。"明宗曰："此诗甚好。"遂命侍臣录下，每自讽之。道之发言简正，善于裨益，非常人所能及也。时以诸经舛缪，同列李愚委学官田敏等，取西京郑覃所刊石经，雕为印板，流布天下，后进赖之。

明宗崩，唐末帝嗣位，以道为山陵使，礼毕，出镇同州，循故事也。道为政闲淡，狱市无挠。一日，有上介胡饶，本出军吏，性粗犷，因事诟道于衙门，左右数报不应。道曰："此必醉耳！"因召入，开尊设食，尽夕而起，无挠愠之色。未几，入为司空。

【译文】

在天成、长兴年间，全国各地都连年丰收，朝廷内外清闲无事。唐明宗每次在延英殿会见朝臣，都留下冯道向他咨询外部事宜。冯道说：“陛下的德行奉天承运，上天便用年成丰收来指示吉祥，然而现在更需陛下一天比一天谨慎，用以回报上天的心意。臣常常回忆起在先皇藩镇府邸时，曾奉命出使中山，经过井陉的险关，担心马会失蹄跌倒，不敢大意放松缰绳；但当我走到平地，就不再留心控制，结果被马绊倒，差点丧命。臣下所陈述的事虽然小，却可以比喻大事。陛下不要因为太平丰收，便放纵享乐；而君主您依然兢兢业业，是臣下所盼望的。”唐明宗深以为是。又有一天，明宗又问冯道说：“天下虽然丰收，但百姓能得到接济否？”冯道说：“粮价贵了农民要受饿，粮价贱了又会伤农。臣下记得近代有个举子聂夷中写的《伤田家诗》云：‘二月卖新丝，五月粜秋谷，医得眼下疮，剜却心头肉。我愿君王心，化作光明烛，不照绮罗筵，偏照逃亡屋，’”明宗说：“此诗很好。”马上命令侍臣记录下来，经常自己讽诵。冯道发表言论简洁纯正，善于裨益朝政，不是常人所能比得上的。当时因为各种儒学经文大多错误很多，冯道就和同僚李愚委托学官田敏等人，用西京郑覃所刊石经，雕成可供印刷的木版，颁发全国各地，后来求学的人获益匪浅。

唐明宗去世后，唐末帝继位，任用冯道为山陵使，明宗的葬礼结束后，冯道离京领镇同州，这是依照惯例安排的。冯道为政清闲淡泊，凡政治经济政策不做太多更动，无所干扰。一天，有个上介人胡饶，原本出身军吏，性格粗鲁，因为某事在衙门辱骂冯道，左右侍从多次报告，冯道都不加理睬。冯道说：“他必定是醉了！”因而召见入内，陈列樽俎摆设食物，到晚上胡饶才起身回去，冯道脸上没有恼怒之色。不久，冯道又入京为司空。

契丹入汴，道自襄、邓召入，戎王因从容问曰：“天下百姓，如何可救？”道曰：“此时百姓，佛再出救不得，唯皇帝救得。”其后衣寇不至伤夷，皆道与赵延寿阴护之所至也。

是岁三月，随契丹北行，与晋室公卿俱抵常山。俄而戎王卒，永康王代统其众。及北去，留其族解里以据常山。时汉军愤激，因共逐出解里，寻复其城。道率同列，四出按抚，因事从宜，各安其所。人或推其功，道曰：“儒臣何能为，皆诸将之力也。”道以德重，人所取则，乃为众择诸将之勤宿者，以骑校白再荣权为其帅，军民由是帖然，道首有力焉。道在常山，见有中国士女为契丹所俘者，出橐装以赎之，皆寄于高尼精舍，后相次访其家以归之。

又，契丹先留道与李崧、和凝及文武官等在常山，是岁闰七月二十九日，契丹有伪诏追崧，令选朝士十人赴木叶山行事。契丹麻答召道等至帐所，欲谕之，崧偶先至，知其旨，惧形于色。麻答将以明日与朝士齐遣之，崧乃不俟道，与凝先出，既而相遇于帐门之外，因与分手俱归。俄而李筠等纵火与契丹交斗，鼓噪相及。是日若齐至，与麻答相见，稍或踌躇，则悉为俘矣。时论者以道布衣有至行，立公朝有重望，其阴报昭感，多此类也。

【译文】

契丹攻入汴京，冯道由襄、邓地区被征召入朝，契丹国主就随和地问他："怎样才可解救天下百姓？"冯道说："这时的百姓，就是佛祖再出世都不能救助他们，而今只有皇帝您能救得了。"后来中原百姓不至斩尽杀绝，都靠冯道和赵延寿暗地里救护的结果。

就在这年三月，冯道随契丹人北上，和晋室公卿大臣一齐抵达常山。不久，契丹国主去世，永康王耶律兀接着统率契丹部众。当永康王北归离去，留下他本族耶律解里占据常山。当时汉军群情激愤，就一同赶走解里，旋即光复常山城。冯道率领同僚，四处安抚，因事制宜，分别安定各方。有人推许他的功劳，冯道说："儒臣能做什么，这都是众将领的力量啊。"冯道以德行受到尊重，成为人们效法的榜样，于是为部众挑选将领中勤勉老成的，让骑校白再荣临时为主帅。军队因此能够安定顺服，冯道在其中起到首要作用。冯道在常山，经常用行李中的钱财来赎取被契丹军队所俘获的中原男女，把他们暂时安置在僧尼寺院，然后一一寻访他们的家人送他们回家。

又有一事，契丹人先前留下冯道和李崧、和凝以及文武官员等在常山。在这年的闰七月二十九日，耶律兀下诏书征召李崧，要他挑选朝廷官员十人赶赴木叶山安葬耶律德光。契丹将领麻答召见冯道等到帅帐，准备通知他们，李崧偶然先到，得知诏书旨意，现出恐惧的神色。麻答准备在第二天将他们和十名朝廷官员一齐遣送，李崧于是不等冯道到来，同和凝先出走；过了一会儿冯道和他们在帐门外相遇，就离开契丹人一起回归。不久李筠等纵火同契丹军队交战，刀枪相加。这天倘若冯道和李崧等一齐到达，和麻答相见，稍有犹豫，就全被契丹俘获了。当时评论的人认为冯道当平民时就有高尚品行，有重大声望远播朝廷内外，他感通神灵而受到暗中保护，因此他的事迹大多都是这一类。

及自常山入觐，汉祖嘉之，拜守太师。乾祐中，道奉朝请外，平居自适。一日，著《长乐老自叙》云：

“余世家宗族，本始平、长乐二郡，历代之名实，具载于国史家牒。余先自燕亡归晋，事庄宗、明宗、闵帝、清泰帝，又事晋高祖皇帝、少帝。契丹据汴京，为戎主所制，自镇州与文武臣僚、马步将士归汉朝，事高祖皇帝、今上。顾以久叨禄位，备历艰危，上显祖宗，下光亲戚。亡曾祖讳凑，累赠至太傅，亡曾祖母崔氏，追封梁国太夫人；亡祖讳炯，累赠至太师，亡祖母褚氏，追封吴国太夫人；亡父讳良建，秘书少监致仕，累赠至尚书令，母张氏，追封魏国太夫人。

余阶自将仕郎，转朝议郎、朝散大夫、银青光禄大夫、金紫光禄大夫、特进、开府仪同三司。职自幽州节度巡官、河东节度巡官、掌书记，再为翰林学士，改授端明殿学士、集贤殿大学士、太微宫使，再为弘文馆大学士，又充诸道盐铁转运使、南郊大礼使、明宗皇帝晋高祖皇帝山陵使，再授定国军节度、同州管内观察处置等使，一为长春宫使，又授武胜军节度、邓随均房等州管内观察处置等使。官自摄幽府参军、试大理评事、检校尚书祠部郎中兼侍御史、检校吏部郎中兼御史中丞、检校太尉，同中书门下平章事、检校太师、兼侍中，又授检校太师、兼中书令。正官自行台中书舍人，再为户部侍郎，转兵部侍郎、中书侍郎，再为门下侍郎、刑部吏部尚书、右仆射，三为司空，两在中书，一守本官，又授司徒、兼侍中，赐私门十六戟，又授太尉、兼侍中，又授戎太傅，又授汉太师。爵自开国男至开国公、鲁国公，再封秦国公、梁国公、燕国公、齐国公。食邑自三百户至一万一千户，食实封自一百户至一千八百户。勋自柱国至上柱国。功臣名自经邦致理翊赞功臣至守正崇德保邦致理功臣、安时处顺守义崇静功臣、崇仁保德宁邦翊圣功臣。

【译文】

冯道从常山入京觐见，汉高祖赞赏他，任命他为守太师。乾祐年间，冯道平时安闲自适，除了上朝觐见外。有一天，他写了一篇《长乐老自叙》云：

“我出身于世代承袭的宗族，出自始平、长乐二郡，历代人的声名业绩，都记载在国史和家谱之中。我先从燕地逃归太原，侍奉唐庄宗、明宗、闽帝、清泰帝，又侍奉晋高祖皇帝、少帝。契丹入据汴京，被戎狄君主所挟制，从镇州和文武臣僚、马步军将士投归汉朝，侍奉高祖皇帝、当今皇上。回顾自己长久享受俸禄官位，经历各种艰难危险，上可显耀祖宗，下能光荣亲戚。已故曾祖名讳凑，屡次赠授官至太傅，已故曾祖母崔氏，追封为梁国太夫人；已故祖父名讳炯，屡次赠授官至太师，已故祖母褚氏，追封为吴国太夫人；已故父亲名良建，曾以秘书少监退休，最终赠官至尚书令，母亲张氏，追封为魏国太夫人。

“我的官阶由将仕郎，升为朝议郎、朝散大夫、银青光禄大夫、金紫光禄大夫、特进、开府仪同三司。职务从幽州节度巡官、河东节度巡官到掌书记，再为翰林学士，改授端明殿学士、集贤殿大学士、太微宫使，再为弘文馆大学士，又充任诸道盐铁转运使、南郊大礼使、唐明宗皇帝晋高祖皇帝山陵使，再授定国军节度、同州管内观察处置等使，一为长春宫使，又授武胜军节度、邓随均房等州管内观察处置等使。官从摄幽州参军、试大理评事、检校尚书祠部郎中兼侍御史、检校吏部郎中兼御史中丞、检校太尉，直到同中书门下平章事、检校太师、兼侍中，又授检校大师、兼中书令。正官从行台中书舍人，再为户部侍郎，转兵部侍郎、中书侍郎，再为门下侍郎。刑部吏部尚书、右仆射，三为司空，两在中书，一守本官，又授司徒、兼侍中，赐私门十六戟，又授太尉、兼侍中，又授契丹太傅，又授汉太师。爵从开国男至开国公、鲁国公，再封秦国公、梁国公、燕国公、齐国公。食邑由三百户增加到一万一千户，实际享受的租赋从一百户至一千八百户。我的功勋从柱国至上柱国。我的功臣名号从经邦致理翊赞功臣，至守正崇德保邦致理功臣、安时处顺守义崇静功臣、崇仁保德宁邦翊圣功臣。

“先娶故德州户掾褚讳濆女，早亡；后娶故景州弓高县孙明府讳师礼女，累封蜀国夫人。亡长子平，自秘书郎授右拾遗、工部度支员外郎；次子吉，自秘书省校书郎授膳部金部职方员外郎、屯田郎中；第三亡子可，自秘书省正字授殿中丞、工部户部员外郎；第四子幼亡；第五子义，自秘书郎改授银青光禄大夫、检校国子祭酒兼御史中丞，充定国军衙内都指挥使，职罢改授朝散大夫、左春坊太子司议郎、授太常丞；第六子正，自协律郎改授银青光禄大夫、检校国子祭酒兼御史中丞，充定国军节度使，职罢，改授朝散大夫、太仆丞。长女适故兵部崔侍郎讳衍子太仆少卿名绚，封万年县君；三女子早亡。二孩幼亡。

“唐长兴二年敕，瀛州景城县庄来苏乡改为元辅乡，朝汉里为孝行里。洛南庄贯河南府洛阳县三州乡灵台里，奉晋天福五年敕，三州乡改为上相乡，灵台里改为中台里，时守司徒、兼侍中；又奉八年敕，上相乡改为太尉乡，中台里改为侍中里，时守太尉、兼侍中。

“静思本末，庆及存亡，盖自国恩，尽从家法，承训诲之旨，关教化之源，在孝于家，在忠于国，口无不道之言，门无不义之货。所愿者下不欺于地，中不欺于人，上不欺于天，以三不欺为素。贱如是，贵如是，长如是，老如是，事亲、事君、事长、临人之道，旷蒙天恕，累经难而获多福，曾陷蕃而归中华，非人之谋，是天之佑。

【译文】

“我最先娶了原德州户掾褚讳濆之女，却不幸早年亡故；后来又娶了原景州弓高县明府孙师礼的女儿，她的封号一直加到蜀国夫人。长子冯平，已经病故，由秘书郎授右拾遗、工部度支员外郎；次子冯吉，从秘书省校书郎授膳部金部职方员外郎、屯田郎中；已故第三子冯可，从秘书省正字授殿中丞、工部户部员外郎；第四子幼年亡故；第五子冯义，从秘书郎改授银青光禄大夫、检校国子祭酒兼御史中丞，充任定国军衙内都指挥使，职罢改授朝散大夫、左春坊太子司议郎，授太常丞；第六子冯正，从协律郎改授银青光禄大夫、检校国子祭酒兼御史中丞，充任定国军节度使，职罢改授朝散大夫、太仆丞。长女嫁给原兵部侍郎崔衍之子太仆少卿崔绚，封为万年县君；有三个女儿早年夭亡。两个孙子幼年丧命。

唐长兴二年下诏，瀛洲景城县所在的老家来苏乡改名为元辅乡，朝汉里改为孝行里。洛南老家原籍河南府洛阳县三州乡灵台里，奉晋天福五年敕令，三州乡改为上相乡，灵台里改为中台里，当时我任职司徒、兼侍中；又奉天福八年敕令，上相乡改为太尉乡，中台里改为侍中里，当时我任职大尉、兼侍中。

"冷静思考我一生的经历，生者亡者都得到幸福，这是由于国家的恩惠，全遵从家庭的教育。我承蒙教诲的要义，有关教化的根本在于在家尽孝，在国尽忠，口中不讲不道德的话，家里没有不义之财。我所希望的是下不欺骗地，中不欺骗人，上不欺骗天，以这三不欺为本。我贫贱时这样，显贵时这样，壮年时这样，老年时这样，把这几点作为侍奉双亲、侍奉君主、侍奉尊长、待人接物的准则。得到上天特大的宽恕，我多次经历灾难却能幸存，曾经失身外邦但最终得返回中原，这不是人为的谋略，这是上天的保佑。

"六合之内有幸者，百岁之后有归所。无以珠玉含，当以时服敛，以籧篨葬，及择不食之地而葬焉，以不及于古人故。祭以特羊，戒杀生也，当以不害命之物祭。无立神道碑，以三代坟前不获立碑故。无请谥号，以无德故。

"又念自宾佐至王佐及领藩镇时，或有微益于国之事节，皆形于公籍。所著文章篇咏，因多事散失外，收拾得者，编于家集，其间见其志。知之者，罪之者，未知众寡矣。有庄、有宅、有群书，有二子可以袭其业。于此日五盥，日三省，尚犹日知其所亡，月无忘其所能。为子、为弟、为人臣、为师长、为夫、为父，有子、有犹子、有孙，奉身既有余矣。为时乃不足，不足者何？不能为大君致一统、定八方，诚有愧于历职历官，何以答乾坤之施。时开一卷，时饮一杯，食味、别声、被色，老安于当代耶！老而自乐，何乐如之！时乾祐三年朱明月长乐老序云。"

及太祖平内难，议立徐州节度使刘赟为汉嗣，遣道与秘书监赵上交、枢密直学士王度等往迎之。道寻与赟自徐赴汴，行至宋州，会澶州军变。枢密使王峻遣郭崇领兵至，屯于衙门外，时道与上交等宿于衙内。是日，赟率左右甲士阖门登楼，诘崇所自，崇言太祖已副推戴。左右知其事变，以为道所卖，皆欲杀道等以自快。赵上交与王度闻之，皆惶怖不知所为，唯道偃仰自适，略无惧色，寻亦获免焉。道微时尝赋诗云："终闻海岳归明主，未省乾坤陷吉人。"至是，其言验矣。

【译文】

"天地四方之间有我这样的幸存者，百岁归天后有葬身之地，不要用珠玉含在嘴里入葬，当用平时的服装收殓，用粗竹席裹尸，并要选择不毛之地下葬，这是因为我比不上古代贤人。祭祀只用一只羊，是为了表示戒绝杀生，应当用不伤害生命的物品作为祭品。不要立神道碑，因为我祖上三代坟前没有获得立碑。不要请求谥号，因为我没有德行。

"又考虑到自任幕僚宾佐到君王辅佐以及典领藩镇时，偶尔有稍微对国家有益的事情，都全都记入公家簿籍。我所写的诗歌文章，除因战乱而散失的都编入家集。从中可以看到我的志向，赏识的或指责的，就不知谁多谁少了。我有庄园、有宅第、有大批书籍，有两个儿子可以继承家业。在此一日五次盥洗，一天三次反省，尚能每日知道所失去的，每月不忘记所能做的。我当儿子、当弟弟、当人臣、当师长、当丈夫、当父亲，有儿子、有侄子、有孙子，侍奉我已绰绰有余了。但时间仍然感到不够，感到时间不够的是为什么呢？是不能为君主实现一统天下，安定四面八方；实在有愧于历任职官，还能用什么来报答天地的恩惠？时时读一卷书，时时喝上一杯茶，品尝佳肴，欣赏音乐，身着美衣，在当代就这样安度晚年。晚年能够自寻欢乐，这是多么可喜的事情啊。时乾祐三年，长乐老自序。"

当周太祖平息内部动乱，商议拥立徐州节度使刘赟为汉室继位者，派冯道和秘书监赵上交、枢密直学士王度等前往迎接。冯道和刘赟不久从徐州赶赴汴州，走到宋州，遇到澶州兵变。枢密使王峻派遣郭崇领兵到达，屯驻在宋州军府衙门外，当时冯道和赵上交等人住宿在军府衙内。这一天，刘赟率领侍从武士关上府门登上门楼，盘问郭崇来自何方，郭崇说郭威已经接受推举拥戴即位。刘赟身边将吏知道京城事变后，以为被冯道所出卖，都想杀死冯道等人来痛快一番。赵上交和王度听说后，都惶恐不知所措。只有冯道应付自如，毫无惧色，不久也得以免遭祸难。冯道贫微时曾经赋诗云："终闻海岳归明主，未省乾坤陷吉人。"这时他的话应验。

广顺初，复拜太师、中书令，太祖甚重之，每进对不以名呼。及太祖崩，世宗以道为山陵使。会河东刘崇入寇，世宗召大臣议欲亲征，道谏止之，世宗因言："唐初，天下草寇蜂起，并是太宗亲平之。"道奏曰："陛下得如太宗否？"世宗怒曰："冯道何相少也！"乃罢。及世宗亲征，不令扈从，留道奉太祖山陵。时道已抱疾。及山陵礼毕，奉神主归旧宫，未及祔庙，一夕薨于其第，时显德元年四月十七日也，享年七十有三。世宗闻之，辍视朝三日，册赠尚书令，追封瀛王，谥曰文懿。

道历任四朝，三入中书，在相位二十余年，以持重镇俗为己任，未尝以片简扰于诸侯，平生甚廉俭，逮至末年，闺庭之内，稍徇奢靡。其子吉，尤恣狂荡，道不能制，识者以其不终令誉，咸叹惜之。

【译文】

冯道在周广顺初年又被任命为太师、中书令。周太祖非常器重他，在他每次进朝应对时从不直呼其名。当太祖去世，世宗任命冯道为山陵使。正逢河东刘崇领兵进犯，世宗召见大臣商议，冯道劝谏阻止世宗亲自出征，周世宗就说："唐朝初年，天下草贼蜂起，都是唐太宗亲自领兵平定的。"冯道上奏说："陛下能做到和太祖一样吗？"周世宗发怒说；"冯道何等小看我啊！"于是作罢。及至周世宗亲自出征，不让冯道随从，留冯道侍奉周太祖陵墓。当时冯道已经抱病在身。及至周太祖灵柩安葬大礼完毕，冯道护送神主返归旧宫，还没来得及行祔庙礼，一天晚上在自己宅第里去世，那是显德元年四月十七日，冯道享年七十三岁。周世宗闻讯，停止上朝三天，册封赠授冯道尚书令，追封为瀛王，谥号为文懿。

冯道历任四朝之官，三次进入中书门下，在相位达二十余年，以守成持重稳定天下为自己的职责，没有用片言只语打扰过藩镇诸侯。他平生极为廉洁俭朴，直到晚年，闺阁庭园之内才逐渐趋向奢侈糜费。他的儿子冯吉，特别恣肆放荡，冯道不能约束他；熟识的人因冯道不能最终保持好名声，全都感叹惋惜。

〔新五代史〕

梁本纪

太祖神武元圣孝皇帝，姓朱氏，宋州砀山午沟里人也。其父诚，以《五经》教授乡里，生三子，曰全昱、存、温。诚卒，三子贫，不能为生，与其母佣食萧县人刘崇家。全昱无他材能，然为人颇长者。存、温勇有力，而温尤凶悍。

唐僖宗乾符四年，黄巢起曹、濮，存、温亡入贼中。巢攻岭南，存战死。巢陷京师，以温为东南面行营先锋使，攻陷同州，以为同州防御使。是时，天子在蜀，诸镇会兵讨贼。温数为河中王重荣所败，屡请益兵于巢，巢中尉孟楷抑而不通。温客谢瞳说温曰："黄家起于草莽，幸唐衰乱，直投其隙而取之尔，非有功德兴王之业也，此岂足与共成事哉！今天子在蜀，诸镇之兵日集以谋兴复，是唐德未厌于人也。且将军力战于外，而庸人制之于内，此章邯所以背秦而归楚也。"温以为然，乃杀其监军严实，自归于河中，因王重荣以降。都统王铎承制拜温左金吾卫大将军、河中行营招讨副使，天子赐温名全忠。

【译文】

梁太祖神武元圣孝皇帝，姓朱，是宋州砀山午沟里人。他的父亲朱诚，在乡里教授《五经》，生有三个儿子，名叫朱全昱、朱存、朱温。朱诚去世，三个儿子贫困，不能操持生计，和母亲在萧县人刘崇家打工吃饭。朱全昱没有其他才能，然而为人颇有长者风度。朱存、朱温勇猛有力气，而朱温尤其凶狠强悍。

唐僖宗乾符四年，黄巢在曹州、濮州一带起事，朱存、朱温流亡进入贼寇中间。黄巢进攻岭南，朱存战死。黄巢攻陷京城，任命朱温为东南面行营先锋使。朱温攻陷同州，任命为同州防御使。当时天子唐僖宗在蜀地，各路藩镇会合兵马讨伐贼寇。朱温多次被河中节度使王重荣击败，屡次向黄巢请求增兵，黄巢的中尉孟楷压住不通报。朱温门客谢瞳劝说朱温道：“黄家起于草莽之中，侥幸遇上唐朝衰败动乱，只是时机凑巧而取得成功，不是有功劳德行而振兴统一天下的大业，这哪里值得与他共成事业呢！如今天子在蜀地，各外藩镇的军队日益集结来图谋复兴王室，这表明唐室德运还没有被人厌弃啊！况且将军在外拼力作战，庸人在内极力牵制，这是章邯当年背叛秦朝而归附楚王项羽的形势啊！”朱温认为很有道理，于是杀死他的监军严实，自己向河中归附，通过节度使王重荣投降唐朝。诸道行营都统王铎承奉制命授朱温为左金吾卫大将军、河中行营招讨副使，天子唐僖宗赐朱温名为全忠。

中和三年三月，拜全忠汴州刺史、宣武军节度使。四月，诸镇兵破巢，复京师。巢走蓝田。七月丁卯，全忠归于宣武。是岁，黄巢出蓝田关，陷蔡州，节度使秦宗权叛附于巢，遂围陈州。徐州时溥为东南面行营兵马都统，会东诸镇兵以救陈。陈州刺史赵犨亦乞兵于全忠。溥虽为都统而不亲兵。四年，全忠乃自将救犨，率诸镇兵击败巢将黄邺、尚让等。犨以全忠为德，始附属焉。是时，河东李克用下兵太行，度河，出洛阳，与东兵会击巢。巢已败去，全忠及克用追败之于郾城。巢走中牟，又败之于王满。巢走封丘，又大败之。巢挺身东走，至泰山狼虎谷，为时溥追兵所杀。九月，天子以全忠为检校司徒、同中书门下平章事，封沛郡侯。光启二年三月，进爵王。义成军乱，逐其节度使安师儒，推牙将张骁为留后，师儒来奔，杀之。遣朱珍、李唐宾陷滑州，以胡真为留后。十二月，徙封吴兴郡王。

自黄巢死，秦宗权称帝，陷陕、洛、怀、孟、唐、许、汝、郑州，遣其将秦贤、卢瑭、张晊攻汴。贤军板桥，晊军北郊，瑭军万胜，环汴为三十六栅。王顾兵少，不敢出。乃遣朱珍募兵于东方，而求救于兖、郓。三年春，珍得万人、马数百匹以归。乃击贤板桥，拔其四栅。又击瑭万胜，瑭败，投水死。宗权闻瑭等败，乃自将精兵数千，栅北郊。五月，兖州朱瑾、郓州朱宣来赴援。王置酒军中，中席，王阳起如厕，以轻兵出北门袭晊，而乐声不辍。晊不意兵之至也，兖、郓之兵又从而合击，遂大败之，斩首二万余级。宗权与晊夜走，过郑，屠其城而去。宗权至蔡，复遣张晊攻汴。王闻晊复来，登封禅寺后冈，望晊兵过，遣朱珍蹑之，戒曰："晊见吾兵，必止。望其止，当速返，毋与之斗也。"已而晊见珍在后，果止。珍即驰还。王令珍引兵蔽大林，而自率精骑出其东，伏大冢间。晊止而食，食毕，拔旗帜，驰击珍。珍兵小却，王引伏兵横出，断晊军为三而击之。晊大败，脱身走。宗权怒，斩晊。而河阳、陕、洛之兵为宗权守者，闻蔡精兵皆已歼于汴，因各溃去。故诸葛爽将李罕之取河阳、张全义取洛阳以来附。十月，天子使来，赐王纪功碑。朱宣、朱瑾兵助汴，已破宗权东归，王移檄兖、郓，诬其诱汴亡卒以东，乃发兵攻之，取其曹州、濮州。遂遣朱珍攻郓州，大败而还。十二月，天子使来，赐王铁券及德政碑。

【译文】

中和三年三月，授朱全忠为汴州刺史、宣武军节度使。四月，各路藩镇军队击败黄巢，收复京师。黄巢逃奔到蓝田。七月丁卯日，朱全忠返归宣武军节度使治所汴州。这一年，黄巢军队从蓝田关而出，攻陷蔡州，奉国军节度使秦宗权叛唐归附黄巢，于是围困陈州。徐州感化节度使时溥任东南面行营兵马都统，会同东部各藩镇军队来援救陈州。陈州刺史赵犨也向朱全忠乞求援兵。时溥虽然身为都统而不亲自领兵。中和四年，朱全忠就亲自率领军队救援赵犨，统领其他藩镇军队击败黄巢的将领黄邺、尚让等。赵犨感激朱全忠的恩德，开始附属于他。这时候，河东节度使李克用率军南下太行山，渡过黄河，从洛阳而出，与东面军队会合攻击黄巢。黄巢已经战败离去，朱全忠和李克用追赶到鄄城击败他。黄巢逃奔中岸，又在王满战败。黄巢逃奔至封丘，又被打得大败。黄巢自身向东逃跑，到达泰山狼虎谷，被时溥的追兵杀死。九月，天子唐僖宗封朱全忠为检校司徒、同中书门下平章事，封爵为沛郡侯。唐僖宗光启二年三月，朱全忠晋爵为王。义成军发生叛乱，驱逐节度使安师儒，推举牙将张骁为义成留后，安师儒前来投奔，朱全忠杀了他。朱全忠派遣朱珍、李唐宾攻陷滑州，任命胡真为义成留后。十二月，朱全忠改封为吴兴郡王。

自从黄巢死后，秦宗权自称皇帝，攻陷陕州、洛州、怀州、孟州、唐州、许州、汝州、郑州，派遣他的将领秦贤、卢瑭、张晊进攻汴州。秦贤进军到板桥，张晊进军到汴州北郊，卢瑭进军到万胜，环绕汴州城安扎三十六座营寨。吴兴郡王朱全忠顾忌兵力单薄，不敢出击。于是派遣朱珍到东方招募兵员，同时向兖州、郓州求救。光启三年春天，朱珍募集得兵员一万人、马几百匹而归来。于是进攻板桥的秦贤部，攻拔他的四座营寨。又进攻万胜的卢瑭部，卢瑭战败，投水而死。秦宗权听说卢瑭等部兵败，就亲自率领精兵几千人，在汴州北郊安扎营寨。五月，兖州朱瑾、郓州朱宣前来赶赴救援。吴兴郡王在军中设置酒宴，酒席中间，吴兴郡王假装上厕所，率领轻骑兵出北门袭击张晊，而宴席的鼓乐之声没有停止。张晊不料军队会到达，兖州、郓州的军队又随之合力夹击，于是大败张晊部，斩首二万多级。秦宗权和张晊当夜逃跑，经过郑州，屠杀郑州百姓而后离开。秦宗权到达蔡州，又派遣张晊进攻汴州。吴兴郡王听说张晊又来，登上封禅寺后面山冈，望见张晊军队经过，派遣朱珍跟踪，告诫说："张晊看到我们的军队，一定会停止前进。望见他们停止前进，应当急速返回，不要和他交战。"不久张晊看到朱珍军队在后面，果然停止前进。朱珍立即奔驰返回。吴兴郡王命令朱珍领兵隐蔽在大树林，而自己率领精锐骑兵从东面出来，埋伏在大山之间。张晊停下来吃饭，吃完饭，拔起旗帜，奔驰攻击朱珍军队。朱珍军队稍稍退却，吴兴郡王率领埋伏军队横向出击，将张晊军队断为三截而攻击他。张晊大败，自己脱身逃跑。秦宗权大怒，斩杀张晊。而为秦宗权守卫河阳、陕州、洛州的军队，听说蔡州的精锐部队已经在汴州被歼，因此各自溃散离去。原诸葛爽的将领李罕之取得河阳、张全义取得洛阳前来归附。十月，天子唐僖宗的使者来到，赐给吴兴郡王纪功碑。朱宣、朱瑾军队帮助汴州，已经打败秦宗权向东返回，吴兴郡王移传檄文声讨兖州、郓州，诬陷他们引诱汴州逃亡士兵往东，就调发军队进攻，取得曹州、濮州。接着派遣朱珍进攻郓州，结果大败而归。十二月，天子唐僖宗的使者来到，赐给吴兴郡王铁券和德政碑。

淮南节度使高骈死，杨行密入扬州。天子以王兼淮南节度使。王乃表行密为副使，以行军司马李璠为留后。璠之扬州，行密不纳。文德元年正月，王如淮南，至宋州而还。是时，秦宗权陷襄州，以赵德諲为节度使。德諲叛于宗权以来附。天子因以王为蔡州四面行营都统，以德諲为副。

三月庚子，僖宗崩。天雄军乱，囚其节度使乐彦贞。其子相州刺史从训攻魏，来乞兵。遣朱珍助从训攻魏。而魏军杀彦贞，从训战死，魏人立罗弘信，珍乃还。张全义取河阳，逐李罕之。罕之奔于河东。李克用遣兵围河阳，全义来求救，遣丁会、牛存节救之，击败河东兵于沇河。

【译文】

淮南节度使高骈死去，杨行密进入扬州。天子唐僖宗任命吴兴郡王兼淮南节度使。吴兴郡王于是上表荐举杨行密为节度副使，任命行军司马李璠为留后。李璠前往扬州，杨行密不接纳他。唐僖宗文德元年正月，吴兴郡王前往淮南，到达宋州而返回。当时，秦宗权攻陷襄州，任命赵德諲为节度使。赵德諲背叛秦宗权而来归附。天子唐僖宗因此任命吴兴郡王为蔡州四面行营都统，任命赵德諲为副都统。

三月庚子日，唐僖宗去世。天雄军发动叛乱，囚禁天雄节度使乐彦贞。乐彦贞的儿子相州刺史乐从训进攻魏州，前来求讨援兵。吴兴郡王派遣朱珍援助乐从训进攻魏州。但魏州军队杀死乐彦贞，乐从训战死，魏州人拥立罗弘信，朱珍于是返回。张全义取得河阳，驱逐李罕之。李罕之逃奔到河东。李克用派兵包围河阳，张全义前来求救，吴兴郡王派遣丁会、牛存节救援他，在沇河击败河东军队。

五月，行营讨蔡州，围之百余日，不克。是时，时溥已为东南面都统，又以王统行营而溥犹称都统，王乃上书，论溥讨蔡无功而不落都统，且欲激怒溥以起兵端。初，高骈死，淮南乱，楚州刺史刘瓒来奔，纳之，及王兵攻蔡不克，还，欲攻徐，乃遣朱珍将兵数千以东，声言送瓒还楚州。溥怒论已，又闻珍以兵来，果出兵拒之。珍战于吴康，大败之，取其丰、萧二县。遂攻宿州，下之。珍屯萧县，别遣庞师古攻徐州。龙纪元年正月，师古败溥于吕梁。淮西牙将申丛执秦宗权，折其足，将槛送京师；

别将郭璠杀从，篡宗权以来献。王遣行军司马李璠献俘于京师，表郭璠淮西留后。三月，天子封王为东平王。七月，朱珍杀李唐宾，王如萧县，执珍杀之，遂攻徐州。冬，大雨，水，不能军而旋。

初，秦宗权遣其弟宗衡掠地淮南，是岁，宗衡为其将孙儒所杀，儒攻杨行密于扬州。淮南大乱，行密走宣州，儒入扬州。大顺元年春，遣庞师古攻孙儒于淮南，大败而还。四月，宿州将张筠以宿州复归于时溥，王自将攻之，不克。

【译文】

五月，各路行营讨伐蔡州，包围蔡州城一百多天，没有攻克。这时，时溥已担任东南面都统，又任命吴兴郡王统领各路行营而时溥仍然称都统，吴兴郡王于是上书朝廷，弹劾时溥讨伐蔡州没有功劳而不除去都统之职，并且想要激怒时溥而挑起战争事端。当初，高骈死后，淮南大乱，楚州刺史刘瓒前来投奔，接纳了他，及至吴兴郡王攻打蔡州不下，便返回，准备进攻徐州，就派遣朱珍领兵数千人向东，声称护送刘瓒返回楚州。时溥恼怒吴兴郡王弹劾自己，又听说朱珍领兵前来，果真出兵抵抗。朱珍在吴康交战，大败时溥军队，攻取他的丰、萧二县。于是进攻宿州，攻下宿州。朱珍驻守萧县，另外派遣庞师古进攻徐州。唐昭宗龙纪元年正月，庞师古在吕梁击败时溥。淮西牙将申丛抓获秦宗权，打断他的脚，准备用囚车送往京师；别将郭璠杀死申丛，夺取秦宗权前来献上。吴兴郡王派遣行军司马李璠到京师献俘虏，上表荐举郭璠为淮西留后。三月，天子唐昭宗封吴兴郡王为东平王。七月，朱珍杀死李唐宾，东平王前往萧县，拘捕朱珍而杀了他，于是进攻徐州。冬天，下大雨、发大水，因不能进兵而返回。

当初，秦宗权派遣他的弟弟秦宗衡抢掠淮南土地，这一年，秦宗衡被他的部将孙儒杀死，孙儒前往扬州进攻杨行密。淮南大乱，杨行密逃奔宣州，孙儒进入扬州。唐昭宗大顺元年春天，东平王派遣庞师古到淮南攻打孙儒，大败而归。四月，宿州将领张筠率宿州重新归附时溥，东平王亲自领兵攻打宿州，没有攻克。

初，黄巢败走，李克用追之，至于冤朐，不及而旋。过汴，驻军于北郊，王邀克用置酒上源驿，夜以兵攻之。克用逾城而免，讼其事于京师，天子知曲在汴而和解之。至是，宰相张浚私与汴交，王厚之以赂，浚为汴请伐河东。唐诸大臣皆以为不可兴师。浚挟汴力，请益坚。天子不得已，许之。五月，以浚为太原四面行营都统，王为东南面招讨使。然王不亲兵，以兵二千属浚而已。浚屯于阴地。河东叛将冯霸杀潞州守将李克恭来降，遣葛从周入潞州。李克用遣康君立攻之，从周走河阳。九月，王如河阳。十月，天子以王兼宣义军节度使，遂如滑州，假道于魏，以攻河东，且责其军须，亦所以怒魏为兵端也。魏人果以谓非兵所当出，而辞以粮乏，皆不许。于是攻魏。十一月，张浚之师大败于阴地。二年正月，王及魏人战于内黄，大败之，屠故元城，罗弘信来送款。十月，克宿州。十一月，曹州将郭绍宾杀其刺史郭饶来降。十二月，丁会败朱瑾于金乡。景福元年二月，攻郓州，前军朱友裕败于斗门，王军后至，又败而还。冬，友裕取濮州，遂攻徐州。二年四月，庞师古克徐州，杀时溥。王如徐州，以师古为留后，遂攻兖、郓。

乾宁元年二月，王及朱宣战于渔山，大败之。二年八月，又败宣于梁山。十一月，又败之于钜野。兖、郓求救于河东，李克用发兵救之，假道于魏。既而魏人击之，克用怒，大举攻魏。罗弘信来求救，遣葛从周救魏。是岁，李克用封晋王。三年五月，战于洹水，擒克用子落落，送于魏，杀之。七月，凤翔李茂贞犯京师，天子出居于华州。王请以兵赴难，天子优诏止之。又请迁都洛阳，不许。四年正月，庞师古克郓州，王如郓州，以朱友裕为留后。遂攻兖州。朱瑾奔于淮南，以葛从周为兖州留后。九月，攻淮南，庞师古出清口，葛从周出安丰，王军屯于宿州。杨行密遣朱瑾先击清口，师古败死。从周亟返兵，至于淠河，瑾又败之。王惧，驰归。

【译文】

当初，黄巢兵败逃跑，李克用追赶，到达冤朐，没有追上而返回。路过汴州，在城北郊外驻军，东平王在上源驿馆设置酒宴邀请李克用，夜晚却领兵进攻他。李克用越墙逃跑而免一死，到京师对此事提起诉讼，天子唐昭宗明知汴州理亏而进行和解。到这时，宰相张浚私下与汴州结交，东平王厚加贿赂，张浚替汴州请求讨伐河东李克用。唐朝廷众大臣都认为不应当兴师出兵。张浚挟持汴州力量，请求越发坚决。天子唐昭宗不得已，准许张浚之请。五月，任命张浚为太原四面行营都统，东平王为东南面招讨使。然而东平王不亲自领兵，只将两千军队交给张浚而已。张浚驻扎在阴地。河东叛将冯霸杀死潞州守将李克恭前来投降，派遣葛从周进入潞州。李克用派遣康君立攻打潞州，葛从周逃奔到河阳。九月，东平王前往河阳。十月，天子唐昭宗任命东平王兼宣义节度使，于是前往滑州，向魏州借路，来进攻河东，并且求取军饷，也为了激怒魏州制造兵争事端。魏州人果真认为不应当出兵，同时以粮食缺乏推却，全都不答应。于是进攻魏州。十一月，张浚的军队在阴地大败。唐昭宗大顺二年正月，东平王与魏人在内黄交战，大败魏人，屠杀原元城，罗弘信派人来表示归顺。十月，攻克宿州。十一月，曹州将领郭绍宾杀死曹州刺史郭饶前来投降。十二月，丁会在金乡击败朱瑾。唐昭宗景福元年二月，进攻郓州，前头部队朱友裕在斗门战败，东平王率领军队随后到达，又战败而返回。冬天，朱友裕取得濮州，于是进攻徐州。唐昭宗景福二年四月，庞师古攻克徐州，杀死时溥。东平王前往徐州，任命庞师古为留后，于是进攻兖州、郓州。

唐昭宗乾宁元年二月，东平王同朱宣在渔山交战，大败朱宣。乾宁二年八月，又在梁山击败朱宣。十一月，又在钜野击败朱宣。兖州、郓州向河东求救，李克用发兵救援他们，向魏州借路。不久魏人攻击河东，李克用发怒，大举进攻魏州。罗弘信前来请求救援，东平王派遣葛从周救援魏州。这一年，李克用被封为晋王。乾宁三年五月，在洹水作战，擒获李克用的儿子李落落，送到魏州，杀死他。七月，凤翔节度使李茂贞侵犯京师，天子唐昭宗出京居住在华州。东平王请示率军队赶赴京城救难，天子唐昭宗下诏优抚制止出兵。又请求将京都迁到洛阳，没有准许。乾宁四年正月，庞师古攻克郓州，东平王前往郓州，任命朱友裕为郓州留后。于是进攻兖州。朱瑾逃奔到淮南，任命葛从周为兖州留后。九月，进攻淮南，庞师古从清口出兵，葛从周从安丰出兵，东平王进军驻扎在宿州。杨行密派遣朱瑾先攻击清口，庞师古战败身亡。葛从周急忙率兵返回，到达淠河，朱瑾又击败葛从周。东平王感到恐惧，飞驰返归。

光化元年三月，天子以王兼天平军节度使。四月，遣葛从周攻晋之山东，取邢、洺、磁三州。襄州赵匡凝自其父德諲时来附，匡凝又与杨行密、李克用通，而其事泄。七月，遣氏叔琮、康怀英攻匡凝，取其泌、随、邓三州。匡凝请和乃止。十二月，李罕之以潞州来降。二年，幽州刘仁恭攻魏，罗绍威来求救。王救魏，败仁恭于内黄。四月，遣氏叔琮攻晋太原，不克。七月，李克用取泽、潞。十一月，保义军乱，杀其节度使王珙，推其牙将李璠为留后，其将朱简杀璠来降。以简为保义军节度使。三年四月，遣葛从周攻刘仁恭之沧州，取其德州，及仁恭战于老鸦堤，大败之。八月，晋取洺州。王如洺州，复取之。是时，镇、定皆附于晋。遂攻镇州，破临城，王镕来送款。进攻定州，王郜奔于晋，其将王处直以定州降。

唐宦者刘季述作乱，天子幽于东宫。天复元年正月，护驾都头孙德昭诛季述，天子复位。封王为梁王。遣张存敬攻王珂于河中，出含山，下晋、绛二州。王珂求救于晋，晋不能救，乃来降。三月，大举攻晋。氏叔琮出太行，取泽、潞。葛从周、张存敬、侯言、张归厚及镇、定之兵，皆会于太原，围之，不克，遇雨而还。五月，天子以王兼河中尹、护国军节度使。六月，晋取慈、隰。

【译文】

唐昭宗光化元年三月，天子任命东平王兼天平军节度使。四月，东平王派遣葛从周进攻晋王的山东一带，夺取邢州、洺州、磁州等三州。襄州赵匡凝自从他父亲赵德諲时前来归附，但赵匡凝又私下同杨行密、李克用交往，而这事情泄露。七月，东平王派遣氏叔琮、康怀英进攻赵匡凝，夺取他的泌、随、邓三州。赵匡凝求和才罢休。十二月，李罕之率潞州前来投降。光化二年，幽州节度使刘仁恭进攻魏州，罗绍威前来请求救援。东平王出兵救援魏州，在内黄击败刘仁恭。四月，派遣氏叔琮进攻晋太原，没有攻克。七月，李克用夺取泽州、潞州。十一月，保义军叛乱，杀死节度使王珙，推举牙将李璠为保义留后，保义将领朱简杀死李璠前来投降。任命朱简为保义军节度使。光化三年四月，东平王派遣葛从周进攻刘仁恭的沧州，取得他的德州，同刘仁恭在老鸦堤交战，大败刘仁恭。八月，晋王取得洺州。东平王前往洺州，又收复洺州。当时，镇州、定州都归附于晋王。于是进攻镇州，攻破临城，王镕前来献表归顺。进兵攻打定州，王郜逃奔到太原，王郜的将领王处直率定州投降。

唐朝宦官刘季述发动叛乱，天子唐昭宗被幽禁在东宫。唐昭宗天复元年正月，护驾都头孙德昭诛杀刘季述，天子恢复帝位。封东平王为梁王。梁王派遣张存敬向河中进攻王珂，从含山出兵，攻下晋、绛二州。王珂向晋王求救，晋王未能救援，于是前来投降。三月，梁王大举进攻晋王。氏叔琮从太行出兵，取得泽州、潞州。葛从周、张存敬、侯言、张归厚以及镇州、定州的军队，都会合到太原，包围太原，没有攻克，遇天下大雨而返回。五月，天子任命梁王兼河中尹、护国军节度使。六月，晋王取得慈州、隰州。

自刘季述等已诛，宰相崔胤外与梁交，欲假梁兵尽诛宦者。而凤翔李茂贞、邠宁王行瑜等皆遣子弟以精兵宿卫天子，宦官韩全诲等亦因恃以为助。天子与胤计事，宦者属耳，颇闻之。乃选美女，内之宫中，阴令伺察其实。久之，果得胤奏谋所以诛宦者之说，全诲等大惧，日夜相与涕泣，思图胤以求全。胤知谋泄，事急，即矫为制，召梁兵入诛宦者。十月，王以宣武、宣义、天平、护国兵七万，至于河中，取同州，遂攻华州，韩建出降。全诲等闻梁王兵且至，即以岐、邠宿卫兵劫天子奔于凤翔。王乃上书言胤所以召之之意。天子怒，罢胤相，责授工部尚书，诏梁兵还镇。王引兵去，攻邠州，屯于三原。邠州节度使杨崇本以邠、宁、庆、衍四州降。崔胤奔于华州。二年春，王退军于河中。晋攻晋、绛。遣朱友宁击败晋军于蒲县，取汾、慈、隰，遂围太原，不克而还，汾、慈、隰复入于晋。四月，友宁引兵西，至兴平，及李茂贞战于武功，大败之。王兵犯凤翔，茂贞数出战，辄败，遂围之。十一月，鄜坊李周彝以兵救凤翔，王遣孔勍袭鄜州，虏周彝之族，徙于河中，周彝乃降。是时，岐兵屡败，而围久，城中食尽，自天子至后宫，皆冻馁。三年正月，茂贞杀韩全诲等二十人，囊其首，示梁军，约出天子以为解。甲子，天子出幸梁军。遣使者驰召崔胤，胤托疾不至。王使人戏胤曰："吾未识天子，惧其非是，子来为我辨之。"天子还至兴平，胤率百官奉迎。王自为天子执辔，且泣且行，行十余里，止之。人见者，咸以为忠。己巳，天子至自凤翔，素服哭于太庙而后入，杀宦者七百余人。二月甲戌，天子赐王"回天再造竭忠守正功臣"，以辉王祚为诸道兵马元帅，王为副元帅。王乃留子友伦为护驾指挥使，以为天子卫，引兵东归。天子饯于延喜楼，赐《杨柳枝》五曲。

【译文】

自从刘季述等人已被诛杀，宰相崔胤与朝外梁王交结，打算利用梁王的军队杀尽宦官。凤翔节度使李茂贞、邠宁节度使王行瑜等都派遣子弟率领精兵值宿护卫天子，宦官韩全诲等也乘机依仗他们作为援助。天子与崔胤计议政事，宦官耳目相接，听说不少情况。宦官于是选送美女，安插在宫中，暗中让她们监视天子的动静。过了一段时间，果然，获得崔胤奏陈图谋诛杀宦官的计划，韩全诲等人大为惊恐，日夜相互一起流泪哭泣，想法对付崔胤来企求保全自己。崔胤得知密谋泄露，事情紧急，立即假造制令，召梁王军队入京诛杀宦官。十月，梁王率宣武、宣义、天平、护国四镇七万军队，到达河中，取得同州，于是进攻华州，韩建出城投降。韩全诲等听说梁王军队将要到达，立即用岐州、邠州的值宿警卫部队劫持天子逃奔到凤翔。梁王于是上书陈述崔胤召见自己来的意思。天子发怒，罢免崔胤的宰相职务，斥责贬授工部尚书，诏令梁王军队返回藩镇。梁王领兵离去，进攻邠州，在三原驻扎。邠州节度使杨崇本率邠、宁、庆、衍四州投降。崔胤逃奔到华州。天复二年春天，梁王退兵到河中。晋王进攻晋州、绛州。梁王派遣朱友宁出击，在蒲县打败晋王军队，夺取汾州、慈州、隰州，于是围攻太原，没有攻克而返回，汾州、慈州、隰州又落入晋王之手。四月，朱友宁领兵西进，到达兴平，与李茂贞在武功交战，大败李茂贞。梁王军队进犯凤翔，李茂贞多次出城迎战，都战败，梁王军队于是围困凤翔。十一月，鄜坊节度使李周彝领兵救援凤翔，梁王派遣孔勍袭击鄜州，俘虏李周彝家族，将他们迁徙到河中，李周彝于是投降。当时，岐州军队屡遭战败，而且围城已久，凤翔城中粮食耗尽，从天子直至后宫嫔妃，都受冻挨饿。天复三年正月，李茂贞杀死韩全诲等二十人，将首级装入口袋，给梁王军队看，约定放出天子来作为和解条件。甲子日天子出城到达梁王军中。梁王派遣使者骑马奔驰召见崔胤，崔胤推托有病不来。梁王派人对崔胤开玩笑说："我不认识天子，恐怕来人不是真的，您来替我辨认天子。"天子返回到达兴平，崔胤率领文武百官迎接。梁王亲自为天子牵马缰绳，一边流泪一边行走，走了十几里，才止步。人们看见这情形，都认为梁王忠诚。己巳日，天子从凤翔到达长安，穿着素服哭拜太庙然后入宫，杀死宦官七百多人。二月甲戌日，天子赐梁王为"回天再造竭忠守正功臣"，任命辉王李祚为诸道兵马元帅，梁王为副元帅。梁王于是留下儿子朱友伦为护驾指挥使，作为天子卫戍将领，自己领兵向东返归。天子在延喜楼为梁王饯行，赐给《杨柳枝》五支曲。

初，梁兵已西，青州王师范遣其将刘鄩袭据梁兖州。王已还梁，四月，如郓州，遣朱友宁攻青州。师范败之于石楼，友宁死。九月，杨师厚败青人于临朐，取其棣州，师范以青州降，而鄩亦降。友伦击鞠，堕马死。王怒，以为崔胤杀之，遣朱友谦杀胤于京师。其与友伦击鞠者，皆杀之。

自天子奔华州，王请迁都洛阳，虽不许，而王命河南张全义修洛阳宫以待。天祐元年正月，王如河中，遣牙将寇彦卿如京师，请迁都洛阳，并徙长安居人以东。天子行至陕州，王朝于行在，先如东都。是时，六军诸卫兵已散亡，其从以东者，小黄门十数人，打球供奉、内园小儿等二百余人。行至谷水，王教医官许昭远告其谋乱，悉杀而代之，然后以闻。由是，天子左右皆梁人矣。四月甲辰，天子至自西都。是时，晋王李克用、岐王李茂贞、楚王赵匡凝、蜀王王建、吴王杨行密闻梁迁天子洛阳，皆欲举兵讨梁，王大惧。六月，杨崇本复附于岐。王乃以兵如河中，声言攻崇本，遣朱友恭、氏叔琮、蒋玄晖等行弑，昭宗崩。十月，王朝于京师，杀朱友恭、氏叔琮。十一月，攻淮南，取其光州，攻寿州，不克而旋。二年二月，遣蒋玄晖杀德王裕等九王于九曲池。六月，杀司空裴贽等百余人。

七月，天子使来，赐王“迎銮纪功碑”。

【译文】

当初，梁王军队向西进发，青州节度使王师范派遣他的将领刘鄩袭击占据梁王的兖州。梁王返回大梁，四月，前往郓州，派遣朱友宁进攻青州。王师范在石楼击败梁兵，朱友宁战死。九月，杨师厚在临朐击败青州军队，取得棣州，王师范率青州投降，而后刘鄩也投降。朱友伦击球，从马上摔下来死去。梁王发怒，以为是崔胤杀死了朱友伦，派遣朱友谦在京师杀死崔胤。那些与朱友伦打马球的人，全部杀死。

自从天子逃奔到华州，梁王便请求将都城迁到洛阳，虽然天子不准许，但梁王还是命令河南张全义修建洛阳宫殿来等待迁都。唐昭宗天祐元年正月，梁王前往河中，派遣牙将寇彦卿前往京师，请求迁都洛阳，同时将长安居民往东迁移。天子出行到达陕州，梁王至天子出行所在地朝见，先迁往东都洛阳。这时，六军各卫士兵已经散失逃亡，随从天子东进的，只有小黄门十几人，打马球的供奉人员、宫禁小厮等二百多人。走到谷水岸边，梁王唆使医官许昭远告发他们密谋作乱，全部杀死而派人替代他们，事后才奏报天子。从此，天子左右都是梁王的人了。四月甲辰日，天子从西都长安到达洛阳。当时，晋王李克用、岐王李茂贞、楚王赵匡凝、蜀王王建、吴王杨行密听说梁王将天子迁居洛阳，都准备发兵讨伐梁王，梁王大为恐惧。六月，杨崇本又归附岐王李茂贞。梁王于是领兵前往河中，声称进攻杨崇本，派遣朱友恭、氏叔琮、蒋玄晖等行刺天子，唐昭宗去世。十月，梁王到京师朝见昭宣帝，杀死朱友恭、氏叔琮。十一月，进攻淮南，取得光州，又进攻寿州，没能攻克而返回。唐昭宣帝天祐二年二月，梁王派遣蒋玄晖在九曲池杀死德王李裕等九王。六月，杀死司空裴贽等一百多人。七月，天子使者来到，赐梁王“迎銮纪功碑”。

王欲代唐，使人谕诸镇，襄州赵匡凝以为不可。遣杨师厚攻之，取其唐、邓、复、郢、随、均、房七州。王如襄州，军于汉北。九月，师厚破襄州，匡凝奔于淮南。师厚取荆南，荆南留后赵匡明奔于蜀。遂出光州，以攻寿州，不克。天子卜祀天于南郊，王怒，以为蒋玄晖等欲祈天以延唐。天子惧，改卜郊。十一月辛巳，天子封王为魏王、相国，总百揆。以宣武、宣义、天平、护国、天雄、武顺、佑国、河阳、义武、昭义、武宁、保义、忠义、武昭、武定、泰宁、平卢、匡国、镇国、荆南、忠武二十一军为魏国，备九锡。王怒，不受。十二月，天子以王为天下兵马元帅。王益怒，遣人告枢密使蒋玄晖与何太后私通，杀玄晖而焚之，遂弑太后于积善宫。又杀宰相柳璨，太常卿张延范车裂以徇。天子诏以太后故停郊。

三年春，魏州罗绍威谋杀其牙军，来假兵以虞变，王为发兵北攻刘仁恭之沧州，兵过魏而绍威已杀牙军，其兵之在外者皆叛，据贝、卫、澶、博州，王以兵悉杀之。遂攻沧州，军于长芦。刘仁恭求救于晋。晋人取潞州，王乃旋军。

【译文】

梁王打算取代唐室，让人告知各藩镇，襄州节度使赵匡凝认为不可以。梁王派遣杨师厚进攻赵匡凝，取得他的唐、邓、复、郢、随、均、房七州。梁王前往襄州，进军到汉水北岸。九月，杨师厚攻破襄州，赵匡凝逃奔到淮南。杨师厚取得荆南，荆南留后赵匡明逃奔到蜀。梁王于是从光州城外出发，进攻寿州，没有攻克。天子占卜日子到南郊祭天，梁王发怒，认为蒋玄晖等人想祈求上天来延续唐室国运。天子害怕，另外占卜祭天的日子。十一月辛巳日，天子唐昭宣帝封梁王为魏王、相国，总理百官。将宣武、宣义、天平、护国、天雄、武顺、佑国、河阳、义武、昭义、武宁、保义、忠义、武昭、武定、泰宁、平卢、匡国、镇国、荆南、忠武二十一军作为魏国，准备九锡之礼。梁王发怒，不接受。十二月，天子任命魏王为天下兵马元帅。梁王益发恼怒，派人告发枢密使蒋玄晖与何太后私通，杀死蒋玄晖然后焚烧尸体，接着在积善宫杀死何太后。又杀死宰相柳璨，太常卿张延范被车裂示众。天子下诏因太后的缘故停止祭天。

唐昭宣帝天祐三年春天，魏州节度使罗绍威密谋杀灭他的牙军，前来借兵以防备变故，梁王为之发兵向北进攻刘仁恭的沧州，军队经过魏州时罗绍威已经消灭牙军，他在外的军队全都叛变，占据了贝州、卫州、澶州、博州，梁王领兵攻杀他们。于是进攻沧州，驻扎在长芦。刘仁恭向晋王求救。晋人取得潞州，梁王才撤回军队。

唐本纪

庄宗光圣神闵孝皇帝，其先本号朱邪，盖出于西突厥，至其后世，别自号曰沙陀，而以朱邪为姓。

唐德宗时，有朱邪尽忠者，居于北庭之金满州。贞元中，吐蕃赞普攻陷北庭，徙尽忠于甘州而役属之。其后赞普为回鹘所败，尽忠与其子执宜东走，赞普怒，追之，及于石门关，尽忠战死，执宜独走归唐，居之盐州，以隶河西节度使范希朝。希朝徙镇太原，执宜从之，居之定襄神武川之新城。其部落万骑，皆骁勇善骑射，号“沙陀军”。

执宜死，其子曰赤心。懿宗咸通十年，神策大将军康承训统十八将讨庞勋于徐州，以朱邪赤心为太原行营招讨沙陀三部落军使。以从破勋功，拜单于大都护、振武军节度使，赐姓名曰李国昌，以之属籍。沙陀素强，而国昌恃功益横恣，懿宗患之。十三年，徙国昌云州刺史、大同军防御使，国昌称疾拒命。

【译文】

庄宗光圣神闵孝皇帝，他的祖先原号称朱邪，大概是西突厥的一个支系，到了后世，才自己另立名号为沙陀，而且以朱邪为姓。

唐德宗的时候，有一位名叫朱邪尽忠的人，住在北庭的金满州。贞元年间，吐蕃赞普攻陷了北庭，把尽忠迁移到甘州作为他们奴役的属从。后来，赞普被回鹘部族打败了，尽忠和他的儿子执宜向东逃走，惹恼了赞普，率兵追赶他们，在石门关这个地方追上了，尽忠力战身死，执宜一个人逃脱归顺了唐朝，住在盐州，隶属于河西节度使范希朝。希朝转镇太原，执宜随从希朝，驻守在定襄神武川的新城。他的部落有一万名骑兵，都是骁勇善骑射的士卒，号称“沙陀军”。

执宜死去，他的儿子名叫赤心。懿宗咸通十年，神策大将军康承训统率十八位将领攻打徐州，讨伐庞勋，让朱邪赤心做了太原行营招讨沙陀三部落军使。因随从康承训平定庞勋有功，拜任单于大都护、振武军节度使，赐给他姓名叫李国昌，把他改属为李姓名籍。沙陀部落向来强盛，而且国昌仗着有功更加骄横恣情，懿宗对他很不放心。咸通十三年时，调国昌任云州刺史、大同军防御使，国昌借口患病，拒不受命。

国昌子克用，尤善骑射，能仰中双凫，为云州守捉使。国昌已拒命，克用乃杀大同军防御使段文楚，据云州，自称留后。唐以太仆卿卢简方为振武节度使，会幽、并兵讨之。简方行至岚州，军溃，由是沙陀侵掠代北为边患矣。

明年，僖宗即位，以谓前太原节度使李业遇沙陀有恩，而业已死，乃以其子钧为灵武节度使、宣慰沙陀六州三部落使，以招缉之。拜克用大同军防御使。

居久之，国昌出击党项，吐浑赫连铎袭破振武。克用闻之，自云州往迎国昌，而云州人亦闭关拒之。国昌父子无所归，因掠蔚、朔间，得兵三千，国昌入保蔚州，克用还据新城。僖宗乃拜铎大同军使，以李钧为代北招讨使，以讨沙陀。

【译文】

国昌的儿子名叫克用，特别善于骑射，能向空中一箭射中双凫，做了云州守捉使。国昌已经拒绝了唐朝廷的任命，克用于是又杀了大同军防御使段文楚，占据了云州，自称为云州留后。唐朝廷任命太仆卿卢简方为振武节度使，会同幽州、并州兵讨伐克用。简方行至岚州时，军队溃散了，从此沙陀部落侵掠代北，成了边地的祸患。

第二年，僖宗即皇帝位，听说前太原节度使李业对沙陀部落有恩，但李业已经死去，于是任用他儿子李钧为灵武节度使、宣慰沙陀六州三部落使，让他招缉沙陀兵。还任命克用为大同军防御使。

过了很长时间，国昌出兵攻击党项部族，吐谷浑部族首领赫连铎破袭了振武城。克用听说这件事后，从云州出发前去迎接国昌，然而云州人闭关拒绝他回来。国昌父子二人没了去处，于是在蔚州、朔州一带掠夺丁壮，得到了三千名的兵卒，国昌夺取了蔚州作为立足之地，克用又回到了新城。僖宗于是拜任赫连铎为大同军防御使，让李钧做了代北招讨使，命他讨伐沙陀。

乾符五年，沙陀破遮虏军，又破岢岚军，而唐兵数败，沙陀由此益炽，北据蔚、朔，南侵忻、代、岚、石，至于太谷焉。

广明元年，招讨使李琢会幽州李可举、云州赫连铎击沙陀，克用与可举相拒雄武军。其叔父友金以蔚、朔州降于琢，克用闻之，遽还。可举追至药儿岭，大败之，琢军夹击，又败之于蔚州，沙陀大溃，克用父子亡入达靼。

克用少骁勇，军中号曰“李鸦儿”，其一目眇，及其贵也，又号“独眼龙”，其威名盖于代北。其在达靼，久之，郁郁不得志，又常惧其图己，因时时从其群豪射猎，或挂针于木，或立马鞭，百步射之辄中，群豪皆服以为神。

【译文】

乾符五年，沙陀攻破了遮虏军，又破了岢岚军，而且唐朝官兵连连失败，沙陀兵从此更加强盛，北边占据了蔚州、朔州，南边侵占了忻州、代州、岚州、石州一直到了太谷。

广明元年，招讨使李琢会同幽州李可举、云州赫连铎攻击沙陀部族，克用与可举在雄武军对峙。他的叔叔李友金连同蔚州、朔州的地盘投降了李琢，克用听到这事，就急忙率兵回走。可举追到药儿岭，克用被打得大败，李琢的军队前后夹击，克用在蔚州又遭失败，沙陀兵全溃散了，克用父子逃奔达靼部落。

克用从小就很骁勇，军队中送他外号为“李鸦儿”，他一只眼睛瞎了，到他发迹的时候，人又号称他为“独眼龙”，他的威名在代北一带十分显赫。他生活在达靼部落里，时间长了，感到郁闷不得志，又常常怕达靼谋害自己，于是时时随从达靼众位豪酋射猎，有时把一根针挂在木棍上，有时把马鞭树立在地上，都能在一百步以外射中，众位豪酋把他当成神一样佩服他。

黄巢已陷京师，中和元年，代北起军使陈景思发沙陀先所降者，与吐浑、安庆等万人赴京师，行至绛州，沙陀军乱，大掠而还。景思念沙陀非克用不可将，乃以诏书召克用于达靼，承制以为代州刺史，雁门以北行营节度使。率蕃汉万人出石岭关，经过太原，求发军钱。节度使郑从谠与之钱千缗、米千石，克用怒，纵兵大掠而还。

二年十一月，景思、克用复以步骑万七千赴京师。三年正月，出于河中，进屯乾坑。巢党惊曰："鸦儿军至矣！"二月，败巢将黄邺于石堤谷；三月，又败赵璋、尚让于良田坡，横尸三十里。是时，诸镇兵皆会长安，大战渭桥，贼败走入城，克用乘胜追之，自光泰门先入，战望春宫升阳殿，巢败，南走出蓝田关，京师平，克用功第一。天子拜克用检校司空、同中书门下平章事、河东节度使，以国昌为雁门以北行营节度使。十月，国昌卒。

【译文】

黄巢已经攻陷了京师长安，中和元年，代北起军使陈景思发沙陀先前投降的兵卒，与吐浑、安庆等一万人奔赴京师救援，行军至绛州，沙陀军骚乱，大肆掠夺一番就回去了。景思考虑到沙陀军非克用不能统制，于是唐皇帝下诏书把克用从达靼部落中召回，并任命他为代州刺史、雁门以北行营节度使。率领蕃汉兵一万人出石岭关，过太原，请求唐朝廷发放军饷。节度使郑从谠只给了他一千缗的钱，一千石的米，克用非常恼火，纵容兵卒大肆抄掠就又回去了。

中和二年十一月，景思、克用再次率领步骑一万七千人赶赴京师救援。三年正月，取道河中，前行驻扎在乾坑。黄巢的部下惊慌地喊道："鸦儿的军队到了！"二月，在石堤谷打败了黄巢的部将黄邺；三月，又在良田坡打败了赵璋、尚让，沿途三十里内尸体遍野。这时，各镇的兵都在长安会师，在渭桥与黄巢军大战，黄巢军败退入城，克用乘胜追击，从光泰门先行入城，于望春宫升阳殿再战，黄巢军大败，向南撤走，出了蓝田关，京师平定了，克用的功劳居各将领之首。唐皇帝拜任克用为检校司空、同中书门下平章事、河东节度使，让国昌做了雁门以北行营节度使。这年十月，国昌逝世。

十一月，遣其弟克修攻昭义孟方立，取其泽、潞二州。方立走山东，以邢、洺、磁三州自别为昭义军。黄巢南走至蔡州，降秦宗权，遂攻陈州。四年，克用以兵五万救陈州，出天井关，假道河阳，诸葛爽不许，乃自河中渡河。四月，败尚让于太康，又败黄邺于西华。巢且走且战，至中牟，临河未渡，而克用追及之，贼众惊溃。比至封丘，又败之，巢脱身走，克用追之，一日夜驰二百里，至于冤朐，不及而还。

过汴州，休军封禅寺，朱全忠飨克用于上源驿，夜，酒罢，克用醉卧，伏兵发，火起，侍者郭景铢灭烛，匿克用床下，以水醒面而告以难。会天大雨灭火，克用得从者薛铁山、贺回鹘等，随电光，缒尉氏门出还军中。七月，至于太原，讼其事于京师，请加兵于汴，遣弟克修将兵万人屯于河中以待。僖宗和解之，用破巢功，封克用陇西郡王。

【译文】

十一月，李克用派他的弟弟克修进攻昭义军节度使孟方立，夺取了他的泽、潞二州的地盘。方立逃向山东，以邢、洺、磁三州自己又另立为昭义军。黄巢向南走到了蔡州，降服了秦宗权，遂又攻打陈州。四年，克用率兵五万人救援陈州，出了天井关，想借道从河阳渡河，诸葛爽不答应，于是才从河中渡过黄河。四月，在太康打败了尚让。又在西华打败了黄邺。黄巢边走边战，到了中牟，濒临黄河，还未来得及渡过，而克用率军就追到了，黄巢军众惊慌失措，纷纷溃散。克用到了封丘，又打败黄巢军，黄巢脱身逃走，克用追赶，一天一夜驰行二百里路，追到了冤朐，没能追上，这才回来。

过了汴州，军队在封禅寺休整，朱全忠在上源驿请克用吃饭，到了夜里，酒宴散罢，克用醉倒了，全忠设下的伏兵动手了，火光燃起，克用的贴身侍卫郭景铢灭掉了蜡烛，把克用藏在床下，又端来水泼洒在克用的脸上使他清醒过来，告诉他大难临头。正赶上天降大雨，浇灭了大火。克用在薛铁山、贺回鹘等随从护持下，乘着电闪的光亮，从尉氏门上沿绳缒落，逃回了军中。七月，到了太原，克用因这事在朝廷那里告了朱全忠的状，请求出兵攻打汴州，派弟弟克修领兵一万人屯扎在河中，等待进军的命令。僖宗出面进行调解，由于克用击破黄巢军立下了功劳，封他为陇西郡王。

光启元年，河中王重荣与宦者田令孜有隙，徙重荣兖州，以定州王处存为河中节度使，诏克用以兵护处存之镇。重荣使人给克用曰："天子诏重荣，俟克用至，与处存共诛之。"因伪为诏书示克用曰："此朱全忠之谋也。"克用信之，八上表请讨全忠，僖宗不许，克用大怒。

重荣既不肯徙，僖宗遣邠州朱玫、凤翔李昌符讨之。克用反以兵助重荣，败玫于沙苑，遂犯京师，纵火大掠。天子出居于兴元，克用退屯河中。朱玫亦反以兵追天子，不及，得襄王煴，迫之称帝，屯于凤翔。僖宗念独克用可以破玫而不能使也，当破黄巢长安时，天下兵马都监杨复恭与克用善，乃遣谏议大夫刘崇望以诏书召克用，且道复恭意，使进兵讨玫等。克用阳诺而不行。

【译文】

光启元年，河中节度使王重荣与宦人田令孜有了矛盾，调重荣改镇兖州，让定州守将王处存当了河中节度使，诏命克用派兵护送处存到镇。重荣派人哄骗克用说："皇帝下诏书给重荣说，等克用到了，与处存一起杀掉他。"又把伪造的诏书拿给克用看，说："这是朱全忠的阴谋。"克用信以为真，八次上表请求讨伐全忠，僖宗都没有答应，克用大为恼怒。

重荣既然不肯去兖州赴任，僖宗派邠州朱玫、凤翔李昌符讨伐他。克用反过来派兵帮助重荣，在沙苑打败了朱玫，遂又侵犯京师长安，纵火大掠。皇帝逃出京城，住在兴元，克用退军屯驻在河中。朱玫也反过来追迫皇帝，没有追上，俘获了襄王李煴，迫他即位称帝，屯守在凤翔。僖宗寻思着只有克用可以攻破朱玫，但又使唤不动他，当在长安打败黄巢时，天下兵马都监杨复恭与克用要好，于是派谏议大夫刘崇望带着诏书去召唤克用，并且还说明了复恭的意见，让他进兵讨伐朱玫等。克用口头上答应而实际上按兵不动。

明年，孟方立死，弟迁立。大顺元年，克用击破孟迁，取邢、洺、磁三州，乃遣安金俊攻赫连铎于云州。幽州李匡威救铎，战于蔚州，金俊大败。于是匡威、铎及朱全忠皆请因其败伐之。昭宗以克用破黄巢功高，不可伐，下其事台、省四品官议，议者多言不可。宰相张浚独以谓沙陀前逼僖宗幸兴元，罪当诛，可伐。军容使杨复恭，克用所善也，亦极谏以为不可，昭宗然之，诏谕全忠等。全忠阴赂浚，使持其议益坚，昭宗不得已，以浚为太原四面行营兵马都统，韩建为副使。

是时，潞州将冯霸叛降于梁，梁遣葛从周入潞州。唐以京兆尹孙揆为昭义军节度使，克用遣李存孝执揆于长子，又遣康君立取潞州。十一月，浚及克用战于阴地，浚军三战三败，浚、建遁归。克用兵大掠晋、绛，至于河中，赤地千里。克用上表自诉，其辞慢侮，天子为之引咎，优诏答之。

【译文】

第二年，孟方立死去，他的弟弟孟迁承继昭义军。大顺元年，克用击破了孟迁，夺取了邢、洺、磁三州，于是派安金俊进攻云州的赫连铎。幽州守将李匡威救援赫连铎，双方在蔚州交战，金俊被打得大败。于是匡威、赫连铎及朱全忠都请求朝廷趁着克用军的失败讨伐他。昭宗认为克用破黄巢功高，不能讨伐他，又把这事交给台、省四品以上的官员进行讨论，多数人认为不能讨伐。宰相张浚独个认为沙陀前曾逼迫僖宗出居兴元，按罪当杀，应该讨伐。军容使杨复恭是克用所友好的人，也竭力劝阻不可讨伐，昭宗同意了他的看法，下诏告诉了朱全忠等人。全忠暗中贿赂张浚，让他进一步坚持自己的意见，昭宗不得已，只得让张浚为太原四面行营兵马都统，韩建担任副使。

这时，潞州守将冯霸叛变投降了梁，梁派葛从周进入潞州城。唐朝廷任命京兆尹孙揆为昭义军节度使，克用派李存孝在长子逮捕了孙揆，又派康君立夺取了潞州。十一月，张浚与克用双方在阴地争战，张浚的军队三战三败，浚、建二人逃回长安。克用的兵在晋、绛一带大肆抄掠，一直到河中，千里之内的地方被烧光、杀光、抢光。克用向朝廷上表诉说了自己的理由，言辞骄慢轻蔑，皇帝为他承担了责任，并好言好语劝慰克用。

二年二月，复拜克用河东节度使、陇西郡王，加检校太师兼中书令。

四月，攻赫连铎于云州，围之百余日，铎走吐浑。八月，大搜于太原，出晋、绛，掠怀、孟，至于邢州，遂攻王镕于镇州。克用栅常山西，以十余骑渡滹沱觇敌，遇大雨，平地水深数尺。镇人袭之，克用匿林中，祷其马曰："吾世有太原者马不嘶。"马偶不嘶以免。前军李存孝取临城，进攻元氏。李匡威救镕，克用还军邢州。景福元年，王镕攻邢州，李存信、李嗣勋等败镕于尧山。二月，会王处存攻镕，战于新市，为镕所败。八月，李匡威攻云州，以牵克用之兵，克用潜入于云州，返出击匡威，匡威败走。十月，李存孝以邢州叛。二年，存孝求援于王镕，克用出兵井陉击镕，且以书招镕，而急攻其平山，镕惧，遂与克用通和，献帛五十万匹，出兵助攻邢州。乾宁元年三月，执存孝，杀之。冬，攻幽州，李匡俦弃城走，追至景城，见杀，以刘仁恭为留后。

二年，河中王重盈卒，其诸子珂、珙争立，克用请立珂，凤翔李茂贞、邠宁王行瑜、华州韩建请立珙。昭宗初两难之，乃以宰相崔胤为河中节度使，既而许克用立珂。茂贞等怒，三镇兵犯京师，闻克用亦起兵，乃皆罢去。六月，克用攻绛州，斩刺史王瑶。瑶，珙弟，助珙以争者。七月，至于河中，同州王行约奔于京师，阳言曰："沙陀十万至矣！"谋奉天子幸邠州，茂贞假子阎圭亦谋劫幸凤翔，京师大乱，昭宗出居于石门。

【译文】

第二年二月，又拜任克用为河东节度使、陇西郡王，加任检校太师兼中书令。四月，进攻云州的赫连铎，围困了一百多天，赫连铎投奔了吐浑。八月，在太原进行了大规模阅兵，又取道晋、绛，出兵抄掠怀、孟，到了邢州，遂又进攻镇州的王镕。克用在常山西树立营栅，派了十几名骑兵渡过滹沱河侦察敌情，遇上了大雨，平地水深有好几尺。镇州兵出来袭击他们，克用躲藏在树林里，向他的马祈祷说："我如果能世世代代据有太原的话，马就不要嘶叫。"马偶然不叫，这才免遭不幸。前军李存孝夺取了临城，又进攻元氏。李匡威出兵来救王镕，克用撤军到邢州。景福元年，王镕的军队进攻邢州，李存信、李嗣勋等在尧山打败了王镕的军队。二月，正值王处存进攻王镕，双方争战于新市，处存被王镕的军队打败。八月，李匡威进攻云州，以此来牵制克用的兵力，克用暗暗率兵进入了云州城内，又返回来攻击匡威，匡威败走。十月，李存孝在邢州叛变。二年，存孝向王镕求救，克用派兵出井陉攻击王镕，并且修书一封招抚他，同时又向他所辖的平山发起猛烈进攻，王镕害怕被消灭，于是与克用通和，向克用贡献了五十万匹帛，还出兵帮助克用进攻邢州。乾宁元年三月，俘获了存孝，把他杀了。冬天，进攻幽州，李匡俦弃城逃走，追到景城，被克用的兵杀死，克用让刘仁恭做了幽州留后。

二年，河中的王重盈死去，他的儿子王珂、王珙争着继承父亲的官职，克用向唐朝廷请求立王珂；凤翔的李茂贞、邠宁的王行瑜、华州的韩建则请求立王珙。昭宗开始时有些左右为难，于是让宰相崔胤去做河中节度使，不久又允许克用拥立王珂。茂贞等人十分恼怒，发动凤翔、邠宁、华州等三镇的兵联合起来进犯京师长安，听说克用也要起兵，这才罢散开去。六月，克用进攻绛州，斩了刺史王瑶。瑶是王珙的弟弟，曾是帮助王珙争抢父亲官位的人。七月，到了河中，同州的王行约急急忙忙赶到京师，扬言道："沙陀兵十万人到了！"阴谋把昭宗劫持到邠州，茂贞的干儿子阎圭也谋图把皇帝劫持到凤翔，京城内一片混乱，昭宗逃出京师，住在了石门。

克用军留月余不进，昭宗遣延王戒丕、丹王允兄事克用，且告急。八月，克用进军渭桥，以为邠宁四面行营都统。昭宗还京师。十一月，克用击破邠州，王行瑜走至庆州，见杀。克用还军云阳，请击茂贞，昭宗慰劳克用，使与茂贞解仇以纾难，拜克用"忠正平难功臣"，封晋王。是时，晋军渭北，遇雨六十日，或劝克用入朝，克用未决，都押衙盖寓曰："天子还自石门，寝未安席，若晋兵渡渭，人情岂复能安？勤王而已，何必朝哉？"克用笑曰："盖寓犹不信我，况天下乎！"乃收军而还。

三年正月，昭宗复以张濬为相，克用曰："此朱全忠之谋也。"乃上表曰："若陛下朝以濬为相，则臣将暮至阙廷！"京师大恐，濬命遽止。朱全忠之攻兖、郓也，克用遣李存信假道魏州以救朱宣等，存信屯于莘县，军士侵掠魏境，罗弘信伏兵攻之，存信败走洺州。克用自将击魏，战于洹水，亡其子落落。六月，破魏成安、洹水、临漳等十余邑。十月，又败魏人于白龙潭，进攻观音门，全忠救至，乃解。

【译文】

克用的军队停留了一个多月没有前进，昭宗派延王李戒丕、丹王李允到了克用那里，并管克用叫哥哥，告诉他皇帝处境危急。八月，克用进军到了渭桥，朝廷任命他为邠宁四面行营都统。昭宗回到了京师。十一月，克用击破了邠州，王行瑜逃到庆州，被杀死了。克用把军队撤到云阳，向皇帝请求攻击茂贞，昭宗派人慰劳克用的军队，让克用与茂贞两人消除相互间的仇恨，来共同解救朝廷的危机。拜任克用为“忠正平难功臣”，封他为晋王。这时，晋王的军队驻扎在渭水以北，遇上了连绵六十天的阴雨天气，有人劝克用到朝廷中去，克用犹豫不决，都押衙盖寓说：“天子从石门回来，还没睡上几天安稳觉，如果吾王的军队渡过渭水，人心难道还能安定吗？仅仅是解救皇帝的危难罢了，为什么还一定要去朝见呢？”克用笑着说：“连盖寓都不相信我，况且是天下的人们呀！”于是收军回到了太原。

三年正月，昭宗又任命张浚为宰相，克用说：“这是朱全忠的阴谋。”于是向皇帝上表说：“如果陛下您早上让张浚做宰相，那么我傍晚将率兵到京城！”京师里的人们十分恐慌，对张浚的任命仓促作废。朱全忠去攻兖、郓二城，克用派李存信借道经魏州来救援朱宣等人，存信屯守在莘县，士兵侵入魏州的辖境进行抄掠，罗弘信埋设伏兵攻击他们。存信失败逃到了洺州。克用亲自率军攻击魏，在洹水之滨与魏兵交战。他的儿子落落下落不明。六月，攻破了魏州的成安、洹水、临漳等十多座城邑。十月，又在白龙潭打败了魏州的军队，进攻观音门，全忠的救兵到了，这才解了魏州的灾难。

四年，刘仁恭叛晋，克用以兵五万击仁恭，战于安塞，克用大败。

光化元年，朱全忠遣葛从周攻下邢、洺、磁三州，克用遣周德威出青山口，遇从周于张公桥，德威大败。冬，潞州守将薛志勤卒，李罕之据潞州，叛附于朱全忠。

二年，全忠遣氏叔琮攻破承天军，又破辽州，至于榆次，周德威败之于洞涡。秋，李嗣昭复取泽、潞。三年，嗣昭败汴军于沙河，复取洺州，朱全忠自将围之，嗣昭走，至青山口，遇汴伏兵，嗣昭大败。秋，嗣昭取怀州。是岁，汴人攻镇、定，镇、定皆绝晋以附于朱全忠。

天复元年，全忠封梁王。梁王攻下晋、绛、河中，执王珂以归。晋失三与国，乃下意为书币聘梁以求和。梁王以为晋弱可取，乃曰："晋虽请盟，而书辞慢。"因大举击晋。四月，氏叔琮入天井，张文敬入新口，葛从周入土门，王处直入飞狐，侯言入阴地。叔琮取泽、潞，其别将白奉国破承天军，辽州守将张鄂、汾州守将李瑭皆迎梁军降，晋人大惧。会天大雨霖，梁兵多疾，皆解去。五月，晋复取汾州，诛李瑭。六月，周德威、李嗣昭取慈、隰。二年，进攻晋、绛，大败于蒲县，梁军乘胜破汾、慈、隰三州，遂围太原。克用大惧，谋出奔云州，又欲奔匈奴，未决，梁军大疫，解去，周德威复取汾、慈、隰三州。

【译文】

四年，刘仁恭背叛了晋王，克用出动五万人的兵力攻击仁恭，在安塞与仁恭接战，克用被打得大败。

光化元年，朱全忠派葛从周攻取了邢、洺、磁三州。克用派周德威道出青山口，在张公桥与从周遭遇，德威被打得大败。冬天，潞州守将薛志勤死去，李罕之占据了潞州，叛变依附于朱全忠。

二年，全忠派氏叔琮攻破了承天军，又破了辽州，一直打到榆次，周德威在洞涡打败了他。秋天，李嗣昭又夺取了泽、潞。三年，嗣昭在沙河打败了汴梁的军队，再次攻取了洺州，朱全忠亲自率军包围他们，嗣昭退走，到了青山口，遇上了汴梁的伏兵，嗣昭被打得大败。秋天，嗣昭取得了怀州。这一年，汴梁的军队进攻镇、定，镇、定都和晋断绝了交往，从而依附了朱全忠。

天复元年，全忠被封为梁王，梁王攻下了晋、绛和河中，俘获王珂而班师。晋失掉了三个附属邦州，这才有服输的意思写信给梁王，并送去钱币向梁求和。梁王认为晋已衰弱可以灭掉它，于是说："晋虽然请求和我盟好，但来信中的言辞仍是怠慢了我们。"因而大举进攻晋地。四月，氏叔琮进入了天井关，张文敬进入了新口，葛从周进入了土门关，王处直进入了飞狐，侯言进入了阴地关。叔琮夺取了泽、潞，他的别将白奉国攻破了承天军，晋的辽州守将张鄂、汾州守将李瑭都出城迎降，晋人十分恐惧。正赶上连续几天的大雨天气，梁的士兵染上了疾疫，全都散去了。五月，晋又取得了汾州，杀掉了李瑭。六月，周德威、李嗣昭夺取了慈、隰。二年，进攻晋、绛，在蒲县被梁军打得大败，梁军乘胜破了汾、慈、隰三州，遂又包围了太原。克用非常恐惧，打算出奔云州，又想着投奔匈奴，犹豫不决，梁军中又发生了大疫，解围而去，周德威再次取得了汾、慈、隰三州。

四年，梁迁唐都于洛阳，改元曰天祐。克用以谓劫天子以迁都者梁也，天祐非唐号，不可称，乃仍称天复。

五年，会契丹阿保机于云中，约为兄弟。

六年，梁攻燕沧州，燕王刘仁恭来乞师。克用恨仁恭反覆，欲不许，其子存勗谏曰："此吾复振之时也。今天下之势，归梁者十七八，强如赵、魏、中山，莫不听命。是自河以北，无为梁患者，其所惮者惟我与仁恭耳，若燕、晋合势，非梁之福也。夫为天下者不顾小怨，且彼常困我而我急其难，可因以德而怀之，是谓一举而两得，此不可失之机也。"克用以为然，乃为燕出兵攻破潞州，梁围乃解去，以李嗣昭为潞州留后。

七年，梁兵十万攻潞州，围以夹城。遣周德威救潞州，军于乱柳。冬，克用疾。是岁，梁灭唐，克用复称天祐四年。

【译文】

四年，梁把唐朝的都城迁到了洛阳，改年号为天祐。克用认为劫持天子迁徙都城的正是梁，天祐不是唐朝廷的年号，不能称用，于是仍称用天复的年号。

五年，在云中与契丹阿保机会盟，结为兄弟。

六年，梁军进攻燕的沧州，燕王刘仁恭派人来请求援兵。克用怨恨仁恭反复无常，打算不发援兵，他的儿子李存勗劝说道："这是我们再次振兴的时机，现在天下的形势，归顺梁的人有十分之七八，像赵、魏、中山这样强大的州镇，没有敢不听命于梁的。自黄河以北，没有能成为梁忧患的势力，他所害怕的只有我们和仁恭而已，如果燕、晋合成一股势力，对梁来说，当然不是福音。为了打天下的人不会计较小小的怨恨，况且他常常困扰我们而我们能急他之所难，可以此用恩德来感召他，这就叫一举两得，这可是不可错过的机会。”克用同意了这个看法，这才为燕出兵攻破了潞州，梁军的包围于是被冲散了，克用任命李嗣昭为留后。

七年，梁兵十万人进攻潞州，前后、左右夹城布置围困圈。晋派周德威救援潞州，军队驻扎在乱柳。冬天，克用病了。这一年，梁灭掉了唐朝，克用又称用了天祐四年的年号。

五年正月辛卯，克用卒，年五十三。子存勗立，葬克用于雁门。

呜呼，世久而失其传者多矣，岂独史官之缪哉！李氏之先，盖出于西突厥，本号朱邪，至其后世，别自号曰沙陀，而以朱邪为姓，拔野古为始祖。其自序云：沙陀者，北庭之碛也，当唐太宗时，破西突厥诸部，分同罗、仆骨之人于此碛，置沙陀府，而以其始祖拔野古为都督，其传子孙，数世皆为沙陀都督，故其后世因自号沙陀。

然予考于传记，其说皆非也。夷狄无姓氏，朱邪，部族之号耳，拔野古与朱邪同时人，非其始祖，而唐太宗时，未尝有沙陀府也。

【译文】

五年正月辛卯这一天，克用死了，时年五十三岁。他的儿子存勗继立，把克用的尸体埋葬在雁门。

可叹啊！时间长了而事迹失传的人太多了，难道仅仅是史官的谬误吗？李氏的先族，大概源出于西突厥，本号为朱邪，到了他的后世人，自己另立号为沙陀。而以朱邪为姓，以拔野古为始祖。他们的族谱《自序》说：沙陀是北庭的沙漠，在唐太宗的时候，攻破了西突厥各个部落，分拨同罗、仆骨的人口到了这一带的沙漠，设置了沙陀府，而且任用他们的始祖拔野古做了都督，他传世的子孙，几代人都做沙陀都督，所以他的后世人因此自号为沙陀。

但我从史书中考证出来，他们的说法都不对，少数族部落没有姓氏，朱邪不过是部族的称号罢了，拔野古与朱邪是同时代的人，不是他们的始祖，而且在唐太宗时，不曾有沙陀府的建置。

唐太宗破西突厥，分其诸部，置十三州，以同罗为龟林都督府，仆骨为金微都督府，拔野古为幽陵都督府，未尝有沙陀府也。当是时，西突厥有铁勒，延陀、阿史那之类为最大；其别部有同罗、仆骨、拔野古等以十数，盖其小者也；又有处月、处密诸部，又其小者也。朱邪者，处月别部之号耳。太宗二十二年，已降拔野古，其明年，阿史那贺鲁叛。至高宗永徽二年，处月朱邪孤注从贺鲁战于牢山，为契苾何力所败，遂没不见。后百五六十年，宪宗时，有朱邪尽忠及子执宜见于中国，而自号沙陀，以朱邪为姓矣。

盖沙陀者，大碛也，在金莎山之阳，蒲类海之东，自处月以来居此碛，号沙陀突厥，而夷狄无文字传记，朱邪又微不足录，故其后世自失其传。至尽忠孙始赐姓李氏，李氏后大，而夷狄之人遂以沙陀为贵种云。

【译文】

唐太宗攻破了西突厥，分散了他们的各个部落，设置了十三州，因同罗部置龟林都督府，仆骨为金微都督府，拔野古为幽陵都督府，并未曾设有沙陀府。那时，西突厥有铁勒，延陀、阿史那一类的部落最大；另外还有同罗、仆骨、拔野古等十几个部落，大概都是小部落；又有处月、处密各部落，就更小了。朱邪不过是处月部落一个分支的称号。太宗二十二年，已经投降了拔野古，第二年，阿史那贺鲁叛变了。到了高宗永徽二年，处月朱邪孤注跟随贺鲁在牢山参加战争，被契苾何力打败，从此朱邪部的踪迹就不见了。过了一百五六十年以后，到了宪宗时，才有名叫朱邪尽忠的及他的儿子执宜出现在中原，而且自己号称沙陀，以朱邪为姓。

大概沙陀的意思是大沙漠，在金莎山的南边，蒲类海的东边，自从处月以来，他们居住在这一带沙漠之中，号称沙陀突厥，但少数部族没有文字传记，朱邪又微小不足以记录，所以他们的后世自然失去了有关他们的传说。到了尽忠的孙子辈时，才开始被赐姓李氏，李氏后来发展起来了，从而少数部族就以沙陀为高贵的种族了。

晋本纪

高祖圣文章武明德孝皇帝，其父臬捩鸡，本出于西夷，自朱邪归唐，从朱邪入居阴山。其后，晋王李克用起于云、朔之间，臬捩鸡以善骑射，常从晋王征伐有功，官至洺州刺史。臬捩鸡生敬瑭，其姓石氏，不知得其姓之始也。

敬瑭为人沈厚寡言，明宗爱之，妻以女，是为永宁公主，由是常隶明宗账下，号左射军。

庄宗已得魏，梁将刘鄩急攻清平，庄宗驰救之，兵未及阵，为鄩所掩，敬瑭以十余骑横槊驰击，取之以旋。庄宗拊其背而壮之，手啖以酥，啗酥，夷狄所重，由是名动军中。十五年，庄宗战于胡柳，前锋周德威战死，敬瑭以左射军从明宗复击败梁兵。明宗战胡卢套、杨村，为梁兵所败，敬瑭常脱明宗于危。

【译文】

后晋高祖圣文章武明德孝皇帝，父亲叫臬捩鸡，原是西夷人，自从朱邪氏归附唐朝，就跟随朱邪氏进入唐境，居住于阴山一带。此后，晋王李克用起兵于云、朔一带，臬捩鸡因善于骑马射箭，经常跟随晋王出征作战，因战功官至洺州刺史。臬捩鸡生子敬瑭，姓石，不知他得姓的起因是什么。

敬瑭为人深沉厚重，寡言少语，后唐明宗很喜欢他，将女儿嫁给他，这个女儿就是永宁公主，从此他常常隶属于明宗部下，号称左射军。

后唐庄宗攻取魏州后，后梁军将刘鄩猛攻清平，庄宗紧急前往救援，部队还没有列开阵式，就受到刘鄩的袭击，敬瑭率领十几个骑兵举槊猛烈冲击，将庄宗救回。庄宗拍着他的肩膀称赞他很勇敢，亲手端着酥油让他吃，上级亲自给下级酥油吃，在夷狄人中很受看重，因此敬瑭名闻全军。十五年，庄宗领兵在胡柳作战，前锋周德威战死，敬瑭以左射军的身份跟随明宗再次击败后梁军队。明宗在胡卢套、杨村交战中被后梁军队打败，敬瑭屡次使明宗脱离险境。

赵在礼之乱，明宗讨之，至魏而兵变，明宗初欲自归于天子，明己所以不反者。敬瑭献计曰："岂有军变于外，上将独无事者乎？且犹豫者兵家大忌，不如速行。愿得骑兵三百先攻汴州，夷门天下之要害也，得之可以成事。"明宗然之，与之骁骑三百，渡黎阳为前锋，明宗遂入汴。庄宗自洛后至，不得入，而兵皆溃去。庄宗西还，明宗以敬瑭为前锋趣汜水，且收其散卒。庄宗遇弑，明宗入立，拜敬瑭保义军节度使，赐号"竭忠建策兴复功臣"，兼六军诸卫副使。

在陕为政以廉闻。是时，诸侯多不奉法，邓州陶玘、亳州李邺皆以赃污论死，明宗下诏书褒廉吏普州安崇阮、洺州张万进、耀州孙岳等以讽天下，而以敬瑭为首。

【译文】

赵在礼之乱发生后，明宗前往讨伐，至魏州时发生了兵变，明宗起初想亲自回到庄宗身边，以表明自己没有参加反叛。敬瑭向他献计说："哪里有部队在外边发生兵变，而将领能不受怀疑的呢？况且犹豫不决是兵家的大忌，不如迅速发兵。希望能给我三百骑兵，先去攻打汴州，夷门是天下的要害，得到它可以成就大事。"明宗认为他说得很对，给他三百精锐骑兵，从黎阳渡河，作为部队先锋，明宗于是进入了汴州城。庄宗从洛阳赶到时已经晚了一步，无法入城，所率军队都溃散而去。庄宗西还洛阳，明宗派敬瑭作为前锋直趋汜水，同时收编散兵游勇。庄宗被害，明宗入宫称帝，任命敬瑭为保义军节度使，赐给他"竭忠建策兴复功臣"的封号，兼任六军诸卫副使。

在陕州任官期间，以施政廉洁闻名当时。这一时期，许多方镇节帅不遵奉中央法令，邓州的陶玘、亳州的李邺都因贪赃被处以死刑，明宗还下诏褒奖清官，用来激励天下的官员，被褒奖的有普州的安崇阮、洺州的张万进、耀州的孙岳等人，敬瑭就列入其中并被排在首位。

天成二年十月，从幸汴州，为御营使，拜宣武军节度使、侍卫亲军马步军都指挥使，六军副使如故；改赐“耀忠匡定保节功臣”。三年四月，徙镇天雄，拜同中书门下平章事、兴唐尹。五月，拜驸马都尉。董璋反东川，为行营都招讨使，不克而还。复兼六军诸卫副使。徙镇河阳三城，未行，而契丹、吐浑、突厥皆入寇，是时，秦王从荣统六军，敬瑭疑其必及祸，不欲为其副，乃自请行。及制出，不落副使，辄复辞行。明宗数责大臣问谁可行者，范延光、赵延寿等卒以敬瑭为请，乃拜河东节度使、大同彰国振武威塞等军蕃汉马步军总管，落六军副使，乃行。

明年，明宗崩，愍帝即位，加中书令。三月，徙镇成德。清泰元年五月，复镇太原，来朝京师。潞王从珂反于凤翔，愍帝出奔，遇敬瑭于道，敬瑭杀帝从者百余人，幽帝于卫州而去。废帝即位，疑敬瑭必反。

【译文】

天成二年十月，随从明宗前往汴州，担任了御营使一职，拜官为宣武军节度使、侍卫亲军马步军都指挥使，而六军副使一职依然如故；又改赐封号为“耀忠匡定保节功臣”。三年四月，调任镇守天雄军，拜官同中书门下平章事、兴唐尹。五月，拜官驸马都尉。董璋于东川起兵反叛，敬瑭担任行营招讨使前往讨伐，不胜而还。又兼任六军诸卫副使。再度调任镇守河阳三城，还未赴任，契丹、吐浑、突厥都已开始入侵，这时秦王李从荣受命统率六军，敬瑭怀疑他必定会有灾祸，不想担任他的副职，就自己请求出征。可是等诏书发布，仍未除去副使一职，他就屡次请求辞职。明宗多次向大臣询问谁能担当出征的重任，范延光、赵延寿等一直请求以敬瑭出任，于是任命他为河东节度使、大同、彰国、振武、威塞等军蕃汉马步军总管，撤销了六军副使的原职，敬瑭这才前往赴任。

次年，明宗逝世，后唐愍帝即皇帝位，敬瑭加官为中书令。三月，调任镇守成德军。清泰元年五月，重又镇守太原，接着到京城朝见。潞王李从珂在凤翔起兵反叛，愍帝离京逃奔，在路上遇到了敬瑭，敬瑭杀死了愍帝的随从一百多人，将愍帝幽禁于卫州才离去。后唐废帝即皇帝位，他怀疑敬瑭一定会反叛。

天福元年五月，徙镇天平，敬瑭果不受命，谓其属曰：“先帝授吾太原使老焉，今无故而迁，是疑吾反也。且太原地险而粟多，吾当内檄诸镇，外求援于契丹，可乎？”桑维翰、刘知远等共以为然。乃上表论废帝不当立，请立许王从益为明宗嗣。废帝下诏削夺敬瑭官爵，命张敬达等讨之，敬瑭求援于契丹。

九月，契丹耶律德光入自雁门，与唐兵战，敬达大败。敬瑭夜出北门见耶律德光，约为父子。

十一月丁酉，皇帝即位，国号晋。以幽、涿、蓟、檀、顺、瀛、莫、蔚、朔、云、应、新、妫、儒、武、寰州入于契丹。己亥，大赦，改元。掌书记桑维翰为翰林学士、尚书礼部侍郎，知枢密使事。

【译文】

天福元年五月，废帝调敬瑭镇守天平，敬瑭果然不从命，对他的部属说：“先帝让我镇守太原，是一直到老的，现在无故将我调离，是怀疑我要反叛。再说太原地势险要，粮食很多，我应当对内传檄诸镇，对外向契丹求援，你们说可以吗？”桑维翰、刘知远等都认为很对。于是就上表说不应当立废帝当皇帝，请求立许王李从益做明宗的嗣子。废帝于是下诏剥夺敬瑭的官爵，命令张敬达等讨伐他，敬瑭随即向契丹求援。

九月，契丹耶律德光自雁门进入内地，与后唐军队交战，敬达大败。敬瑭夜晚出北门，与耶律德光会面，相约为父子关系。

十一月丁酉日，敬瑭即皇帝位，国号为晋。将幽州、涿州、蓟州、檀州、顺州、瀛州、莫州、蔚州、朔州、云州、应州、新州、妫州、儒州、武州、寰州划归契丹。己亥日，实行大赦，改年号为天福。任掌书记桑维翰为翰林学士、尚书礼部侍郎，知枢密使事。

闰月丙寅，翰林学士承旨、尚书户部侍郎赵莹为门下侍郎，桑维翰为中书侍郎，同中书门下平章事，兼枢密使。甲戌，赵德钧及其子延寿叛于唐来降，契丹锁之以归。己卯，次河阳，节度使苌从简叛于唐来降。辛巳，至自太原。卢文纪、姚顗罢。甲申，大赦，杀张延朗、刘延朗，赦房暠。

十二月乙酉，如河阳。追降王从珂为庶人。丁亥，司空冯道兼门下侍郎、同中书门下平章事。己丑，曹州指挥使石重立杀其刺史郑玩。辛卯，御札求直言。癸巳，镇州牙内都虞侯秘琼逐其节度副使李彦琦。同州裨将门铎杀其将杨汉宾。庚子，天平军节度使王建立杀其副使李彦赟。旱。

二年春正月癸亥，安远军节度使卢文进叛降于吴。丁卯，天雄军节度使范延光杀齐州防御使秘琼。戊寅，兵部侍郎李崧为中书侍郎、同中书门下平章事、枢密使。封唐宗室子为公，及隋酅公为二王后，以周介公备三恪。

二月丁酉，契丹使皇太子解里来。

三月庚辰，如汴州。

【译文】

闰月丙寅日，任命翰林学士承旨、尚书户部侍郎赵莹为门下侍郎，桑维翰为中书侍郎，均为同中书门下平章事，兼枢密使。甲戌日，赵德钧同他的儿子延寿一起背叛后唐来降，契丹兵将他们捆绑带走。己卯日，皇帝行至河阳，节度使苌从简背叛后唐来降。辛巳日，皇帝自太原到达京城。罢免卢文纪、姚颉的官职。甲申日，实行大赦，杀死了张延朗、刘延朗，并赦免了房暠。

十二月乙酉日，皇帝前往河阳。将王从珂追降为普通百姓。丁亥日，司空冯道兼任门下侍郎、同中书门下平章事。己丑日，曹州指挥使石重立杀死了本州刺史郑玩。辛卯日，皇帝下达札子，求访直言之士。癸巳日，镇州牙内都虞侯秘琼赶走了节度副使李彦琦。同州副将门铎杀死了主将杨汉宾。庚子日，天平军节度使王建立杀死了副使李彦赟。发生旱灾。

天福二年春季正月癸亥日，安远军节度使卢文进反叛，投降了吴国。丁卯日，天雄军节度使范延光杀死了齐州防御使秘琼。戊寅日，任兵部侍郎李崧为中书侍郎、同中书门下平章事、枢密使。封唐朝宗室之子为公，与隋酅公同为二王后，以周介公备三恪之员。

二月丁酉日，契丹派皇太子解里来京。

三月庚辰日，皇帝前往汴州。

夏四月丁亥，赦囚，蠲民租赋。赵莹使于契丹。辛卯，宣武军节度使杨光远进助国钱。契丹使宫苑使李可兴来。

五月壬戌，御札求直言。丁丑，追尊祖考为皇帝，妣为皇后；高祖璟谥曰孝安，庙号靖祖，祖妣秦氏谥曰孝安元；曾祖郴谥曰孝简，庙号肃祖，祖妣安氏谥曰孝简恭；祖昱谥曰孝平，庙号睿祖，祖妣来氏谥曰孝平献；考绍雍谥曰孝元，庙号献祖，妣何氏谥曰孝元懿。

六月癸未，契丹使夷离毕来。天雄军节度使范延光反。丁酉，传箭于义成军节度使符彦饶。丁未，杨光远为魏府四面行营都部署。东都巡检张从宾反，留守判官李遐死之，奉国都指挥使侯益、护圣都指挥使杜重威讨之。从宾寇河阳，杀皇子重信；寇河南，杀皇子重乂。

【译文】

夏季，四月丁亥日，赦免囚犯，免除百姓租赋。赵莹出使契丹。辛卯日，宣武军节度使杨光远进献助国钱。契丹派宫苑使李可兴来京。

五月壬戌日，皇帝下达札子，求访直言之士。丁丑日，追尊祖先为皇帝，祖先配偶为皇后；追谥高祖父石璟为孝安皇帝，庙号靖祖，高祖母秦氏为孝安元皇后；追谥曾祖父石郴为孝简皇帝，庙号肃祖，曾祖母安氏为孝简恭皇后；追谥祖父石昱为孝平皇帝，庙号睿祖，祖母来氏为孝平献皇后；追谥父亲石绍雍为孝元皇帝，庙号献祖，母亲何氏为孝元懿皇后。

六月癸未日，契丹派夷离毕来京。天雄军节度使范延光反叛。丁酉日，向义成军节度使符彦饶传送信箭。丁未日，任命杨光远为魏府四面行营都部署。东都巡检张从宾反叛，留守判官李遐被杀，奉国都指挥使侯益、护圣都指挥使杜重威发兵讨伐张从宾。从宾进犯河阳，杀害皇子石重信；进犯河南，杀害皇子石重乂。

秋七月，从宾陷汜水关，杀巡检使宋廷浩。壬子，右卫大将军尹晖叛奔于吴，不克，伏诛。右监门卫大将军娄继英叛降于张从宾。义成军乱，杀戍将侍卫马步军都指挥使白奉进。甲寅，戍将奉国指挥使马万执符彦饶归于京师，命杀之于赤冈。乙卯，杨光远为魏府行营都招讨使。辛酉，杜重威克汜水关。壬申，杨光远克博州。丙子，安州屯防指挥使王晖杀其节度使周瓌，右卫大将军李金全讨之。

八月丙申，静难军节度使安叔千进添都马。乙巳，赦非死罪囚及张从宾、符彦饶、王晖余党。

九月，杨光远进粟。

冬十月辛巳，禁造甲兵。

三年春二月戊戌，诸镇皆进物以助国。

三月壬戌，回鹘可汗王仁美使翟全福来。丁丑，禁私造铜器。

秋七月辛酉，以皇业钱作受命宝。

【译文】

秋季七月，从宾攻陷汜水关，杀害巡检使宋廷浩。壬子日，右卫大将军尹晖反叛，投奔吴国不成，被处决。右监门卫大将军娄继英叛降于张从宾。义成军发生变乱，杀害了戍将侍卫马步军都指挥使白奉进。甲寅日，戍将奉国指挥使马万将符彦饶捕送京城，皇帝命令在赤冈把他杀掉。乙卯日，杨光远担任魏府行营招讨使。辛酉日，杜重威攻克汜水关。壬申日，杨光远攻克博州。丙子日，安州屯防指挥使王晖杀害节度使周瓌，右卫大将军李金全领兵讨伐王晖。

八月丙申日，静难军节度使进献添都马。乙巳日，赦免非死罪囚犯以及张从宾、符彦饶、王晖的余党。

九月，杨光远进献粟米。

冬季，十月辛巳日，禁止制造兵器。

天福三年春季，二月戊戌日，各方镇进献物资以充实中央国库。

三月壬戌日，回鹘可汗王仁美派翟全福来京朝见。丁丑日，下令禁止私造铜器。

秋季，七月辛酉日，将皇业钱作为皇帝承受天命的宝货。

八月戊寅，冯道及左仆射刘昫为契丹册礼使。壬午，澶州刺史冯晖降。丙戌，许御署官选。己丑，蠲水旱民税。辛丑，归伶官于契丹。

九月己酉，赦范延光。己未，归静鞭官刘守威、金吾勘契官王殷、司天鸡叫学生殷晖于契丹。于阗使马继荣来，回鹘使李万金来。己巳，赦魏州，蠲民税。是月，宣徽南院使刘处让为枢密使。

冬十月戊寅，契丹使中书令韩颊来奉册曰英武明义皇帝。庚辰，升汴州为东京，以洛阳为西京，雍州为晋昌军。戊子，右金吾卫大将军马从斌使于契丹。己未，契丹使梅里来。戊戌，大赦。庚子，封李圣天为大宝于阗国王。

十一月辛亥，升广晋府为邺都。壬戌，除铸钱令。

十二月丙子，封子重贵为郑王。

四年春正月，盗发唐愍皇帝墓。辛亥，澶州防御使张从恩为枢密副使。旌表深州民李自伦门闾。

三月乙巳，回鹘使其都督拽里敦来。丙辰，颁《调元历》。灵州戍将王彦忠以怀远城反。己未，彦忠降，供奉官齐延祚杀之。

【译文】

八月戊寅日，冯道以及左仆射刘昫担任出使契丹的册礼使。壬午日，澶州刺史冯晖投降。丙戌日，允许御署选官。己丑日，免除遭受水灾、旱灾地区百姓的税收。辛丑日，送乐官给契丹。

九月己酉日，赦免范延光。己未日，将静鞭官刘守威、金吾勘契官王殷、司天鸡叫学生殷晖送给契丹。于阗派马继荣来朝，回鹘派李万金来朝。己巳日，赦免魏州，免除百姓税收。本月，任命宣徽南院使刘处让为枢密使。

冬季，十月戊寅日，契丹派中书令韩颊来京，册封后晋高祖为英武明义皇帝。庚辰日，将汴州升格为东京，以洛阳为西京，雍州为晋昌军。戊子日，右金吾卫大将军马从斌出使契丹。己未日，契丹派梅里来京。戊戌日，实行大赦。庚子日，封李圣天为大宝于阗国王。

十一月辛亥日，将广晋府升为邺都。壬戌日，解除铸钱禁令。

十二月丙子日，封皇子石重贵为郑王。

天福四年春季，正月，强盗发掘后唐愍帝的陵墓。辛亥日，澶州防御使张从恩担任枢密副使。在深州百姓李自伦家门前立牌坊赐匾额，用以表彰。

三月乙巳日，回鹘派都督拽里敦来京朝见。丙辰日，颁布《调元历》。灵州戍将王彦忠据怀远城反叛。己未日，彦忠投降，供奉官齐延祚将他杀掉。

夏四月辛巳，封回鹘可汗王仁美为奉化可汗。甲申，废枢密使。

秋七月丙辰，复禁铸钱。

闰月壬申，桑维翰罢。

八月己亥朔，河决博平。西戎寇泾州，彰义军节度使张彦泽败之，执其首领野离罗虾独。

九月丁丑，契丹使粘木孤来。癸未，封李从益为郇园公以奉唐后。丙戌，高丽王建使其广评侍郎邢顺来。

冬十一月乙亥，立唐高祖、太宗、庄宗、明宗、愍帝庙于西京。戊子，契丹使遥折来，吐蕃罢延族来附。

五年春正月丁卯朔，德音除民公私债。己丑，回鹘使石海金来。

夏四月甲子，契丹兴化王来。

五月丙戌，安远军节度使李金全叛附于唐。

【译文】

夏季，四月辛巳日，封回鹘可汗王仁美为奉化可汗。甲申日，废去枢密使一职。

秋季，七月丙辰日，恢复私自铸钱的禁令。

闰月壬申日，桑维翰被罢官。

八月己亥日为初一，黄河于博平段决口。西部戎夷进犯泾州，彰义军节度使张彦泽将其击败，俘获了首领野离罗虾独。

九月丁丑日，契丹派粘木孤来京。癸未日，封李从益为郇国公，作为后唐的后裔。丙戌日，高丽王建派广评侍郎刑顺来京朝见。

冬季，十一月乙亥日，在西京建立唐高祖、唐太宗、后唐庄宗、后唐明宗、后唐愍帝庙。戊子日，契丹派遥折来京，吐蕃罢延族前来归附。

天福五年春季，正月丁卯日为初一，皇帝颁布恩诏，免除百姓的公私债务。己丑日，回鹘派石海金来京朝见。

夏季，四月甲子日，契丹兴化王来京。

五月丙戌日，安远军节度使李金全叛归南唐。

六月癸卯，李昪遣其将李承裕入于安州，金全奔于唐，安远军节度使马全节及承裕战，败之。丁巳，克安州，承裕奔于云梦，全节执而杀之。

秋八月丁酉，阅稼于西郊。己未，西京留守杨光远杀太子太师范延光。

九月丁卯，翰林学士承旨、户部侍郎和凝为中书侍郎、同中书门下平章事。辛巳，阅稼于沙台。

冬十月丁未，契丹使舍利来。

十一月丙子，冬至，始用二舞。

六年春正月戊寅，封唐叔虞为兴安王，台骀为昌宁公。

二月戊申，停买宴钱。三月，除民二年至四年以前税。

夏四月己未，契丹使述括来。五月，吐浑首领白承福来。

秋七月壬午，突厥使薛同海来。

【译文】

六月癸卯日，李昇派部将李承裕进入安州，金全逃奔南唐，安远军节度使马全节与承裕交战，将南唐军队击败。丁巳日，攻克安州，承裕逃至云梦，全节将他抓获杀掉。

秋季，八月丁酉日，皇帝于京城西郊视察庄稼。己未日，西京留守杨光远杀死太子太师范延光。

九月丁卯日，翰林学士承旨、户部侍郎和凝为中书侍郎、同中书门下平章事。辛巳日，皇帝于沙台视察庄稼。

冬季，十月丁未日，契丹派舍利来京。

十一月丙子日是冬至，开始启用文武二舞的礼仪。

天福六年春季，正月戊寅日，封唐叔虞为兴安王，台骀为昌宁公。

二月戊申日，停罢各地进奉的买宴钱。三月，免除百姓天福二年至四年以前的税收。

夏季，四月己未日，契丹派述括来京。五月，吐浑首领白承福来京朝见。

秋季，七月壬午日，突厥派薛同海来京朝见。

八月壬辰，如邺都，开封尹郑王重贵留守东京，宣徽南院使张从恩东京内外兵马都监。壬寅，大赦。甲寅，光禄卿张澄使于契丹。

九月乙亥，前安国军节度使杨彦询使于契丹。丁丑，吐浑使白可久来。河决中都，入于沓河。

冬十月，河决滑、濮、郓、澶州。山南东道节度使安从进反。

十一月丁丑，西京留守高行周为南面军前都部署以讨之。

十二月丙戌朔，郑王重贵为广晋尹，徙封齐王。先锋都指挥使郭金海及安从进战于唐州，败之。成德军节度使安重荣反。天平节度使杜重威为镇州行营招讨使。丙申，契丹遣使者来。戊戌，杜重威及安重荣战于宗城，败之。

七年春正月丁巳，克镇州，安重荣伏诛，赦广晋。庚午，契丹使达剌来。

三月，归德军节度使安彦威塞决河于滑州。

闰月，天兴蝗食麦。

夏五月乙巳，尊皇太妃刘氏为太后。

六月丙辰，吐浑使念丑汉来。乙丑，皇帝崩于保昌殿。

【译文】

八月壬辰日，皇帝前往邺都，开封尹、郑王重贵留守东京，宣徽南院使张从恩任东京内外兵马都监。壬寅日，实行大赦。甲寅日，光禄卿张澄出使契丹。

九月乙亥日，前安国节度使杨彦询出使契丹。丁丑日，吐浑派白可久来京朝见。黄河于中都一带决口，流入沓河。

冬季，十月，黄河在滑州、濮州、郓州、澶州一带决口。山南东道节度使安从进反叛。

十一月丁丑日，西京留守高行周担任南面军前都部署，前往讨伐安从进。

十二月丙戌日为初一，任郑王重贵为广晋府尹，改封为齐王。先锋都指挥使郭金海与安从进交战于唐州，将安从进击败。成德军节度使安重荣反叛。任命天平节度使杜重威为镇州行营招讨使。丙申日，契丹派使节来京。戊戌日，杜重威与安重荣交战于宗城，将安重荣击败。

天福七年春季，正月丁巳日，攻克镇州，安重荣被处决，赦免广晋一府。庚午日，契丹派达剌来京。

三月，归德军节度使安彦威于滑州堵塞黄河决口。

闰月，天兴一带蝗虫食麦。

夏季，五月乙巳日，尊奉皇太妃刘氏为皇太后。

六月丙辰日，吐浑派念丑汉来京朝见。乙丑日，皇帝逝世于保昌殿。

〔宋史〕

欧阳修传

欧阳修字永叔，庐陵人。四岁而孤，母郑守节自誓，亲诲之学，家贫，至以荻画地学书。幼敏悟过人，读书辄成诵。及冠，嶷然有声。宋兴且百年，而文章体裁，犹仍五季余习。锼刻骈偶，淟涊弗振，士因陋守旧，论卑气弱。苏舜元舜钦、柳开、穆修辈，咸有意作而张之，而力不足。修游随，得唐韩愈遗稿于废书簏中，读而心慕焉。苦志探赜，至忘寝食，必欲并辔绝驰而追与之并。

举进士，试南宫第一，擢甲科，调西京推官。始从尹洙游，为古文，议论当世事，迭相师友，与梅尧臣游，为歌诗相倡和，遂以文章名冠天下。入朝，为馆阁校勘。

【译文】

欧阳修，字永叔，庐陵（今江西吉安）人。四岁时父亲就去世了，母亲郑氏，立誓守节，亲自教导儿子读书，家境贫困，以至用芦管当笔在地上描画着学习写字。欧阳修自幼就聪敏颖悟，超过常人，书读过就能熟记背诵。一到成年，就有了很高的声望。宋代立国将近百年，但文章的体裁，还是依然沿袭着五代的风气。文人们刻镂雕琢的都是骈偶之文，文坛污浊，文风不振，读书人因循陋习，墨守成规，评论卑下，气调柔弱。苏舜元、苏舜钦兄弟、柳开、穆修等人，都有意振作张扬正气，但力量不足。欧阳修游历随州（今属湖北），在废书篓中得到了唐朝韩愈的遗稿，读后万分欣慕。于是就苦心孤诣地探幽索隐，以至废寝忘食，他决心要同韩愈并驾齐驱、比肩齐名。

中进士，得南宫殿试第一，被选拔为甲科，调任西京推官。开始和尹洙交游，和尹洙一起写作古文，议论当朝时政，互相都把对方看成是自己的教师和朋友，又同梅尧臣交往，相互作诗唱和，就这样，欧阳修凭着他的文章名满天下。不久，选进朝廷，为馆阁校勘。

范仲淹以言事贬，在廷多论救，司谏高若讷独以为当黜。修贻书责之，谓其不复知人间有羞耻事。若讷上其书，坐贬夷陵令，稍徙乾德令、武成节度判官。仲淹使陕西，辟掌书记。修笑而辞曰："昔者之举，岂以为己利哉？同其退不同其进可也。"久之，复校勘，进集贤校理。庆历三年，知谏院。

时仁宗更用大臣，杜衍、富弼、韩琦、范仲淹皆在位，增谏官员，用天下名士，修首在选中。每进见，帝延问执政，咨所宜行。既多所张弛，小人翕翕不便。修虑善人必不胜，数为帝分别言之。

【译文】

范仲淹因为议论政事被贬了官，朝廷中很多官员都议论相救，只有司谏高若讷一个人认为范仲淹当贬。欧阳修就写了封信责备他，指责他不复知人间还有羞耻事。高若讷把欧阳修写给他的信送给了皇上，欧阳修因此获罪，被贬为夷陵（今湖北宜昌）县令，不久又迁为乾德（今湖北光化）县令、武成（今河南滑县）节度判官。范仲淹出使陕西，征辟欧阳修执掌书记。欧阳修笑着推辞说："从前我所以那样做，难道是为自己的私利吗？还是同其退不同其进较好吧。"过了很久，朝廷又恢复了他的校勘职务，并被进举为集贤院校理。宋仁宗庆历三年（1043），主持谏院。

当时仁宗皇帝更换大臣，杜衍、富弼、韩琦、范仲淹都做了朝廷大臣，仁宗还决定增加谏官，起用天下名士，欧阳修第一个在被选之列。每次进见，仁宗都要征求每个大臣的意见，询问他们应该做些什么。因为朝中兴废的事多了，小人们的聚合趋附感到了很多的不便。欧阳修考虑到正直的好人必然不会得胜，多次向仁宗分别谈了自己的看法。

初，范仲淹之贬饶州也，修与尹洙、余靖皆以直仲淹见逐，目之曰"党人"。自是，朋党之论起，修乃为《朋党论》以进。其略曰：君子以同道为朋，小人以同利为朋，此自然之理也。臣谓小人无朋，惟君子则有之。小人所归者利禄，所贪者财货，当其同利之时，暂相党引以为朋者，伪也。及其见利而争先，或利尽而反相贼害，虽兄弟亲戚，不能相保，故曰小人无朋。君子则不然，所守者道义，所行者忠信，所惜者名节。以之修身，则同道而相益，以之事国，则同心而共济，终始如一，故曰：惟君子则有朋。纣有臣亿万，惟亿万心，可谓无朋矣，而纣用以亡。武王有臣三千，惟一心，可谓大朋矣，而周用以兴。盖君子之朋，虽多而不厌故也。故为君但当退小人之伪朋，用君子之真朋，则天下治矣。”

修论事切直，人视之如仇，帝独奖其敢言，面赐五品服。顾侍臣曰：“如欧阳修者，何处得来？”同修起居注，遂知制诰。故事，必试而后命，帝知修，诏特除之。

【译文】

当初，范仲淹被贬饶州（治所在今江西波阳），欧阳修和尹洙、余靖都因为替范仲淹辩白伸冤而被逐，且被看成是“党人”。从此，朋党的争论就开始了，欧阳修写了《朋党论》进呈仁宗。其大概的意思是说：“君子和君子因为志同道合结成朋党，小人和小人因为私利相投结成朋党，这是自然的道理。但我说小人是没有朋党的，只有君子才有朋党。因为小人所喜好的是名利和厚禄，所贪图的是金钱和财物，当他们利害一致的时候，就暂时互相勾结拉拢成为朋党，这是虚伪的。等到有利可图的时候就互相争先，或者无利可图的时候就反而相互残害，虽然是兄弟亲戚，也不能互相保护，所以说小人是没有朋党的。君子就不是这样，他们所恪守的是道义，所奉行的是忠信，所珍惜的是名节。用它们来修身，就不仅志同道合而且还互相裨益，用它们来效忠国家，就不仅同心协力而且同舟共济，始终如一，所以说：只有君子才有朋党。商纣有臣子亿万个，就有亿万颗心，可说是没有朋党了吧，商纣因此而亡国；周武王有臣子三千人，三千人只有一条心，可以说是大的朋党了吧，而周王朝因此而兴。这是因为君子的朋党，虽然多也不会满足的缘故。所以做国君的人只该贬退小人的假朋党，起用君子的真朋党，那么天下就可大治了。”

欧阳修评议朝政严厉正直，小人们把他看成似仇人，而仁宗独夸奖他敢于说话，当面赐给他五品朝服，并且回看着侍臣们说：“像欧阳修这样的人，到哪里去找得来？”于是，提拔为同修起居注，又主管起草皇帝的诏令。按照先例，选拔主管起草皇帝诏令的官员一定要经过面试以后才能任命，因为仁宗了解欧阳修，下诏书特地任命欧阳修担任这个职务。

奉使河东。自西方用兵，议者欲废麟州以省馈饷。修曰："麟州天险不可废，废之，则河内郡县，民皆不安居矣。不若分其兵，驻并河内诸堡，缓急得以应援，而平时可省转输，於策为便。"由是州得存。又言："忻、代、岢岚多禁地废田，愿令民得耕之，不然，将为敌有。"朝廷下其议，久乃行，岁得粟数百万斛。凡河东赋敛过重民所不堪者，奏罢十数事。

使还，会保州兵乱。以为龙图阁直学士、河北都转运使。陛辞，帝曰："勿为久留计，有所欲言，言之。"对曰："臣在谏职得论事，今越职而言，罪也。"帝曰："第言之，毋以中外为间。"贼平，大将李昭亮、通判冯博文私纳妇女，修捕博文系狱，昭亮惧，立出所纳妇。兵之始乱也，招以不死，既而皆杀之，胁从二千人，分禁诸郡。富弼为宣抚使，恐后生变，将使同日诛之，与修遇于内黄，夜半，屏人告之故。修曰："祸莫大于杀已降，况胁从乎？既非朝命，脱一郡不从，为变不细。"弼悟而止。

【译文】

后来欧阳修奉命出使河东。自从朝廷对西方用兵以来，议论时政的人就想废除麟州（今陕西神木）以便节省军队的供给。欧阳修说："麟州是天然的险要之地，不要废除，废除了麟州，那么河内这些郡县的百姓就不能安居了。不如分出麟州的军队，让他们进驻河内的各个要塞，遇到危急情况也可以互相得到接应和救援，而平时又可以省去转辗运输之劳，对于谋略来说，这样做比较有利。"由于欧阳修的这个建议，麟州得到了保存。他又说："忻州（治所在今山西忻县）、代州（治所在今山西代县）、岢岚（今属山西）多的是禁地和废田，希望下命令让老百姓去开垦和种植，不然，就将被敌人占有了。"朝廷把欧阳修的提议交给有关部门讨论，直到很久以后才得以实行，结果是朝廷每年得到了几百万斛的粮食。凡是河东土地赋税过重，人民无法忍受的摊派，欧阳修上奏朝廷请求免除了十几项。

欧阳修出使回来，正值保州（今河北保定）屯兵作乱，欧阳修被授为龙图阁直学士、河北都转运使。他在向天子辞别的时候，仁宗对他说：“你不要做长久留在外面的打算，有什么想说的，说吧。”欧阳修回答说：“我在谏官任上就该评论朝政，现在我已经不做谏官了，再评议朝政就是越职了，这是有罪的。”仁宗说：“只管说，没关系，不要因为京官和外官而生出间隔来。”乱贼平定了，大将李昭亮、通判冯博文私藏妇女，欧阳修逮捕了冯博文把他囚禁在监狱里，李昭亮害怕了，马上放出了所有私藏的妇女。保州屯兵开始作乱的时候，官府曾经用投降不杀的诺言进行招安，等到叛乱平定后却把他们通通杀死了，另外尚有胁从的两千人，本来已经把他们分别编制、隶属到各个州郡里去了，当时富弼是宣抚使，担心这些被编的人以后会再生变故，所以又决定将他们在同一天里全部杀死。碰巧富弼和欧阳修在内黄（今属河南）这个地方相遇了，半夜里，富弼屏退左右，悄悄地把自己的这个打算告诉了欧阳修。欧阳修说：“灾祸没有比杀死已经投降的人更大的了，何况是胁从的人呢？既然不是朝廷的命令，如果有哪个州郡不服从你的这个命令，变故起来可不是小事呀！”富弼恍然大悟，因此中止了这个计划。

方是时，杜衍等相继以党议罢去，修慨然上疏曰：“杜衍、韩琦、范仲淹、富弼，天下皆知其有可用之贤，而不闻其有可罢之罪。自古小人谗害忠贤，其说不远。欲广陷良善，不过指为朋党，欲动摇大臣，必须诬以颛权，其故何也？去一善人，而众善人尚在，则未为小人之利；欲尽去之，则善人少过，难为一一求瑕，唯指以为党，则可一时尽逐。至如自古大臣，已被主知而蒙信任，则难以他事动摇，唯有颛权是上之所恶，必须此说，方可倾之。正士在朝，群邪所忌，谋臣不用，敌国之福也。今此四人一旦罢去，而使群邪相贺于内，四夷相贺于外，臣为朝廷惜之。”于是邪党益忌修，因其孤甥张氏狱傅致以罪，左行知制诰、知滁州。居二年，徙扬州、颍州。复学士，留守南京，以母忧去。服除，召判流内铨，时在外十一年矣。帝见其发白，问劳甚至。小人畏修复用，有诈为修奏，乞澄汰内侍为奸利者。其群皆怨怒，谮之，出知同州，帝纳吴充言而止。迁翰林学士，俾修《唐书》。奉使契丹，其主命贵臣四人押宴，曰：“此非常制，以卿名重故尔。”知嘉佑二年贡举。时士子尚为险怪奇涩之文，号

"太学体"，修痛排抑之，凡如是者辄黜。毕事，问之嚣薄者伺修出，聚譟于马首，街逻不能制；然场屋之习，从是遂变。

【译文】

当时，杜衍等大臣因为党议一个接一个被罢了官，欧阳修愤慨地向朝廷上奏疏说："杜衍、韩琦、范仲淹、富弼，天下人都知道他们是可以被举用的贤才，而没有听说他们有什么应该被免职的罪过。自古以来小人谗害忠贤，他们的说法其实也并不复杂。想大批地陷害忠良，不过就是指责他们是朋党，想动摇大臣的地位，就必须用专权来诬陷他们，这是什么原因呢？因为除去一个好人，其他很多的好人还在，这对小人并不能带来多大的利益；想把好人一网打尽，但好人却又很少有过失，很难一一找到他们的缺点，只有指责他们结为朋党，那么就可以在同一个时间内全部贬逐他们。至于自古以来那种已经被皇上了解、而且深得皇上信任的大臣，那么就难以用其他的事由来动摇他们了，只有专权是皇上最忌讳和憎恶的，所以，一定要用这种说法，才可以打倒他们。正直的人士在朝廷，邪恶的小人就会有所避忌，谋臣不被举用，正是敌国的福气。现在这四个正直的大臣一旦被罢免，一定会使邪恶的小人相互庆贺于内，四周的敌人相互称贺于外，我替朝廷可惜呀！"于是邪党更加憎恨欧阳修，就借他妹妹的孤女张化的案子罗织他的罪名，把他降为知制诰，出为滁州（今安徽滁县）知州。欧阳修在滁州住了两年，徙扬州（今属江苏）、颍州（今安徽阜阳）。不久，恢复了他龙图阁直学士的官衔，留守南京，因为母亲去世而去职。服丧期满，朝廷任命他为流内铨。当时，欧阳修在外已十一年了，仁宗看到他的头发都已发白，问候慰劳很是周到。小人们害怕欧阳修再次被重用，就有人假造欧阳修的奏章请求仁宗清洗内侍中挟持恩宠，为非作歹，用非法手段获取私利的奸徒。这样就激起了宦官们对欧阳修的深切怨怒，纷纷诬陷他，要把他外放同州（今陕西大荔），仁宗皇帝采纳了吴充的意见才得以中止。迁翰林学士，让他修纂《唐书》。欧阳修奉命出使契丹，契丹君主命令四个贵臣掌管宴会，并且对欧阳修说："这种规格的接待并不是常规制度，只是因为你的名声大，所以才这样做的。"嘉佑二年（1057），欧阳修主持贡举。当时应考的读书人喜欢写作险怪奇涩的文章，号为“太学体”，欧阳修极力排斥，贬抑这种文体，凡是写作这种文章的人一概黜落。这件事结束后，从前那些轻狂浅薄的人等候得欧阳修出门，聚集在一起气势汹汹地拦住欧阳修的马头高声责骂，街上的巡逻队无法制止；然而科举考试的风气，却从此得到了改变。

加龙图阁学士、知开封府，承包拯威严之后，简易循理，不求赫赫名，京师亦治。旬月，改群牧使。《唐书》成，拜礼部侍郎兼翰林侍读学士。修在翰林八年，知无不言。河决商胡，北京留守贾昌朝欲开横垅故道，四河使东流。有李仲昌者，欲导入六塔河，议者莫知所从。修以为：“河水重浊，理无不淤，下流既淤，上流必决。以近事验之，决河非不能力塞，故道非不能力复，但势不能久耳。横垅功大难成，虽成将复决。六塔狭小，而以全河注之，滨、棣、德、博必被其害。不若因水所趋，增堤峻防，疏其下流，纵使入海，此数十年之利也。”宰相陈执中主昌朝，文彦博主仲昌，竟为河北患。台谏论执中过恶，而执中犹迁延固位。修上疏，以为“陛下拒忠言，庇愚相，为圣德之累”。未几，执中罢。狄青为枢密使，有威名，帝不豫，讹言籍籍，修请出之于外，以保其终，遂罢知陈州。修常因水灾上疏曰：“陛下临御三纪，而储宫未建。昔汉文帝初即位，以群臣之言，即立太子，而享国长久，为汉太宗。居明宗恶人言储嗣事，不肯早定，致秦王之乱，宗社遂覆。陛下何疑而久不定乎？”其后建立英宗，盖原于此。

【译文】

欧阳修被封龙图阁学士，知开封府。他继承包拯威严治政之后，用简明便易、遵循法制的原则治政，不求显赫的名声，京师也治理得很好。十个月以后，改充群牧使。《唐书》修撰完毕，欧阳修被任命为礼部侍郎兼翰林侍读学士。欧阳修在翰林院八年，真正做到了知无不言。当时黄河在商胡决口，北京（今河北大名）留守贾昌朝想掘开横垅故道，回折河水使它向东流。有个叫李仲昌的人，却主张把河水引入六塔河。议论的人不知听谁的好。欧阳修认为：“黄河水流多泥沙，按理说来没有不淤塞的，下流既然已经淤塞了，上流就一定会决口。用近来发生的事情去考察，黄河的决口并不是不能努力塞住，故道也不是不能努力恢复，但是这种做法都不是治本之道，因而势必不能保持久长。开掘横垅故道工程很大，难以成功，即使成功了，最终还是要再次决口。而六塔河河床狭窄，令黄河水悉数倾注，滨、棣、德、博各州一定会遭到它的灾害。不如依循河水的走向，增高河堤，疏通它的下游，让黄河之水无所阻拦地流入大海，这才是几十年的长久利益呀。”当时的宰相陈执中主张贾昌朝的意见，文彦博主张李仲昌的意见，终于造成了河北的大灾难。谏院论述陈执中的过失，但陈执中仍然拖延着企图稳住自己的官位。欧阳修上书皇帝，认为“皇上拒绝采纳忠告，庇护愚顽的宰相，给皇上带来了连累”。过了不久，陈执中被免去了宰相职位。狄青做了枢密使，很有威望，仁宗不高兴，谣言纷起，欧阳修请求出任外官，以保全自己得以善终。于是就免去了他的朝官而改任陈州（今河南淮阳）知州。欧阳修曾经因为水灾向仁宗上奏疏说：“皇上君临天下已经三纪了，但至今东宫太子之位未定。从前汉文帝刚即位，因为臣子们的建议，马上立了太子，因此享国很久长，为汉太宗。唐明宗讨厌臣下议论接班人的事，不肯早早立定太子，因此造成秦王之乱，宗庙社稷由此倾覆。皇上为何犹豫而久久不选定太子呢？”此后的建立英宗，推究其源，就在于欧阳修的这次上书。

五年，拜枢密副使。六年，参知政事。修在兵府，与曾公亮考天下兵数及三路屯戍多少、地理远近，更为图籍。凡边防久缺屯戍者，必加搜补。其在政府，与韩琦同心辅政。凡兵民、官吏、财利之要，中书所当知者，集为总目，遇事不复求之有司。时东宫犹未定，与韩琦等协定大议。英宗以疾未亲政，皇太后垂帘，左右交构，几成嫌隙。韩琦奏事，太后泣语之故。琦以帝疾为解，太后意不释，修进曰：“太后事仁宗数十年，仁德著于天下。昔温成之宠，太后处之裕如；今母子之间，反不能容邪？”太后意稍和，修复曰：“仁宗在位久，德泽在人。故一日晏驾，天下奉戴嗣君，无一人敢异同者。今太后一妇人，臣等五六书生耳，非仁宗遗意，天下谁肯听从。”太后默然，久之而罢。

修平生与人尽言无所隐。及执政，士大夫有所干请，辄面谕可否，虽台谏官论事，亦必以是非诘之，以是怨诽益众。帝将追崇濮王，命有司议，皆谓当称皇伯，改封大国。修引《丧服记》，以为：“‘为人后者，为其父母报。’降三年为期，而不没父母之名，以见服可降而名不可没也。若本生之亲，改称皇伯，历考前世，皆无典据。进封大国，则又礼无加爵之道。故中书之议，不与众同。”太后出手书，许帝称亲，尊王为皇，三夫人为后。帝不敢当。于是御史吕诲等诋修主此议，争论不已，皆被逐。惟蒋之奇之说合修意，修荐为御史，众目为奸邪。之奇患之，则思所以自解。修妇弟薛宗孺有憾于修，造帷薄不根之谤摧辱之，展转达于中丞彭思永，思永以告之奇，之奇即上章劾修。神宗初即位，欲深谴修。访故宫臣孙思恭，思恭为辨释，修杜门请推治。帝使诘思永、之奇，问所从来，辞穷，皆坐黜。修亦力求退，罢为观文殿学士、刑部尚书、知亳州。明年，迁兵部尚书、知青州，改宣徽南院使、判太原府。辞不拜，徙蔡州。

【译文】

嘉佑五年（1060），欧阳修升任为枢密副使。嘉佑六年（1061），为参知政事。欧阳修在兵府时，曾经和曾公亮考核全国的军队数量和三路驻守兵员的多少，地理的远近，重新制造了地图和簿籍。凡是边防长久以来没有派兵驻守的，一定进行检阅和补充。他在任执政大臣时，和韩琦同心辅助仁宗。凡是兵民、官吏、财利等中书省应当知晓的重要大事，编集成一个总目，碰到事情就不必临时匆忙地向有关部门了解。当时东宫太子的人选还没有决定，欧阳修就和韩琦等人对这样一件大事协商出了一个意见。宋英宗因为得了病，无法亲自处理朝政。皇太后垂帘听政，左右的人互相猜忌，制造矛盾，皇帝和皇太后几乎因此结成怨仇。在韩琦奏事的时候，太后哭着向韩琦说了英宗和自己的种种矛盾。韩琦用英宗有病来进行劝解，太后听了不高兴，欧阳修就进一步劝说道：“太后侍奉仁宗皇帝已经几十年了，您的仁德昭示于天下。以前温成专宠，太后您处置得从容自如；现在母子之间，反而不能宽容吗？”太后的情绪稍稍和缓了些，欧阳修又劝说道：“仁宗皇帝在位的时间很久，他德政的恩泽深深地留在人们心中，所以一旦驾崩，天下奉戴太子，没有一个人敢不赞成的。现在太后您只是一个妇人，而我们也只是五六个书生罢了，如果不是仁宗皇帝的遗意，天下谁人肯听从呢？”太后不作声，过了很久，母子之间的矛盾才逐渐缓和了。

欧阳修平素和人相处总是坦率地说出自己要说的话，从不掩饰和隐瞒。等到他执政以后，士大夫们对他有所请求，他总是当面说明可以还是不可以的理由，就是谏院的官员议论政事，他也一定用是非作为标准来责问他们，因此怨恨他、说他坏话的人就更多了。英宗将追封尊崇濮王，下命令让有关部门讨论，都说应当称皇伯，改封一个大国。欧阳修引述《礼记·丧服记》，认为：“身为人子的人，应该替他的父母实行‘报祭’，降服丧三年为服丧一年，而不隐没父母的名字，可是丧服可以降等，但名字是绝不可隐没的。如果出嗣的儿子把亲生的父亲改称为皇伯，这种例子就是遍考前代，都是没有根据的。进封为大国的王，但礼制规定又没有加爵的道理。所以中书省的意见，和大家的意见不同。”最后太后写出了手书，允许英宗称濮王为亲，推尊濮王为皇考，三夫人为后。英宗不敢承当。于是御史吕诲等人毁谤说欧阳修主张这种意见，争论不休，后来吕诲等人都被贬逐出了御史台。只有蒋之奇的意见附和欧阳修的主张，所以欧阳修推荐他为监察御史，但是被御史台的很多人看成是奸佞邪恶的小人，蒋之奇为此十分害怕，就想使自己摆脱这种窘境。正好欧阳修的内弟薛宗孺和欧阳修有仇恨，他捏造了欧阳修家庭生活淫乱的谤言来诋毁欧阳修，这个谤言辗转相传，一直传到了御史中丞彭思永的耳中，彭思永又把这个谣言告诉了蒋子奇，蒋子奇就上奏章弹劾欧阳修。当时，神宗皇帝初即位，心里希望重重地谴责一下欧阳修，就去征求过去的官臣孙思恭的意见，孙思恭替欧阳修辩白解释，欧阳修杜门不出，要求神宗对制造谣言的人治罪。神宗派人诘问彭思永、蒋之奇，追问谣言的出处，彭思永、蒋之奇回答不出来，结果都遭到了贬逐。欧阳修也坚决要离开朝廷，结果被罢为观文殿学士、刑部尚书、亳州（今安徽亳县）知州。第二年，迁兵部尚书、青州（今山东益都）知州，后来又改为宣徽南院使、兼任太原（今属山西）知府。欧阳修辞不受命，后又改徙蔡州（今河南汝南）。

修以风节自持，既数被汙蔑，年六十，即连乞谢事，帝辄优诏弗许。及守青州，又以请止散青苗钱，为安石所诋，故求归愈切。熙宁四年，以太子少师致仕。五年，卒，赠太子太师，谥曰文忠。

修始在滁州，号醉翁，晚更号六一居士。天资刚劲，见义勇为，虽机阱在前，触发之不顾。放逐流离，至于再三，志气自若也。方贬夷陵时，无以自遣，因取旧案反复观之，见其枉直乖错不可胜数，于是仰天叹曰："以荒远小邑，且如此，天下固可知。"自尔，遇事不敢忽也。学者求见，所与言，未常及文章，惟谈吏事，谓文章止于润身，政事可以及物。凡历数郡，不见治迹，不求声誉，宽简而不扰，故所至民便之。或问："为政宽简，而事不弛废，何也？"曰："以纵为宽，以略为简，则政事弛废，而民受其弊。吾所谓宽者，不为苛意；简者，不为繁碎耳。"修幼失父，母常谓曰："汝父为吏，常夜烛治官书，屡废而叹。吾问之，则曰：'死狱也，我求其生，不得尔。'吾曰：'生可求乎？'曰：'求其生而不得，则死者与我皆无恨。夫常求其生，犹失之死，而世常求其死也。'其平居教他子弟，常用此语，吾耳熟焉。"修闻而服之终身。

【译文】

欧阳修总是以风骨气节自我制约，但却屡屡遭到污蔑，且年纪已六十了，就一再上表要求辞去官职，神宗帝总是宽慰他，没有答应他的辞官。及至出守青州，又因为请求停止散发青苗钱，被王安石所诋毁，因此要求放归的愿望益发急切。熙宁四年（1071），欧阳修以太子少师的身份退休。熙宁五年（1072）死，赠太子太师，谥号"文忠"。

欧阳修起初在滁州时，自号为"醉翁"，晚年改号"六一居士"。他天资刚劲，见义勇为，虽然机关陷阱就在前面，但也能置触发之险于不顾。虽然一而再、再而三地被放逐流放，却仍旧是志气自若。当他被贬夷陵时，没有什么可以自我排遣，就取出积年的陈旧案牍反复观看，看到其中冤屈谬误的地方不可胜数，于是仰天长叹道："一个荒远的山城，尚且如此，天下冤屈谬误事之多就可想而知了。"自此以后，碰到狱讼之类的事就不敢有丝毫的懈怠疏忽。学者求见，和他们谈话，从来不论及文章，只谈官事，他认为文章只能润及自身，而政事却可以推及他物。他前后历任数郡的长官，不炫耀政绩，不追求声誉，为政宽缓简要而不扰民，所以，凡是他所到的州郡，人民都感到安适。有人问他："您治政宽缓简要，而政事却并没有弛废，这是什么原因呢？”欧阳修说：“如果以放纵为宽，以怠慢为简，那么政事就一定会弛废，而人民也一定会受其弊害。我这里所说的宽，是指政令不苛刻急迫，我所说的简，是指政令不繁杂琐碎。”欧阳修从小失去了父亲，母亲曾经对他说：“你父亲做官的时候，常常秉烛夜读公文，屡屡停卷而叹。我问他，他就说：‘这是个死狱啊，我想设法让他能活，不能啊！’我说：‘生可求吗？’你父亲就说：‘做官的人想方设法寻求使死狱者获生的办法而不得，那么死的人和我就都无恨了。而做官的人虽然常常存有使死狱者变活的愿望，尚且会不小心使他死了，何况世上不少做官的常常希望的是治民以死呢！’他平时教育他的子弟，也常常用这样的话来说，我耳朵都听得熟了。”欧阳修听后终身遵循父亲的这个教导。

为文天才自然，丰约中度。其言简而明，信而通，引物连类，折之于至理，以服人心。超然独惊，众莫能及，故一下翕然师尊之。奖引后进，如恐不及，赏识之下，率为闻人。曾巩、王安石、苏洵、洵子轼辙，布衣屏处，未为人知，修即游其声誉，谓必显于世。笃于朋友，生则振掖之，死则调护其家。

好古嗜学，凡周、汉以降金石遗文、断编残简，一切掇拾，研稽异同，立说于左，的的可表证，谓之《集古录》。奉诏修《唐书》纪、志、表，自撰《五代史记》，法严词约，多取《春秋》遗旨。苏轼叙其文曰：“论大道似韩愈，论事似陆贽，记事似司马迁，诗赋似李白。”识者以为知言。

论曰：三代而降，薄乎秦、汉，文章虽与时盛衰，而蔼如其言，晔如其光，皦如其音，盖均有先王之遗烈。涉晋、魏而弊，至唐韩愈氏振起之。唐之文，涉五季而弊，至宋欧阳修又振起之。挽百川之颓波，息千古之邪说，使斯文之正气，可以羽翼大道，扶持人心，此两人之力也。愈不获用，修用矣，亦弗克究其所为，可为世道惜也哉！

【译文】

欧阳修写的文章，自然天成，或丰满或简约，都符合标准。他的文辞简要，旨意明朗，立论有据，内容通博，旁征博引，引类例举，分析事理至深至透，因此很能折服人心。他超然脱俗，独自奔驰，众人不能相及，所以天下的人都聚集在他的周围尊称他为师。欧阳修鼓励提携后进，犹恐不及，凡是被他赏识的人，大多成了有名望的人。曾巩、王安石、苏洵、苏洵的儿子苏轼、苏辙，当他们还是平民的时候，屏处乡里，不为人知，欧阳修就为他们游说，赞美他们的声誉，说他们一定会显名闻达于世。他对待朋友非常笃实，朋友在世的时候举拔扶持他们；朋友去世以后就调理保护他们的家族。

欧阳修喜好古文，爱好读书，凡是周、汉以来的金石遗文、断编残简，都要采集收拾起来，研究考核它们的异同，把自已的观点写在左边，明白、昭著可为表证，称之为《集古录》。奉诏修撰《唐书》纪、志、表，自撰《五代史记》，章法严谨，用词精约，多取《春秋》遗旨。苏轼论述欧阳修的文章时说："论大道时像韩愈，议政事时像陆贽，记史事像司马迁，作诗赋像李白。"有识之人以为这是真正了解欧阳修的话。

评论说：自从夏、商、周三代以来，一直到秦、汉，文章虽然跟着时代而有所盛衰，但它们的语言却都繁富滋润，它们的光泽都灿烂照人，它们的音节都清晰明亮，这是因为还都保留有先王遗留下来的功绩。经过晋、魏，文章就衰弊了，到了唐代韩愈的手里，文章重新振兴起来。唐代的文章，经过五代又衰弊了，到了宋代欧阳修手里，又再次振兴起来。挽回百川之颓波，平息千古的邪说，使这种文章的正气，可以辅佐大道，可以扶持人心，这都是韩愈、欧阳修两人所做的努力啊！韩愈在政治上没有得到重用，欧阳修得到了重用，但最终还是不能有所作为，这件事真应该被世道惋惜的啊！

王安石传

王安石字介甫，抚州临川人。父益，都官员外郎。安石少好读书，一过目终身不忘。其属文动笔如飞，初若不经意，既成，见者皆服其精妙。友生曾巩携以示欧阳修，修为之延誉。擢进士上第，签书淮南判官。旧制，秩满许献文求试馆职，安石独否。再调知鄞县，起堤堰，决陂塘，为水陆之利；贷谷与民，出息以偿，俾新陈相易，邑人便之。通判舒州。文彦博为相，荐安石恬退，乞不次进用，以激奔竞之风。寻召试馆职，不就。修荐为谏官，以祖母年高辞。修以其须禄养言于朝，用为群牧判官，请知常州。移提点江东刑狱，入为度支判官，时嘉祐三年也。

安石议论高奇，能以辩博济其说，果于自用，慨然有矫世变俗之志。于是上万言书，以为："今天下之财力日以困穷，风俗日以衰坏，患在不知法度，不法先王之政故也。法先王之政者，法其意而已。法其意，则吾所改易更革，不至于倾骇天下之耳目，嚣天下之口，而固已合先王之政矣。因天下之力以生天下之财，收天下之财以供天下之费，自古治世，未曾以财不足为公患也，患在治财无其道尔。在位之人才既不足，而闾巷草野之间亦少可用之才，社稷之托，封疆之守，陛下其能久以天幸为常，而无一旦之忧乎？愿监苟且因循之弊，明诏大臣，为之以渐，期合于当世之变。臣之所称，流俗之所不讲，而议者以为迂阔而熟烂者也。"后安石当国，其所注措，大抵皆祖此书。

【译文】

王安石，字介甫，抚州临川人。父亲王益，任都官员外郎。王安石小时候喜好读书，一经过目终身不忘。他写起文章来下笔如飞，初看好像漫不经心，完成后，见到的人都佩服他的文章精彩绝妙。朋友曾巩把他的文章带给欧阳修看，欧阳修为他扩大声誉。王安石考中进士，被选为上等，出任签书淮南判官。按照以前的制度，任职期满，允许进献文章要求考试馆阁职务，唯独王安石没有这样做。又调任鄞县的知县，修筑堤堰，疏治陂塘，兴修水利，方便水陆交通；将官谷借贷给农民，让他们秋后加些利息偿还，使官仓中的存谷能够以旧换新，鄞县的老百姓都觉得很方便。再任舒州通判。当时文彦博做宰相，向朝廷推荐王安石淡于名利，请求越级提拔，以此来遏止追逐名利的不良风气。不久，朝廷召王安石考试馆职，他没有参加。欧阳修推荐他做谏官，他又以祖母年事已高为理由而推辞。欧阳修对朝廷说王安石需要俸禄养家，于是朝廷任命他为群牧判官，他请求担任常州知州。调任提点江东刑狱，又进京担任度支判官，当时是宋仁宗嘉祐三年。

王安石的议论和主张高深新奇，善于用雄辩和旁征博引来维护自己的观点，敢于坚持按照自己的意见办事，慷慨激昂地立下了矫正世事、改变传统陋俗的志向。于是，他向仁宗皇帝上万言书，认为："如今天下的财力一天比一天困乏，风俗一天比一天败坏，毛病就在于不知道法度、不遵循先王的政令。效法先王政令，在于效法先王政令的精神。只要效法先王政令的精神，那么我们所推行的改革变更就不至于惊扰天下人的视听，就不至于使天下舆论哗然、议论纷纷，也就必然符合先王的政令了。依靠天下的人力物力来生产天下的财富，征收天下的财富来供给天下的消费，自古以来的太平治世，不曾因为财富不足而造成国家的祸患，忧患是在于治理财政不得其法。居官任职的人才能既已不足，而城乡民间又缺少可以使用的人才，国家的重托，疆域的保持，陛下难道能够长久地依靠上天赐予的幸运作为常法，而不考虑万一出现忧患该怎么办吗？希望陛下能够明察朝政中因循苟且的弊端，明文诏令大臣，逐渐采取措施，革除这些弊端，以符合和适应当前世事的变化。我所讲的这些想法，那些沉溺在颓靡习俗中的人是不会谈论的，而且议论者还会认为这些都是迂腐疏阔、不切实际的老生常谈。"后来王安石执政，他所施行的各项政策措施，大体上都是以这份万言书为依据的。

俄直集贤院。先是，馆阁之命屡下，安石屡辞；士大夫谓其无意于世，恨不识其面，朝廷每欲畀以美官，惟患其不就也。明年，同修起居注，辞之累日。閤门吏赍敕就付之，拒不受；吏随而拜之，则避于厕；吏置敕于案而去，又追还之；上章至八九，乃受。遂知制诰，纠察在京刑狱，自是不复辞官矣。

有少年得斗鹑，其侪求之不与，恃与之昵辄持去，少年追杀之。开封当此人死，安石驳曰："按律，公取、窃取皆为盗。此不与而彼携以去，是盗也；追而杀之，是捕盗也，虽死，当勿论。"遂劾府司失入。府官不伏，事下审刑、大理，皆以府断为是。诏放安石罪，当诣閤门谢。安石言："我无罪。"不肯谢。御史举奏之，置不问。

【译文】

此后不久，王安石任直集贤院。在此以前，朝廷多次下达委任他担任馆阁职务的命令，但王安石一再推辞。士大夫们都认为他不想显赫于世、对功名利禄十分淡漠，都恨不能跟他结识，朝廷多次想委派他担任名利优厚的高官，生怕他不肯接受。第二年，朝廷委任他同修起居注，王安石推辞了好几天。閤门吏带着委任状到他府上交给他，他拒不接爱；閤门吏随即下拜，他却溜到厕所里躲避起来；閤门吏干脆把委任状放在桌上离去，王安石又追上去将委任状还给他；他连续上章辞谢了八九次，才接受了这项任命。于是任知制诰，纠察京城的刑事狱讼，从此他不再辞官了。

有位少年得到了一只善斗的鹌鹑，他的同伴向他求取，他不给，同伴仗着跟他关系亲密就把鹌鹑拿走了，这个少年追上去把同伴杀了。开封府判决这个少年当处死刑，王安石反驳道："按照刑律，公开的夺取和偷偷的窃取都是盗贼行为。一方不给而另一方拿之以去，就是盗窃；追上去把他杀死，是追捕盗贼，虽然把人杀死了也不应当追究。"于是弹劾开封府审判机构将不该判刑的人反而判了重刑，犯了失入的错误。开封府的官员不服，皇帝将这件事交给审刑院和大理寺再次审理，审刑院和大理寺都认为开封府的判决是正确的。皇帝下诏免于追究王安石的弹劾错误，但他应当到閤门前道歉。王安石说："我没有罪！"不肯道歉。御史上章弹劾他，皇帝置之不问。

时有诏舍人院无得申请除改文字，安石争之曰："审如是，则舍人不得复行其职，而一听大臣所为，自非大臣欲倾侧而为私，则立法不当如此。今大臣之弱者不敢为陛下守法；而强者则挟上旨以造令，谏官、御史无敢逆其意者，臣实惧焉。”语皆侵执政，由是益与之忤。以母忧去，终英宗世，召不起。

安石本楚士，未知名于中朝，以韩、吕二族为巨室，欲借以取重。乃深与韩绛、绛弟维及吕公著交，三人更称扬之，名始盛。神宗在颍邸，维为记室，每讲说见称，辄曰：“此非维之说，维之友王安石之说也。”及为太子庶子，又荐自代。帝由是想见其人，甫即位，命知江宁府。数月，召为翰林学士兼侍讲。熙宁元年四月，始造朝。入对，帝问为治所先，对曰：“择术为先。”帝曰：“唐太宗何如？”曰：“陛下当法尧、舜，何以太宗为哉？尧、舜之道，至简而不烦，至要而不迂，至易而不难。但末世学者不能通知，以为高不可及尔。”帝曰：“卿可谓责难于君，朕自视眇躬，恐无以副卿此意。可悉意辅朕，庶同济此道。”

【译文】

当时有诏令规定舍人院不得申请删改诏书文字，王安石争辩说：“假如真是这样，那么舍人院就不再能够履行自己的职责，而听任大臣为所欲为，假如不是大臣为了私利而侵夺舍人职权，那么国家立法就不应当这样。如今大臣中软弱的人不敢为陛下执法守纪，而强硬蛮横的人则假借皇帝的旨意来制造命令，谏官和御史们都不敢违背他们的意志，我实在感到害怕。”王安石的这些话侵犯了执政大臣，从此更加跟执政大臣相抵触。他因为母亲去世离任，直到英宗朝结束，朝廷多次召他，他都不肯赴任。

王安石本是楚人，在朝廷中没什么名气，因为韩、吕二姓是世家大族，所以他想借助韩、吕二族来取得别人对自己的尊重。于是就和韩绛、韩绛的弟弟韩维以及吕公著深交，这三人对王安石交相称赞，王安石的声望才开始显著。宋神宗在颍王府时，韩维任记室，每当他的讲解议论得到神宗称赞时，就说：“这不是我的说法，而是我的好友王安石的见解呀！”到他升任太子庶子时，韩维又推荐王安石代替自己。神宗于是很想见到王安石，刚即帝位，就任命他为江宁府知府。几个月后，又召王安石为翰林学士兼侍讲。熙宁元年四月，王安石才到朝廷。他进宫答对皇帝询问时，神宗问他治理国家首先应当做什么事，他回答说：“首先应当选择治国的方法。”神宗问道：“唐太宗怎么样？”王安石答道：“陛下应当效法尧、舜，何必要学唐太宗呢？尧、舜的治国之道，极为简明而不烦琐，极为扼要而不迂阔，极为简易而不繁难。但后世学者不能通晓，所以才被认为高不可及。”神宗说：“你这可以说是让我勉为其难了，我自己认为跟尧、舜相比太过于渺小，恐怕无法跟你的这番好意相称。你可以尽心尽意地辅佐我，希望共同实现这一目标。”

一日讲席，群臣退，帝留安石坐，曰：“有欲与卿从容议论者。”因言：“唐太宗必得魏征，刘备必得诸葛亮，然后可以有为，二子诚不世出之人也。”安石曰：“陛下诚能为尧、舜，则必有皋、夔、稷、禼；诚能为高宗，则必有傅说。彼二子皆有道者所羞，何足道哉？以天下之大，人民之众，百年承平，学者不为不多。然常患无人可以助治者，以陛下择术未明，推诚未至，虽有皋、夔、稷、禼、傅说之贤，亦将为小人所蔽，卷怀而去尔。”帝曰：“何世无小人，虽尧、舜之时，不能无四凶。”安石曰：“惟能辨四凶而诛之，此其所以为尧、舜也。若使四凶得肆其谗慝，则皋、夔、稷、禼亦安肯苟食其禄以终身乎？”

登州妇人恶其夫寝陋，夜以刃斫之，伤而不死。狱上，朝议皆当之死，安石独援律辨证之，为合从谋杀伤，减二等论。帝从安石说，且著为令。

【译文】

有一天讲学，大臣们都退朝了，神宗皇帝让王安石留坐，说：“我有事想跟你认真讨论。”于是说道：“唐太宗必须得到魏征，刘备必须得到诸葛亮，然后才能够有所作为，这两人确实不是每代都有的杰出人物啊。”王安石回答说：“陛下果真能为尧、舜，那么必然会有皋、夔、稷、禼这样的人物来辅佐；果真能为商高宗，那么必然会有傅说。诸葛亮和魏征那两个人都是有识之士所羞于提及的，有什么值得称道的呢？凭借我大宋幅员之大，人民之多，百年治平相承，有学问的人不可以说不多。但经常忧虑没人可以帮助陛下治理国家，其原因在于陛下选拔人才的方法还不明确，诚意待人做得还不到位，即使有皋陶、后夔、后稷、禼和傅说这样的贤人，也会被小人遮蔽，藏身退隐而去。”神宗说：“哪个朝代没有小人？即使是尧、舜的时代，也不能没有‘四凶’。”王安石答道：“正因为能够辨别‘四凶’而加以惩处和铲除，尧、舜才能够成其为尧、舜。假如让‘四凶’肆无忌惮、谗害忠良、为非作歹，那么皋陶、后夔、后稷、禼还肯因循苟且、贪图俸禄而虚度一生吗？”

登州有个妇人嫌恶自己的丈夫相貌丑陋，夜里用刀砍杀丈夫，丈夫受了伤，但没有死。这个案子上报朝廷后，朝中讨论都认为这个妇人应判死刑，唯独王安石依据法律辩驳证明，此案符合谋杀致伤的律条，应当减死刑二等论处。神宗同意了王安石的意见，并且把它定为法律。

二年二月，拜参知政事。上谓曰："人皆不能知卿，以为卿但知经术，不晓世务。"安石对曰："经术正所以经世务，但后世所谓儒者，大抵皆庸人，故世俗皆以为经术不可施于世务尔。"上问："然则卿所施设以何先？"安石曰："变风俗，立法度，最方今之所急也。"上以为然。于是设制置三司条例司，命与知枢密院事陈升之同领之。安石令其党吕惠卿任其事。而农田水利、青苗、均输、保甲、免役、市易、保马、方田诸役相继并兴，号为新法，遣提举官四十余辈，颁行天下。

青苗法者，以常平籴本作青苗钱，散与人户，令出息二分，春散秋敛。均输法者，以发运之职改为均输，假以钱货，凡上供之物，皆得徙贵就贱，用近易远，预知在京仓库所当办者，得以便宜蓄买。保甲之法，籍乡村之民，二丁取一，十家为保，保丁皆授以弓弩，教之战阵。免役之法，据家资高下，各令出钱雇人充役，下至单丁、女户，本来无役者，亦一概输钱，谓之助役钱。市易之法，听人赊贷县官财货，以田宅或金帛为抵当，出息十分之二，过期不输，息外每月更加罚钱百分之二。保马之法，凡五路义保愿养马者，户一匹，以监牧见马给之，或官与其值，使自市，岁一阅其肥瘠，死病者补偿。方田之法，以东、西、南、北各千米，当四十一顷六十六亩一百六十步为一方，岁以九月，令、佐分地计量，验地土肥瘠，定其色号，分为五等，以地之等，均定税数。又有免行钱者，约京师百物诸行利入厚薄，皆令纳钱，与免行户祗应。自是四方争言农田水利。古陂废堰，悉务兴复。又令民封状增价以买坊场，又增茶盐之额，又设措置河北籴便司，广积粮谷于临流州县，以备馈运。由是赋敛愈重，而天下骚然矣。

【译文】

熙宁二年二月，王安石被任命为参知政事。神宗对他说："别人都不能了解你，以为你只懂经学，不明白现实事务。"王安石回答道："经学正是用来治理现实事务的，但后世的所谓儒生，大都是些平庸之辈，所以世俗才认为经学不能施用于治理现实事务。"神宗又问："既然这样，那么你首先要施行设置的是什么呢？"王安石回答说："改变风俗，建立法度，最是今天的当务之急。"神宗认为很对。于是设立制置三司条例司，任命王安石跟知枢密院事陈升之共同掌管。王安石命令他的党徒吕惠卿承担条例司的具体事务。随后，农田水利、青苗、均输、保甲、免役、市易、保马、方田等法相继问世，称为新法，朝廷派遣了四十多名提举官，到全国各地颁行新法。

青苗法，是把籴买常平粮的本钱作为青苗钱，散借给百姓，让他们出二分的利息偿还，每年春天借出、秋天收回。均输法，是把发运的职能改为均输，先由朝廷给予钱币和实物，凡是上供朝廷的物品，都必须离开价钱高的地区而到价钱便宜的地区购买，并用路程近的地区代替路程远的地区，预先了解京城仓库需要购买的物品，以便用便宜的价钱购买贮存。保甲法，就是把乡村的人口编入户籍簿，两名男丁取一人，十家为一保，挑选出来的保丁都发给弓弩、教给他们战斗阵法，维护地方治安。免役法，就是根据百姓家庭财产的多少，分别让他们出钱雇人充役，下至单丁户、女户等本来不用服役的家庭，也一律出钱，称为助役钱。市易法，允许私人向官府赊购或借贷货物钱款，以自己的田地、住宅或者金帛作为抵押，出十分之二的利息还官，超过期限没有交纳的，利息之外每月另加百分之二的罚金。保马法，凡是五路义勇保甲愿意养马的，每户养一匹，以牧马监现有的马匹给他们喂养，或者由官府给予买马的钱款，让他们自行购买，每年检查一次马的肥瘦，死亡的和生病的由养马户负责赔偿。方田法，以东、西、南、北各一千步，相当于四十一顷六十六亩一百六十步的田地作为一方。每年九月，县令、县佐分地丈量计算，检验土地肥瘠，确定这些土地的成色，分为五个等级，按照土地的等级，均定赋税数额。还有免行钱，规定京师各行各业根据获利多少，都要交钱，官府则给予免除行户的当差义务。自从这些法令推行以后，全国各地争相谈论农田水利。古代的陂塘和废弃的堤堰，都必须兴建修复。又下令平民百姓可以向官府投递密封状，增加价钱购买坊场，又增加茶、盐的税收数额，还设立了措置河北籴便司，在临近河流的州县大量囤积粮食，以备粮饷运输。从此赋税聚敛越来越重，而天下也开始骚动不安了。

御史中丞吕诲论安石过失十事，帝为出诲，安石荐吕公著代之。韩琦谏疏至，帝感悟，欲从之，安石求去。司马光答诏，有“士夫沸腾，黎民骚动”之语，安石怒，抗章自辩，帝为巽辞谢，令吕惠卿谕旨，韩绛又劝帝留之。安石入谢，因为上言中外大臣、从官、台谏、朝士朋比之情，且曰：“陛下欲以先王之正道胜天下流俗，故与天下流俗相为重轻。流俗权重，则天下之人归流俗；陛下权重，则天下之人归陛下。权者与物相为重轻，虽千钧之物，所加损不过铢两而移。今奸人欲败先王之正道，以沮陛下之所为。于是陛下与流俗之权适争轻重之时，加铢两之力，则用力至微，而天下之权，已归于流俗矣，此所以纷纷也。”上以为然。安石乃视事，琦说不得行。

安石与光素厚，光援朋友责善之义，三致书反复劝之，安石不乐。帝用光副枢密，光辞未拜而安石出，命遂寝。公著虽为所引，亦以请罢新法出颍州。御史刘述、刘琦、钱颛、孙昌龄、王子韶、程颢、张戬、陈襄、陈荐、谢景温、杨绘、刘挚，谏官范纯仁、李常、孙觉、胡宗愈皆不得其言，相继去。骤用秀州推官李定为御史，知制诰宋敏求、李大临、苏颂封还词头，御史林旦、薛昌朝、范育论定不孝，皆罢逐。翰林学士范镇三疏言青苗，夺职致仕。惠卿遭丧去，安石未知所托，得曾布，信任之，亚于惠卿。

【译文】

御史中丞吕诲论说王安石的十大过失，神宗为此将吕诲调离朝廷到地方任职，王安石推荐吕公著取代吕诲任御史中丞。韩琦规劝神宗停止实行青苗法的奏疏送到朝廷，神宗感动醒悟，打算同意韩琦的意见，王安石立即要求辞职离去。司马光为神宗起草批答诏书，其中有“士大夫沸腾，臣民百姓骚动不安”的话，王安石大怒，上章为自己辩护，神宗不得不谦逊地向他道歉，派吕惠卿传达劝慰的旨意，韩绛又劝神宗挽留他。王安石入朝谢恩，因而对神宗说了朝廷内外大臣、侍从官、台谏官、朝士互相依附勾结的情形，并且说：“陛下想用先王的正道战胜天下流于颓靡风俗的人，所以跟他们较量轻重。流俗的势力大了，那么天下人就会归向流俗；陛下的力量强大了，那么天下人就会归依陛下。秤锤与物体较量轻重时，即使是重达千钧的物体，增加或减少一铢一两的重量就会使秤杆移动变化。如今奸邪的人们想要败坏先王的正道，以阻止和破坏陛下所进行的改革。现在正是陛下和流俗的秤锤较量轻重的时候，流俗增加铢两的重量，用力虽然极小，但天下这杆秤已向流俗这一方倾斜了，这就是天下议论纷纷的缘故啊！”神宗认为确实是这样。于是王安石重新任职治事，韩琦的意见没有得到采纳。

王安石与司马光一直很有交情，司马光依据朋友之间相互督促行善的道理，三次写信给王安石反复进行规劝，王安石很不高兴。神宗起用司马光任枢密副使，司马光推辞不就，而王安石已经出任执政，这项任命就停止执行了。吕公著虽然是王安石推荐的，也因为请求废除新法而被派出去担任颍州知州。御史刘述、刘琦、钱觊、孙昌龄、王子韶、程颢、张戬、陈襄、陈荐、谢景温、杨绘、刘挚，谏官范纯仁、李常、孙觉、胡宗愈都因为自己的意见不被采纳，相继离开朝廷。王安石很快提升秀州推官李定任御史，知制诰宋敏求、李大临、苏颂封还任命诏书，御史林旦、薛昌朝、范育弹劾李定不守孝道，都被罢免并逐出朝廷。翰林学士范镇三次上疏议论青苗法，被免除职务，迫令退休。吕惠卿因为父亲去世离开朝廷，王安石在不知道把他走后的空缺委任给谁时，得到了曾布，王安石对他很信任，程度仅次于吕惠卿。

三年十二月，拜同中书门下平章事。明年春，京东、河北有烈风之异，民大恐。帝批付中书，令省事安静以应天变，放遣两路募夫，责监司、郡守不以上闻者。安石执不下。

开封民避保甲，有截指断腕者，知府韩维言之，帝问安石，安石曰：

“此固未可知，就令有之，亦不足怪。今士大夫睹新政，尚或纷然惊异；况于二十万户百姓，固有蠢愚为人所惑动者，岂应为此遂不敢一有所为邪？”帝曰：“民言合而听之则胜，亦不可不畏也。”

东明民或遮宰相马诉助役钱，安石白帝曰：“知县贾蕃乃范仲淹之婿，好附流俗，致民如是。”又曰：“治民当知其情伪利病，不可示姑息。若纵之使妄经省台，鸣鼓邀驾，恃众侥幸，则非所以为政。”其强辩背理率类此。

【译文】

熙宁三年十二月，王安石就任同中书门下平章事。第二年春天，京东、河北两路发生了暴风的灾异现象，老百姓十分恐慌。神宗批示中书机构，命令息事安静、停止变法以应付天变，放还这两路应募的农夫，责罚不如实上报情况的监司和郡守。王安石扣下这道诏令，不予传达。

开封府的百姓为逃避保甲，有截掉自己的手指、砍断自己手腕的，知府韩维将这些情况报告朝廷，神宗问王安石，王安石回答说：“这些情况我固然还不太清楚，即使有的话，也不足为怪。如今士大夫们看到推行新政，尚且大惊小怪、吵吵嚷嚷；何况是二十万户百姓，必然会有由于愚蠢而受人煽动蛊惑的，怎能因为这种人而不敢有所作为呢？”神宗说：“听取百姓们符合实际的各种意见就能取得成功，百姓的意见也不能不畏惧。”

东明县的老百姓有人拦住宰相的坐骑控诉助役钱的不合理，王安石对神宗说：“知县贾蕃是范仲淹的女婿，喜欢依附流俗，导致老百姓做出这样的事。”又说：“治理百姓应当知道他们的真假利弊，不可以向他们表示毫无原则的姑息宽容。如果放纵他们越轨闯过中书省、御史台，击鼓拦驾，凭借人多以图侥幸，这不是治理国家的办法。”王安石的强词夺理，大体上都是如此。

帝用韩维为中丞，安石憾曩言，指为善附流俗以非上所建立，因维辞而止。欧阳修乞致仕，冯京请留之，安石曰：“修附丽韩琦，以琦为社稷臣。如此人，在一郡则坏一郡，在朝廷则坏朝廷，留之安用？”乃听之。

富弼以格青苗解使相，安石谓不足以阻奸，至比之共、鲧。灵台郎尤瑛言天久阴，星失度，宜退安石，即黥隶英州。唐坰本以安石引荐为谏官，因请对极论其罪，谪死。文彦博言市易与下争利，致华岳山崩。安石曰："华山之变，殆天意为小人发。市易之起，自为细民久困，以抑兼并尔，于官何利焉？"阏其奏，出彦博守魏。于是吕公著、韩维，安石藉以立声誉者也；欧阳修、文彦博，荐己者也；富弼、韩琦，用为侍从者也；司马光、范镇，交友之善者也：悉排斥不遗力。

礼官议正太庙太祖东向之位，安石独定议还僖祖于祧庙，议者合争之，弗得。上元夕，从驾乘马入宣德门，卫士诃止之，策其马。安石怒，上章请逮治。御史蔡确言："宿卫之士，拱扈至尊而已，宰相下马非其处，所应诃止。"帝卒为杖卫士，斥内侍，安石犹不平。王韶开熙河奏功，帝以安石主议，解所服玉带赐之。

【译文】

神宗皇帝起用韩维任御史中丞，王安石对韩维以前的言论怀恨在心，指斥他善于附和流俗来反对神宗所建立的新法，这次任命因韩维推辞而停止。欧阳修请求退休，冯京要求朝廷挽留他，王安石说："欧阳修依附韩琦，把韩琦看作是关系到社稷安危的重臣。像他这样的人，在一郡就败坏一郡，在朝廷就败坏朝廷，留下他有什么用？"于是神宗同意欧阳修退休。富弼因为阻挠青苗法的实施而被削除了使相的称号，王安石说这还不足以制止奸邪小人，甚至把富弼比作共工和鲧。灵台郎尤瑛讲天气阴了很久，星辰违背了正常的运行轨迹，应该黜退王安石，随即被刺面发配到英州。唐坰本来是由王安石推荐而担任谏官的，只因他请求奏对时极力论说了王安石的罪过，结果被贬谪而死。文彦博说市易法是跟天下人争利，致使华山崩塌。王安石说："华山的灾变，仅仅是天意为小人而发作的。推行市易法，原本就是因为平民长久空困，用来抑制兼并的，对官府有什么利益呢？"他压下文彦博的奏章，将文彦博逐出朝廷，去担任大名府留守。这样，吕公著、韩维，王安石凭借他们树立自己声誉的人；欧阳修、文彦博，推荐自己的人；富弼、韩琦，重用自己担任皇帝侍从的人；司马光、范镇，自己的好朋友；王安石对他们都不遗余力地加以排斥。

礼官讨论确立太庙中太祖牌位东向的位置，王安石独自决定将僖祖的牌位奉还到祧庙里，参加讨论的官员们联合起来与王安石争论，没能改变他的决定。上元节的傍晚，王安石跟随神宗皇帝的圣驾，骑马进入宣德门，守门的卫士呵斥阻止，并鞭打王安石的坐骑。王安石大怒，上章要求逮捕惩罚这些卫士。御史蔡确说道："在宫廷内值宿的卫士，其职责只是保卫皇帝，宰相下马下得不是地方，卫士理应予以呵斥阻止。"神宗终于还是为了王安石而杖打了卫士，并斥责了内侍，王安石还是愤愤不平。王韶开拓熙河路成功，向朝廷奏报，神宗因为这是王安石主持建议的，解下自己身佩的玉带赐给了王安石。

七年春，天下久旱，饥民流离，帝忧形于色，对朝嗟叹，欲尽罢法度之不善者。安石曰："水旱常数，尧、舜所不免，此不足招圣虑，但当修人事以应之。"帝曰："此岂细事，朕所以恐惧者，正为人事之未修尔。今取免行钱太重，人情咨怨，至出不逊语。自近臣以至后族，无不言其害。两宫泣下，忧京师乱起，以为天旱更失人心。"安石曰："近臣不知为谁，若两宫有言，乃向经、曹佾所为尔。"冯京曰："臣亦闻之。"安石曰："士大夫不逞者以京为归，故京独闻此言，臣未之闻也。"监安上门郑侠上疏，绘所见流民扶老携幼困苦之状，为图以献，曰："旱由安石所致。去安石，天必雨。"侠又坐窜岭南。慈圣、宣仁二太后流涕谓帝曰："安石乱天下。"帝亦疑之，遂罢为观文殿大学士、知江宁府，自礼部侍郎超九转为吏部尚书。

吕惠卿服阕，安石朝夕汲引之，至是，白为参知政事，又乞召韩绛代己。二人守其成模，不少失，时号绛为"传法沙门"，惠卿为"护法善神"。而惠卿实欲自得政，忌安石复来，因郑侠狱陷其弟安国，又起李士宁狱以倾安石。绛觉其意，密白帝请召之。八年二月，复拜相，安石承命，即倍道来。《三经义》成，加尚书左仆射兼门下侍郎，以子雱为龙图阁直学士。雱辞，惠卿劝帝允其请，由是嫌隙愈著。惠卿为蔡承禧所击，居家俟命。雱风御史中丞邓绾，复弹惠卿与知华亭县张若济为奸利事，置狱鞫之，惠卿出守陈。

【译文】

熙宁七年春，天下长久干旱，饥民们流离失所，皇帝忧容满面，上朝时叹息不已，想把不好的法令制度通通罢除。王安石说道："水旱灾害是常有的事情，尧、汤的时候也不能避免，这不足以招致陛下的忧虑，但必须治理好人力所能及的事情来应付天灾。"神宗说："这怎么是小事呢？我之所以感到害怕，正是因为没能做好人力能及的事情。现在官府征收免行钱负担太重，百姓怨叹，甚至有人说出对朝廷不敬的话来。从亲近大臣到皇后家族，没有不说免行钱的祸害的。两宫太后为此落泪，担心京城会发生骚乱，认为天旱使朝廷更加失去了人心。"王安石说："亲近大臣不知道是谁，如果两宫太后有这样的话，那也是向经、曹佾所干的罢了。"冯京说："我也听说了。"王安石道："士大夫中不得志的人都归附你冯京，所以唯独你冯京听到过这样的话，我可从来没听说过。"监安上门郑侠上呈奏疏，把所看到的流民扶老携幼、困苦不堪的情状，画成图进献给神宗，说："旱灾是因为王安石变法而引起的。罢免王安石，上天必然会下雨。"郑侠又因为这件事被流放到岭南。慈圣、宣仁两位皇太后流着眼泪对神宗说："王安石扰乱了天下。"神宗也开始怀疑王安石，于是罢免了他的宰相职务，任命他为观文殿大学士、江宁府知府，从礼部侍郎超九转而为吏部尚书。

吕惠卿服丧期满，王安石早晚不停地推荐他。这时，王安石奏请神宗让吕惠卿任参知政事，又请求召回韩绛代替自己。这两人都坚持遵循王安石的陈规旧模，没有丝毫改变，当时韩绛的绰号是"传法沙门"，吕惠卿的绰号是"护法善神"。然而吕惠卿实际上是想自己掌握执政大权，害怕王安石重新回来当政，于是假借郑侠一案来陷害王安石的弟弟王安国，又制造李士宁案件来排挤王安石。韩绛觉察到了吕惠卿的用意，秘密奏知皇帝，请求召回王安石。熙宁八年二月，神宗再次任命王安石为宰相，王安石受命后，立即兼程赶赴京城。《三经义》修成，王安石加官为尚书左仆射兼门下侍郎，任命他的儿子王雱为龙图阁直学士。王雱推辞不受，吕惠卿劝说神宗接受他的请求，从此王、吕之间的猜疑和隔阂更加明显。吕惠卿被蔡承禧攻击弹劾，在家里等待皇帝的处理诏令。王雱暗示御史中丞邓缩，再次弹劾吕惠卿和华亭县和县张若济相互勾结、犯法谋利的事情，立案审查他们，吕惠卿于是被派出去担任陈州知州。

十月，彗出东方，诏求直言，及询政事之未协于民者。安石率同列疏言："晋武帝五年，彗出轸；十年，又有孛。而其在位二十八年，与《乙巳占》所期不合。盖天道远，先王虽有官占，而所信者人事而已。天文之变无穷，上下傅会，岂无偶合。周公、召公，岂欺成王哉？其言中宗享国日久，则曰'严恭寅畏，天命自度，治民不敢荒宁'。其言夏、商多历年所，亦曰'德'而已。裨灶言火而验，欲禳之，国侨不听，则曰'不用吾言，郑又将火'。侨终不听，郑亦不火。有如裨灶，未免妄诞，况今星工哉？所传占书，又世所禁，誊写讹误，尤不可知。陛下盛德至善，非特贤于中宗，周、召所言，则既阅而尽之矣，岂须愚瞽复有所陈。窃闻两宫以此为忧，望以臣等所言，力行开慰。"帝曰："闻民间殊苦新法。"安石曰："祁寒暑雨，民犹怨咨，此无庸恤。"帝曰："岂若并祁寒暑雨之怨亦无邪？"安石不悦，退而属疾卧，帝慰勉起之。其党谋曰："今不取上素所不喜者暴进用之，则权轻，将有窥人间隙者。"安石是其策。帝喜其出，悉从之。时出师安南，谍得其露布，言："中国作青苗，助役之法，穷困生民。我今出兵，欲相拯济。"安石怒，自草敕榜诋之。

【译文】

十月，东方出现彗星，神宗下诏征求直言得失，并询问政事中对百姓不利的地方。王安石带领同朝大臣们上疏说："晋武帝五年，彗星出现在轸宿；十年，又出现了孛星。然而晋武帝在位二十八年，与《乙巳占》所预言的期限不相符合。这是因为天道遥远，先王虽然有官方占卜的预言，但所相信的依旧是人为之事。天文的变化无穷无尽，上下牵强附会，难道就没有偶然的巧合？周公、召公，怎么会欺骗周成王呢？他们说到商中宗在位的时间很长，就说'中宗谨慎谦虚，兢兢业业，用天命约束自己，治理人民，不敢荒废政事'。谈到夏、商二朝维持了很长时间，也说是由于'施行德政'而已。裨灶预言火灾能够灵验，想用祭祀求免灾祸，国侨不听他的意见，裨灶就说'不采纳我的意见，郑国还将发生火灾'。国侨最终还是没听他的意见，郑国也没有发生什么火灾。象裨灶这样的人，都难免荒诞，更何况今天的占卜星象的人呢？现在流传的占书，又是历代所禁止的，誊写讹误，尤其不知道有多少。陛下的品德至善至美，不仅比商中宗更加贤明，而且周公、召公所说的话也早已全部看过了，哪里用得着蠢人、盲人再有什么陈述呢？我听说两宫太后因为这次天灾而担忧，希望陛下用我们所说的这些道理，尽力地开导劝慰。”神宗说：“听说民间吃足了新法的苦头。”王安石说：“冬天严寒，夏天暴雨，老百姓尚且怨恨，这用不着抚恤。”神宗说：“难道不能使冬寒夏雨的怨恨也没有吗？”王安石听后很不高兴，回家托病卧床，神宗忙安慰劝勉，王安石这才上朝治理政事。他的同党谋划道：“现在不要选取皇上历来不喜欢的人迅速提拔任用，这会使自己地位变轻，那时就将有窥伺和利用君臣间隙的人了。”王安石很赞同这个计策。神宗因为王安石出来执政而感到欣慰和喜悦，完全听从他的所有意见。当时军队出征安南，密探得到安南的布告，说：“中国推行青苗、助役法，使老百姓非常穷困。我国现在出兵，是要帮助拯救那里的百姓。”王安石恼怒，亲自起草敕榜诋毁安南。

华亭狱久不成，雱以属门下客吕嘉问、练亨甫共议，取邓绾所列惠卿事，杂他书下制狱，安石不知也。省吏告惠卿于陈，惠卿以状闻，且讼安石曰：“安石尽弃所学，隆尚纵横之末数，方命矫令，罔上要君。此数恶力行于年岁之间，虽古之失志倒行而逆施者，殆不如此。”又发安石私书曰“无使上知”者。帝以示安石，安石谢无有，归以问雱，雱言其情，安石咎之。雱愤恚，疽发背死。安石暴绾罪，云“为臣子弟求官及荐臣婿蔡卞”，遂与亨甫皆得罪。绾始以附安石居言职，及安石与吕惠卿相倾，绾极力助攻惠卿。上颇厌安石所为，绾惧失势，屡留之于上，其言无所顾忌；亨甫险薄，谄事雱以进，至是皆斥。

【译文】

华亭一案拖了很久还不能成立，王雱就把它交给门客吕嘉问、练亨甫共同商议，他们取来邓绾所列举的吕惠卿的罪状，夹杂在其他文书中，下达给皇帝批准审讯的制狱，王安石不知道这件事。省吏到陈州把此事告诉给吕惠卿，吕惠卿随即写了奏状上报神宗，并控告王安石说："王安石完全抛弃了自己所学的先王教诲，崇尚纵横家的末流小技，违背君命假传圣旨，欺骗皇帝要挟君主。一年之中极力干尽这些坏事，即使是古代丧失理智、倒行逆施的人，恐怕都没有这样的。"又揭发王安石在私人书信中写有"不要让皇帝知道"的话。神宗把这些材料给王安石看，王安石谢说没有这些事，回家问王雱，王雱把情况说了出来，王安石斥责了他。王雱恼怒怨恨，背上的痈疽发作而死。王安石公开宣布邓绾的罪过，说"邓绾为我的子弟求取官职并举荐我的女婿蔡卞"，于是邓绾和练亨甫都获罪。邓绾开始因为依附于王安石而做了谏官，等到王安石和吕惠卿互相倾轧时，邓绾极力帮助主安石攻击惠卿。神宗对王安石的所作所为感到厌烦，邓绾生怕失势，屡次在皇帝面前要求挽留主安石，说起话来无所顾忌；练亨甫为人阴险刻薄，靠巴结王雱而得以进用，到现在两人都被贬斥了。

安石之再相也，屡谢病求去。及子雱死，尤悲伤不堪，力请解几务。上益厌之，罢为镇南军节度使、同平章事、判江宁府。明年，改集禧观使，封舒国公。屡乞还将相印。元丰二年，复拜左仆射、观文殿大学士。换特进，改封荆。哲宗立，加司空。

元祐元年，卒，年六十六，赠太傅。绍圣中，谥曰文，配享神宗庙庭。崇宁三年，又配食文宣王庙，列于颜、孟之次，追封舒王。钦宗时，杨时以为言，诏停之。高宗用赵鼎、吕聪问言，停宗庙配享，削其王封。

初，安石训释《诗》、《书》、《周礼》，既成，颁之学官，天下号曰"新义"。晚居金陵，又作《字说》，多穿凿傅会，其流入于佛、老。一时学者，无敢不传习，主司纯用以取士，士莫得自名一说，先儒传注，一切废不用。黜《春秋》之书，不使列于学官，至戏目为"断烂朝报"。

【译文】

王安石再次担任宰相后，多次托病请求离职，到儿子王雱死后，更是悲戚忧伤得无法承受，极力请求解除他的枢要职务。于是神宗更加厌烦他了，罢免了他的宰相职务，任命他为镇南军节度使、同平章事、判江宁府。第二年，改任集禧观使，封为舒国公。王安石多次乞求把自己的将相大印交还朝廷。元丰二年，王安石再次被任命左仆射、观文殿大学士。换为特进，改封荆国公。哲宗即位，加封他为司空。

元祐元年，王安石去世，终年六十六岁，追赠为太傅。绍圣年间，赐谥号为“文”，配享于神宗庙庭。徽宗崇宁三年，又配享于文宣王庙，牌位列在颜回和孟子后面追封为舒王。钦宗时，杨时有议论，朝廷停止王安石在文宣王庙配享。高宗采纳赵鼎、吕聪问的意见，停止王安石在宗庙配享，并削夺了他的王位封号。

当初，王安石训释《诗》、《书》、《周礼》，写成后，颁布到官学学舍，天下称之为《新义》。晚年定居金陵，又写做了《字说》一书，其中有不少穿凿附会的内容。观点则混合了佛经和老庄的思想。一时间，读书的士人没有敢不传授学习的，主考官只用王安石的学说为标准录取考生，士人不得自立一说，凡是先儒解释经书的著述，全都废除不用。又废黜《春秋》这部书，不把它列在学校教材里，甚至将它戏称为“断缺残陋的朝廷公报”。

安石未贵时，名震京师，性不好华腴，自奉至俭，或衣垢不浣，面垢不洗，世多称其贤。蜀人苏洵独曰：“是不近人情者，鲜不为大奸慝。”作《辩奸论》以刺之，谓王衍、卢杞合为一人。

安石性强愎，遇事无可否，自信所见，执意不回。至议变法，而在廷交执不可，安石傅经义，出己意，辩论辄数百言，众不能诎。甚者谓：“天变不足畏，祖宗不足法，人言不足恤。”罢黜中外老成人几尽，多用门下儇慧少年。久之，以旱引去，洎复相，岁余罢，终神宗世不复召，凡八年。子雱。

【译文】

王安石没有显贵时，名声震动京师，生性不喜好华丽的服饰和丰美的饮食，自己的日常生活极为俭朴，有时衣服脏了不洗，脸上脏了也不洗，当时人们都称赞他贤明有德。只有蜀人苏洵说：“这样子是不近人情的，这种人很少不成为大奸大恶的。”并写了《辩奸论》一文来讽刺王安石，说他是王衍、卢杞合为一身的人。

王安石性格坚强刚愎，遇到事情不管对错，都相信自己的见解，固执己见不肯改变。到议论变法时，在朝百官都持不能变法的意见，王安石附会儒家经义，提出自己的主张，辩论起来动不动就是好几百字，大家都驳不倒他。他甚至说："天灾不足以畏惧，祖宗不足以效法，人们的议论不足以忧虑。"朝廷内外老成持重的人几乎被王安石罢除殆尽，他多任用自己门下轻薄而有点小聪明的年轻人。当了很长时间的宰相后，因为天发旱灾而引退；到他第二次担任宰相，一年多后就又被罢免了，直到神宗朝结束没有再召他回朝廷，前后共八年。儿子是王雱。

岳飞传

岳飞字鹏举，相州汤阴人。世力农。父和，能节食以济饥者。有耕侵其地，割而与之；贳其财者不责偿。飞生时，有大禽若鹄，飞鸣室上，因以为名。未弥月，河决内黄，水暴至，母姚抱飞坐瓮中，冲涛及岸得免，人异之。

少负气节，沈厚寡言，家贫力学，尤好《左氏春秋》、孙吴兵法。生有神力，未冠，挽弓三百斤，弩八石，学射于周同，尽其术，能左右射。同死，朔望设祭于其冢。父义之，曰："汝为时用，其徇国死义乎。"

【译文】

岳飞字鹏举，相州汤阴人。他的祖先世代务农。父亲岳和，能节省出自家的粮食以接济饥饿的人。有人耕田侵占了他家的土地，他就割让这块田地送给这人；有人赊欠他的钱财也不去索还。岳飞出生时，有一只像天鹅一样的大鸟，飞旋鸣叫于他家房顶之上，因而以此为他取名。没满月，黄河在内黄县决口，大水猛烈冲来，母亲姚氏抱着岳飞坐在瓮中，被浪涛冲到岸边得以幸免，人们对此十分惊异。

岳飞少年时代以气节自励，敦厚寡言，家中虽贫穷却发愤学习，尤其喜欢阅读《左氏春秋》和孙、吴兵法。天生有神力，不满二十岁，能拉三百斤的硬弓，八石的强弩。跟从周同学习射箭，掌握了他的全部方法，能左右开弓。周同去世，岳飞在每月的初一和十五都要到他的坟前祭奠。他的父亲岳和认为他此举很仗义，对他说："你为当今时代所用，不正是准备为国家殉身、为正义而死吗？"

宣和四年，真定宣抚刘韐募敢战士，飞应募。相有剧贼陶俊、贾进和，飞请百骑灭之。遣卒伪为商入贼境，贼掠以充部伍。飞遣百人伏山下，自领数十骑逼贼垒。贼出战，飞阳北，贼来追之，伏兵起，先所遣卒擒俊及进和以归。

康王至相，飞因刘浩见，命招贼吉倩，倩以众三百八十人降。补承信郎。以铁骑三百往李固渡尝敌，败之。从浩解东京围，与敌相持于滑南，领百骑习兵河上。敌猝至，飞麾其徒曰：“敌虽众，未知吾虚实，当及其未定击之。”乃独驰迎敌。有枭将舞刀而前，飞斩之，敌大败。迁秉义郎，隶留守宗泽。战开德、曹州皆有功，泽大奇之，曰：“尔勇智才艺，古良将不能过，然好野战，非万全计。”因授以阵图。飞曰：“阵而后战，兵法之常，运用之妙，存乎一心。”泽是其言。

【译文】

宣和四年，真定宣抚使刘韐招募勇敢战士，岳飞应募。相州有巨贼陶俊、贾进和，岳飞请求率一百名骑兵消灭这股贼众。他派士兵装扮成商人进入贼人的活动地域，贼人掳掠了这些人以扩充自己的部队。岳飞派遣一百人埋伏在山下，自己率领几十名骑兵逼近贼人营垒，贼人出来交战，岳飞假装败退，贼人赶来追杀，伏兵杀出，先头派遣的士兵活捉了陶俊和贾进和两人归还。

康王来到相州，岳飞随刘浩参见，康王命令他去招安贼人吉倩，吉倩率三百八十人归降。岳飞补任承信郎。带领铁骑三百前往李固渡试探敌军的强弱，打败了敌军。跟从刘浩解东京之围，与敌军相持于滑州南面。岳飞率一百名骑兵在黄河岸边操练，敌军突然赶来，岳飞指挥他的部下说：“敌兵虽然人多，但不知我们的虚实，应当趁他们立足未稳出击。”于是单枪匹马，飞驰迎敌。有一员敌军猛将挥舞大刀前来迎战，岳飞斩杀了他，敌军大败。升任秉义郎，隶属东京留守宗泽。转战开德、曹州都立有战功，宗泽对他大感惊奇，说：“你的勇敢智谋和才能武艺，古代的良将也不能超过你，然而你喜欢野战，这不是万全之计。”因此传授给他阵图。岳飞说：“布阵之后作战，是兵法的常规要求，然而把它运用得巧妙精熟，还在于自己的内心体会。”宗泽赞同他的话。

康王即位，飞上书数千言，大略谓：“陛下已登大宝，社稷有主，已足伐敌之谋，而勤王之师日集，彼方谓吾素弱，宜乘其怠击之。黄潜善、汪伯彦辈不能承圣意恢复，奉车驾日益南，恐不足系中原之望。臣愿陛下乘敌穴未固，亲率六军北渡，则将士作气，中原可复。”书闻，以越职夺官归。

诣河北招讨使张所，所待以国士，借补修武郎，充中军统领。所问曰：“汝能敌几何？”飞曰：“勇不足恃，用兵在先定谋，栾枝曳柴以败荆，莫敖采樵以致绞，皆谋定也。”所矍然曰：“君殆非行伍中人。”飞因说之曰：“国家都汴，恃河北以为固。苟冯据要冲，峙列重镇，一城受围，则诸城或挠或救，金人不能窥河南，而京师根本之地固矣。招抚诚能提兵压境，飞唯命是从。”所大喜，借补武经郎。

命从王彦渡河，至新乡，金兵盛，彦不敢进。飞独引所部鏖战，夺其纛而舞，诸军争奋，遂拔新乡。翌日，战侯兆川，身被十余创，士皆死战，又败之。夜屯石门山下，或传金兵复至，一军皆惊，飞坚卧不动，金兵卒不来。食尽，走彦壁乞粮，彦不许。飞引兵益北，战于太行山，擒金将拓跋耶乌。居数日，复遇敌，飞单骑持丈八铁枪，刺杀黑风大王，敌众败走。飞自知与彦有隙，复归宗泽，为留守司统制。泽卒，杜充代之，飞居故职。

【译文】

康王即位，岳飞呈上数千字的奏书，大意说：“陛下已登皇位，社稷有了主人，已有足够的讨伐敌人的谋略，而且各地勤王之师日益聚集，敌人认为我国一向懦弱怯战，应该乘敌懈怠之时而攻击他们。黄潜善、汪伯彦这些人不能秉承圣上旨意恢复中原，却拥着皇上车驾一天天南移，这样恐怕不足以维系中原百姓的敬望。我希望陛下乘敌人巢穴尚未巩固，亲自率领六军北渡黄河，那么就会使将士们士气大振，中原可望收复。”奏书上报后，朝廷以岳飞越职上书罢免了他的官职，令他回家乡。

岳飞投奔河北招讨使张所，张所用国士的礼节接待他，借补为修武郎，担任中军统领。张所问道：“你能抵挡多少敌人？”岳飞说：“作战不能只凭恃勇猛，用兵的正确与否在于战前制定谋略，栾枝用拖树枝的计策打败楚国，莫敖用派兵打柴的计策战胜绞国，这都是因为谋略事先就制定了。”张所肃然起敬地说：“你大概不是行伍中的人。”岳飞进一步对他说：“国家在汴梁建都，依靠河北作为安全保障。如果凭据交通要冲之地，加强储备一系列重镇，一座城池被围困，其他各城或是阻击或是救援，金人就无法窥伺河南，而京师根本之地就可以巩固了。您如果能亲率大军逼近敌境，我绝对听从您的命令。”张所大喜，借补岳飞为武经郎。

命令岳飞跟随王彦渡过黄河，进至新乡，金兵众多，王彦不敢前进。岳飞独自率领本部人马与金军激战，夺下金军主帅的大旗挥舞，各部队奋勇争先，于是攻克了新乡。第二天，在侯兆川与金军交战，身负十余处伤，士兵们都拼力死战，又打败了金军。夜里驻屯在石门山下，有人传说金兵又来了，全军都十分惊慌，岳飞坚持躺着一动不动，金兵最后也没来。军中粮食吃尽，岳飞到王彦营中求借粮食，王彦不答应。岳飞率领部队进至更北的地方，战于太行山，生擒金将拓跋耶乌。过了几天，再次与敌遭遇，岳飞单骑手持丈八铁枪，刺死黑风大王，敌军溃败逃走。岳飞自知与王彦有了矛盾，又重归宗泽辖治，担任留守司统制。宗泽去世后，杜充代替宗泽的职务，岳飞仍任原职。

二年，战胙城，又战黑龙潭，皆大捷。从闾勍保护陵寝，大战汜水关，射殪金将，大破其众。驻军竹芦渡，与敌相持，选精锐三百伏前山下，令各以薪刍交缚两束，夜半，爇四端而举之。金人疑援兵至，惊溃。

三年，贼王善、曹成、孔彦舟等合众五十万，薄南薰门。飞所部仅八百，众惧不敌，飞曰：“吾为诸君破之。”左挟弓，右运矛，横冲其阵，贼乱，大败之。又擒贼杜叔五、孙海于东明。借补英州刺史。王善围陈州，飞战于清河，擒其将孙胜、孙清，授真刺史。

杜充将还建康，飞曰：“中原地尺寸不可弃，今一举足，此地非我有，他日欲复取之，非数十万众不可。”充不听，遂与俱归。师次铁路步，遇贼张用，至六合遇李成，与战，皆败之。成遣轻骑劫宪臣犒军银帛，飞进兵掩击之，成奔江西。时命充守建康，金人与成合寇乌江，充闭门不出。飞泣谏请视师，充竟不出。金人遂由马家渡渡江，充遣飞等迎战，王瓔先遁，诸将皆溃，独飞力战。

会充已降金，诸将多行剽掠，惟飞军秋毫无所犯。兀术趋杭州，飞要击至广德境中，六战皆捷，擒其将王权，俘签军首领四十余。察其可用者，结以恩遣还，令夜斫营纵火，飞乘乱纵击，大败之。驻军钟村，军无见粮，将士忍饥，不敢扰民。金所籍兵相谓曰："此岳爷爷军。"争来降附。

【译文】

建炎二年，在胙城作战，又在黑龙潭作战，都大捷而返。跟从闾勍保卫皇帝陵墓，在汜水关大战，射杀金将，大败敌众。驻军在竹芦渡，与敌军相持，挑选三百名精锐士兵埋伏于前面山下，命令每个人各自用柴草捆扎成两束，半夜，点燃两束柴草的四端并高高举起，金人怀疑宋军的援兵赶到，惊散溃逃。

建炎三年，贼人王善、曹成、孔彦舟等聚合部众五十万，迫近南熏门。岳飞所部仅有八百人，众人畏惧打不过贼军，岳飞说："我为诸位击败他们。"左手挟弓，右手使用长矛，横冲敌阵，贼军乱成一团，大败。又在东明活捉了贼人杜叔五、孙海。岳飞借补为英州刺史。王善包围陈州，岳飞在清河与敌交战，俘获贼将孙胜、孙清，被授予正式刺史。

杜充打算回军建康，岳飞说："中原地区一尺一寸都不可以放弃，今天一撤走，这块土地就不归我们所有了，他日想重新收复它，不动用数十万人马是不可能的。"杜充不听，于是同他一起南归。军抵铁路步，与贼人张用相遇，到六合时又遇到李成，岳飞与他们交战，全打败了他们。李成派遣轻骑兵劫持了御史犒军的银帛，岳飞进兵乘其不备袭击他们，李成逃奔到江西。当时命令杜充守卫建康，金人与李成联兵进犯乌江，杜充闭门不出。岳飞哭谏请他视察部队，杜充到最后也没出来。金人于是从马家渡渡过长江，杜充派岳飞等人迎战，王瓔首先逃跑，其他将领也都溃逃，只有岳飞拼死力战。

这时杜充已经向金国投降，众将领大多纵兵掳掠，唯独岳飞的部队秋毫无犯。兀术直趋杭州，岳飞在广德境内拦腰截击，六战全胜，俘获金将王权，活捉签军首领四十余人。岳飞考察出其中可以利用的人，施以恩惠后遣返回去，命令他们夜间在金营中砍杀放火，岳飞趁敌混乱，发兵进击，大败金军。部队进驻钟村，军中没有存粮，将士们忍饥挨饿，也不敢骚扰百姓。金军所强行征来的士兵互相说："这是岳爷爷的部队。"争先恐后地前来投降归附。

四年，兀术攻常州，宜兴令迎飞移屯焉。盗郭吉闻飞来，遁入湖，飞遣王贵、傅庆追破之，又遣辩士马皋、林聚尽降其众。有张威武者不从，飞单骑入其营，斩之。避地者赖以免，图飞像祠之。

金人再攻常州，飞四战皆捷；尾袭于镇江东，又捷；战于清水亭，又大捷，横尸十五里。兀术趋建康，飞设伏牛头山待之。夜，令百人黑衣混金营中扰之，金兵惊，自相攻击。兀术次龙湾，飞以骑三百、步兵二千驰至新城，大破之。兀术奔淮西，遂复建康。飞奏："建康为要害之地，宜选兵固守，仍益兵守淮，拱护腹心。"帝嘉纳。兀术归，飞邀击于静安，败之。

诏讨戚方，飞以三千人营于苦岭。方遁，俄益兵来，飞自领兵千人，战数十合，皆捷。会张俊兵至，方遂降。范宗尹言张俊自浙西来，盛称飞可用，迁通、泰镇抚使兼知泰州。飞辞，乞淮南东路一重难任使，收复本路州郡，乘机渐进，使山东、河北、河东、京畿等路次第而复。

【译文】

四年，兀术进攻常州，宜兴县令迎接岳飞移师屯驻宜兴。强盗郭吉得知岳飞来到，逃入太湖，岳飞派遣王贵、傅庆追击并打败了他，又派说客马皋、林聚劝说他们全部投降。有个叫张威武的人不肯从命，岳飞单骑闯入他的营寨，杀了他。避乱到此地居住的人赖此免受强盗之苦，画岳飞像供奉。

金军再次攻打常州，岳飞四战全胜；追袭击金兵于镇江东边，又取得胜利；在清水亭作战，又一次大胜，金兵的尸体横满了十五里。兀术直奔建康，岳飞在牛头山设下伏兵等待他们。夜里，命令一百人身穿黑衣混入金营中进行骚扰，金兵惊乱，自相攻击。兀术进驻龙湾，岳飞率骑兵三百名、步兵两千名火速赶到新城，大败金军。兀术逃往淮西，于是收复建康。岳飞上奏说："建康是要害之地，应挑选兵力固守，同时仍要增加兵力坚守两淮，以拱卫腹心之地。"皇帝赞许并采纳了这个意见。兀术回军，岳飞在静安阻截，打败了他。

皇帝诏令讨伐戚方，岳飞率三千人在苦岭安营。戚方逃走，不久带着援兵回来抵抗，岳飞亲自统领一千名士兵，激战数十回合，全都取胜。正好张俊率军来到，戚方于是投降。范宗尹对皇帝说张俊刚从浙西来朝廷，盛赞岳飞将才难得，于是提升岳飞为通、泰镇抚使兼知泰州。岳飞推辞，请求担任淮南东路一个重要而困难的任职，收复本路州郡，乘机逐渐推进，使山东、河北、河东、京畿等路陆续得到收复。

会金攻楚急，诏张俊援之。俊辞，乃遣飞行，而命刘光世出兵援飞。飞屯三墪为楚援，寻抵承州，三战三捷，杀高太保，俘酋长七十余人。光世等皆不敢前，飞师孤力寡，楚遂陷。诏飞还守通、泰，有旨可守即守，如不可，但于沙洲保护百姓，伺便掩击。飞以泰无险可恃，退保柴墟，战于南霸桥，金大败。渡百姓于沙上，飞以精骑二百殿，金兵不敢近。飞以泰州失守待罪。

绍兴元年，张俊请飞同讨李成。时成将马进犯洪州，连营西山。飞曰："贼贪而不虑后，若以骑兵自上流绝生米渡，出其不意，破之必矣。"飞请自为先锋，俊大喜。飞重铠跃马，潜出贼右，突其阵，所部从之。进大败，走筠州。飞抵城东，贼出城，布阵十五里，飞设伏，以红罗为帜，上刺"岳"字，选骑二百随帜而前。贼易其少，薄之，伏发，贼败走。飞使人呼曰："不从贼者坐，吾不汝杀。"坐而降者八万余人。进以余卒奔成于南康。飞夜引兵至朱家山，又斩其将赵万。成闻进败，自引兵十余万来。飞与遇于楼子庄，大破成军，追斩进。成走蕲州，降伪齐。

【译文】

正赶上金军进攻楚州，楚州告急，皇帝诏令张俊前去援救。张俊推辞，于是派岳飞前去，同时命令刘光世出兵增援岳飞。岳飞屯兵于三墪作为楚州的援军，不久进抵承州，三战三捷，杀死高太保，俘获敌军首领七十余人。刘光世等人都不敢靠前，岳飞孤军力弱，楚州于是陷落。朝廷下诏让岳飞退回去守通州、泰州，圣旨说能守住就守，如果守不住，只在沙洲保护百姓，寻机袭敌即可。岳飞因泰州无险可守，退保柴墟，与金兵激战于南霸桥，金兵大败。在沙上护送百姓渡江，岳飞率二百名精锐骑兵殿后，金兵不敢接近。岳飞以泰州失守等候处分。

绍兴元年，张俊请岳飞一同进讨李成。当时李成部将马进进犯洪州，在西山连营扎寨。岳飞说："贼军贪利却不考虑后路，假若派骑兵从上游横渡生米渡，出敌不意，一定能击败他。"岳飞请求自己担任先锋，张俊大喜。岳飞身穿重甲跳上战马，悄悄地绕到贼军右侧，突入他们的阵地，部下跟随他前进。马进大败，逃往筠州。岳飞进抵城东，贼军出城，布下战阵十五里，岳飞设下埋伏，用红罗做旗，上面绣着"岳"字，挑选二百名骑兵跟随旗帜前进。贼军轻视岳飞兵少，紧逼过来，伏兵突然杀出，贼军大败逃走。岳飞派人大声叫道："不愿从贼的人坐下，我不杀你们。"坐下投降的人共有八万余人。马进率残兵败将逃奔在南康的李成。岳飞夜里率领部队赶到朱家山，又杀了李成的部将赵万。李成得知马进失败，亲自率兵十余万前来，岳飞同他在楼子庄遭遇，大破李成部队，追杀了马进。李成逃往蕲州，投降了伪齐。

张用寇江西，用亦相人，飞以书谕之曰："吾与汝同里，南薰门、铁路步之战，皆汝所悉。今吾在此，欲战则出，不战则降。"用得书曰："果吾父也。"遂降。

江、淮平，俊奏飞功第一，加神武右军副统制，留洪州，弹压盗贼，授亲卫大夫、建州观察使。建寇范汝为陷邵武，江西安抚李回檄飞分兵保建昌军及抚州，飞遣人以"岳"字帜植城门，贼望见，相戒勿犯。贼党姚达、饶青逼建昌，飞遣王万、徐庆讨擒之。升神武副军都统制。

二年，贼曹成拥众十余万，由江西历湖湘，据道、贺二州。命飞权知潭州，兼权荆湖东路安抚都总管，付金字牌、黄旗招成。成闻飞将至，惊曰："岳家军来矣。"即分道而遁。飞至茶陵，奉诏招之，成不从。飞奏："比年多命招安，故盗力强则肆暴，力屈则就招，苟不略加剿除，蜂起之众未可遽殄。"许之。

【译文】

张用进犯江西，张用也是相州人，岳飞写信告谕他说："我与你同乡同里，南薰门、铁路步之役，都是你所知道的。现在我在此地，你要交战就出来，不想打就投降。"张用接到信说："果然是我的父辈啊。"于是投降。

江、淮平定，张俊奏报岳飞战功第一，皇帝加授岳飞为神武右军副统制，留守洪州，镇压盗贼，又任命他为亲卫大夫、建州观察使。建州强盗范汝为攻陷邵武，江西安抚使李回檄告岳飞分兵保卫建昌军及抚州。岳飞派人把“岳”字旗插在城门上，贼军望见，互相告诫不要去进犯。贼军同党姚达、饶青逼近建昌，岳飞派王万、徐庆讨伐并活捉了他们。岳飞升任神武副军都统制。

绍兴二年，贼寇曹成拥兵十余万，由江西经湖湘，占据道、贺二州。朝廷命令岳飞临时任知潭州，兼权荆湖东路安抚都总管，授予他金字牌、黄旗招讨曹成。曹成听说岳飞将要到了，惊呼：“岳家军来了。”立即分道而逃。岳飞进至茶陵，奉诏招安曹成，曹成不肯屈从。岳飞上奏说：“近年来多次命令招安，因此盗贼势力强盛时就肆意暴虐，势力衰微时就接受招安，如果不略加剿除，蜂拥而起的盗贼就不能速速消灭。”皇帝同意了这个意见。

飞入贺州境，得成谍者，缚之帐下。飞出帐调兵食，吏曰：“粮尽矣，奈何？”飞阳曰：“姑反茶陵。”已而顾谍若失意状，顿足而入，阴令逸之。谍归告成，成大喜，期翌日来追。飞命士蓐食，潜趋绕岭，未明，已至太平场，破其砦。成据险拒飞，飞麾兵掩击，贼大溃。成走据北藏岭、上梧关，遣将迎战，飞不阵而鼓，士争奋，夺二隘据之。成又自桂岭置砦至北藏岭，连控隘道，亲以众十余万守蓬头岭。飞部才八千，一鼓登岭，破其众，成奔连州。飞谓张宪等曰：“成党散去，追而杀之，则胁从者可悯，纵之则复聚为盗。今遣若等诛其酋而抚其众，慎勿妄杀，累主上保民之仁。”于是宪自贺、连，徐庆自邵、道，王贵自郴、桂，招降者二万，与飞会连州。进兵追成，成走宣抚司降。时以盛夏行师瘴地，抚循有方，士无一人死疠者，岭表平。授武安军承宣使，屯江州。甫入境，安抚李回檄飞捕剧贼马友、郝通、刘忠、李通、李宗亮、张式，皆平之。

三年春，召赴行在。江西宣谕刘大中奏：“飞兵有纪律，人恃以安，今赴行在，恐盗复起。”不果行。时虔、吉盗连兵寇掠循、梅、广、惠、英、韶、南雄、南安、建昌、汀、邵武诸郡，帝乃专命飞平之。飞至虔州，固石洞贼彭友悉众至雩都迎战，跃马驰突，飞麾兵即马上擒之，余酋退保固石洞。洞高峻环水，止一径可入。飞列骑山下，令皆持满，黎明，遣死士疾驰登山，贼众乱，弃山而下，骑兵围之。贼呼丐命，飞令勿杀，受其降。授徐庆等方略，捕诸郡余贼，皆破降之。初，以隆祐震惊之故，密旨令飞屠虔城。飞请诛首恶而赦胁从，不许；请至三四，帝乃曲赦。人感其德，绘像祠之。余寇高聚、张成犯袁州，飞遣王贵平之。

【译文】

岳飞进入贺州境内，抓到了一个曹成的探子，捆绑在帐下。岳飞出帐调配军粮，军吏说："粮食已经吃完了，怎么办？"岳飞假装说："暂且返回茶陵。"一会儿回头看见探子，做出一副好像泄露了机密而十分懊悔的样子，跺着脚走入军帐，暗中下令放了他。探子回去告诉曹成，曹成大喜，计划第二天来追击岳飞部队。岳飞命令士兵早早起身吃饭，悄悄地绕山岭急行，天还没亮就已到太平场，攻克曹成的营寨。曹成占据险要地形抗击岳飞，岳飞指挥部队偷袭，曹成军队大败溃散。曹成逃到北藏岭、上梧关据守，派将领迎战，岳飞没等摆开战阵就擂鼓出击，士兵们争先奋勇，夺取了二处关隘据守。曹成又从桂岭设置营寨一直到北藏岭，接连不断地控制了险要通道，亲自率领十余万人马守蓬头岭。岳飞部下只有八千人，一鼓作气登上山岭，击败敌众，曹成逃往连州。岳飞对张宪等人说："曹成的贼党已经溃散，追击并杀了他们，那么胁从者却令人可怜，但放跑了他们，就会重新聚集起来成为盗贼。现在派遣你们去诛杀他们的头目而安抚他们的部众，千万不要妄加杀戮，以使皇帝保护人民的仁德受到损害。"于是张宪自贺州、连州，徐庆自邵州、道州，王贵自郴州、桂州，招降曹成部下二万人，与岳飞在连州会合。进军追击曹成，曹成到宣抚司投降。当时在盛夏季节行军于瘴气横行的地区，岳飞安抚部队有方，士兵无一人死于瘟疫，岭表地区平定。岳飞被授任武安军承宣使，屯驻江州。刚刚入境，安抚使李回急令岳飞围捕巨贼马友、郝通、刘忠、李通、李宗亮、张式，全都平定了他们。

绍兴三年春天，岳飞应召赶赴皇帝所在的地方。江西宣谕刘大中上奏说："岳飞的部队有纪律，百姓依靠他们才得以安定，现在召他前来，恐怕盗贼又会重新起来作乱。"岳飞没有起程。当时，虔州、吉州的盗贼联合兵力进攻抢掠循、梅、广、惠、英、韶、南雄、南安、建昌、汀、邵武等郡，皇帝授岳飞专征讨伐的权力平定这些盗贼。岳飞到达虔州，固石洞贼寇彭友率全体人马到雩都迎战，彭友跃马突击，岳飞指挥士兵在马上生擒了他，其余的贼军头目退保固石洞。固石洞地势高峻且有水环绕，只有一条小路可以进入。岳飞把骑兵列队于山下，命令他们弯弓搭箭，黎明，派敢死队员迅速奔驰登山，贼军大乱，弃守山头逃下来，岳飞的骑兵包围了他们。贼众哭喊饶命，岳飞下令不要杀戮，接受了他们的投降。岳飞又教给徐庆等人讨贼方略，让他们去围捕各郡的残余贼寇，全都击败并降伏了他们。当初，因为隆祐太后受震惊的缘故，高宗密令岳飞对虔州进行屠城。岳飞请求诛杀首恶而赦免胁从，皇帝不许；再三再四地请求，皇帝才特令赦免了虔州城。当地百姓感激岳飞的恩德，绘岳飞像供奉。残余的贼寇高聚、张成进犯袁州，岳飞派遣王贵平定了他们。

秋，入见，帝手书“精忠岳飞”字，制旗以赐之。授镇南军承宣使、江南西路沿江制置使，又改神武后军都统制，仍制置使，李山、吴全、吴锡、李横、牛皋皆隶焉。

伪齐遣李成挟金人入侵，破襄阳、唐、邓、随、郢诸州及信阳军，湖寇杨么亦与伪齐通，欲顺流而下，李成又欲自江西陆行，趋两浙与么会。帝命飞为之备。

【译文】

秋天，岳飞入朝拜见，皇帝手书“精忠岳飞”四个字，制成旗帜赐给岳飞。任命他为镇南军承宣使、江南西路沿江制置使，又改任神武后军都统制，仍然兼任制置使的职务，李山、吴全、吴锡、李横、牛皋都隶属他管理。

伪齐派遣李成依仗金兵入侵，攻克襄阳、唐、邓、随、郢等州及信阳军，洞庭湖的盗寇杨么也与伪齐通使，打算顺流而下。李成又谋划从江西陆路行军，直趋两浙与杨么会合。皇帝下令让岳飞做好准备。

四年，除兼荆南、鄂岳州制置使。飞奏：“襄阳等六郡为恢复中原基本，今当先取六郡，以除心膂之病。李成远遁，然后加兵湖湘，以殄群盗。”帝以谕赵鼎，鼎曰：“知上流利害，无如飞者。”遂授黄复州、汉阳军、德安府制置使。飞渡江中流，顾幕属曰：“飞不擒贼，不涉此江。”抵郢州城下，伪将京超号“万人敌”，乘城拒飞。飞鼓众而登，超投崖死，复郢州，遣张宪、徐庆复随州。飞趣襄阳，李成迎战，左临襄江，飞笑曰：“步兵利险阻，骑兵利平旷。成左列骑江岸，右列步平地，虽众十万何能为。”举鞭指王贵曰：“尔以长枪步卒击其骑兵。”指牛皋曰：“尔以骑兵击其步卒。”合战，马应枪而毙，后骑皆拥入江，步卒死者无数，成夜遁，复襄阳。刘豫益成兵屯新野，飞与王万夹击之，连破其众。

飞奏：“金贼所爱惟子女金帛，志已骄惰；刘豫僭伪，人心终不忘宋。如以精兵二十万，直捣中原，恢复故疆，诚易为力。襄阳、随、郢地皆膏腴，苟行营田，其利为厚。臣候粮足，即过江北剿戮敌兵。”时方重深入之举，而营田之议自是兴矣。

【译文】

绍兴四年，朝廷任命岳飞兼任荆南、鄂州、岳州制置使。岳飞上奏说：“襄阳等六郡是恢复中原的根本之地，目前应当先攻取这六郡，以解除心背之患。李成远逃之后，然后在湖湘增加兵力，以消灭群盗。”皇帝把岳飞的意见告诉赵鼎，赵鼎说：“深知长江上游的利害， 没有人能像岳飞这样的。”于是任命岳飞为黄州、复州、汉阳军、德安府制置使。岳飞渡到长江中流，回头对僚属们说：“我不生擒贼寇，就不渡江回来。”进抵郢州城下，伪齐将领京超号称“万人敌”，凭城据守，抗拒岳飞。岳飞擂鼓催动士兵登城，京超投崖而死。收复了郢州，派遣张宪、徐庆收复随州。岳飞赶赴襄阳，李成迎战，左翼面向襄江，岳飞笑着说：“步兵适合在险阻地带作战，骑兵适宜在平旷地区作战。李成把骑兵列于左侧江岸，步兵列于右侧平地，虽拥兵十万又能有什么作为？”他举起马鞭指着王贵说：“你率领长枪的步兵进击李成的骑兵。”指着牛皋说：“你率骑兵进击他的步兵。”等到开战，李成军的战马应枪倒毙，后面的骑兵都被挤入江中，步兵死亡的不计其数，李成连夜逃走，收复襄阳。刘豫给李成增派兵力屯驻新野，岳飞与王万两边夹击，连连击败他的部队。

岳飞上奏说："金贼所喜欢的只有女人和金帛，斗志已经骄惰；刘豫僭越本分建立伪政权，人心终究不忘大宋朝。如果派精兵二十万，直捣中原，恢复原来的疆土，实是容易做到的事。襄阳、随州、郢州土地都十分肥沃，假如实行营田，其利很多。我等到粮秣充足时，立即到江北去剿杀敌兵。"当时正重视深入北上收复中原的各种计划，因而营田的议论从此多了起来。

进兵邓州，成与金将刘合孛堇列砦拒飞。飞遣王贵、张宪掩击，贼众大溃，刘合孛堇仅以身免。贼党高仲退保邓城，飞引兵一鼓拔之，擒高仲，复邓州。帝闻之，喜曰："朕素闻岳飞行军有纪律，未知能破敌如此。"又复唐州、信阳军。

襄汉平，飞辞制置使，乞委重臣经画荆襄，不许。赵鼎奏："湖北鄂、岳最为上流要害，乞令飞屯鄂、岳，不惟江西藉其声势，湖、广、江、浙亦获安妥。"乃以随、郢、唐、邓、信阳并为襄阳府路隶飞，飞移屯鄂，授清远军节度使、湖北路、荆、襄、潭州制置使，封武昌县开国子。

兀术、刘豫合兵围庐州，帝手札命飞解围，提兵趋庐，伪齐已驱甲骑五千逼城。飞张"岳"字旗与"精忠"旗，金兵一战而溃，庐州平。飞奏："襄阳等六郡人户阙牛、粮，乞量给官钱，免官私逋负，州县官以招集流亡为殿最。"

【译文】

岳飞进军邓州，李成与金将刘合孛堇列置营寨抗拒岳飞。岳飞派遣王贵、张宪突袭，贼众大败而溃，刘合孛堇仅以身免。李成的同党高仲退保邓城，岳飞率领部队一鼓作气拔除此城，活捉高仲，收复邓州。皇帝听到此讯，高兴地说："我早就听说过岳飞行军时纪律严明，不知道他能攻城破敌到这种程度。"又收复了唐州、信阳军。

襄汉一带平定，岳飞辞去制置使的职务，请求朝廷委派重臣经营筹治荆襄地区，皇帝不同意。赵鼎上奏说："湖北鄂州、岳州是长江上流的要害之地，请求命令岳飞屯驻鄂州、岳州，这样不仅江西可以借助他的声势，而且湖、广、江、浙也能获得安定。"于是朝廷将随州、郢州、唐州、邓州、信阳军合并为襄阳府路隶属岳飞，岳飞移驻鄂州，并授任他为清远军节度使、湖北路、荆、襄、潭州制置使，封为武昌县开国子。

兀术、刘豫合兵包围庐州，皇帝亲自写信命令岳飞去解围，岳飞率所部直趋庐州，伪齐已驱使重甲骑兵五千直逼城下。岳飞打起“岳”字旗与“精忠”旗，金兵一接战便溃败，庐州平定。岳飞上奏说：“襄阳等六郡的人家缺乏耕牛、粮种，请求朝廷酌量拨给官钱，免除他们的公私债务，州县官员以招集流散的百姓多少作为考核政绩的标准。”

五年，入觐，封母国夫人；授飞镇宁、崇信军节度使，湖北路、荆襄潭州制置使，进封武昌郡开国侯；又除荆湖南北、襄阳路制置使，神武后军都统制，命招捕杨么。飞所部皆西北人，不习水战，飞曰：“兵何常，顾用之何如耳。”先遣使招谕之。贼党黄佐曰：“岳节使号令如山，若与之敌，万无生理，不如往降。节使诚信，必善遇我。”遂降。飞表授佐武义大夫，单骑按其部，拊佐背曰：“子知逆顺者。果能立功，封侯岂足道？欲复遣子至湖中，视其可乘者擒之，可劝者招之，如何？”佐感泣，誓以死报。

时张浚以都督军事至潭，参政席益与浚语，疑飞玩寇，欲以闻。浚曰：“岳侯，忠孝人也，兵有深机，胡可易言？”益惭而止。黄佐袭周伦砦，杀伦，擒其统制陈贵等。飞上其功，迁武功大夫。统制任士安不禀王𤫉令，军以此无功。飞鞭士安使饵贼，曰：“三日贼不平，斩汝。”士安宣言：“岳太尉兵二十万至矣。”贼见止士安军，并力攻之。飞设伏，士安战急，伏四起击贼，贼走。

【译文】

绍兴五年，岳飞入朝觐见，皇帝封岳飞的母亲为国夫人；任命岳飞为镇宁、崇信军节度使，湖北路、荆襄潭州制置使，进封为武昌郡开国侯；又任命他为荆湖南北、襄阳路制置使，神武后军都统制，命令他招捕杨么。岳飞的部下全是西北人，不习惯水战，岳飞说：“兵家哪有常法，看运用得如何罢了。”他先派遣使者招谕杨么。贼军同党黄佐说：“岳节使号令如山，如果与他为敌，绝没有活着的希望，不如前去投降。岳节使是诚信之人，必定会优待我。”于是投降。岳飞表奏朝廷授予黄佐武义大夫，自己单骑巡视黄佐的部队，用手抚在黄佐的背上说：“你是知道逆顺大义的人。果真能立功，封侯还用说吗？我准备派你再次到洞庭湖中去，看杨么军中有机可乘者就擒获他，可以劝降的就招抚他，怎么样？”黄佐感动得流泪，发誓以死相报。

当时张浚以都督军事的身份来到潭州，参政席益对张浚说，怀疑岳飞对贼寇掉以轻心，打算把这种怀疑报告朝廷。张浚说：“岳侯，是一位忠孝双全的人，用兵自有其精深的道理，怎么可以随便议论呢？”席益深感惭愧就打消了原来的念头。黄佐袭击周伦营寨，杀死周伦，活捉了他的统制陈贵等人。岳飞上报黄佐的战功，升黄佐为武功大夫。统制任士安不服从王瓒的命令，所部因而没有立功。岳飞鞭打任士安并命令他前去引诱贼军，说：“三天之内贼军没有被平定，杀你的头。”任士安到处宣扬：“岳太尉的二十万大军到了。”贼军看到只有任士安一支军队，集中兵力进攻他。岳飞设下埋伏，任士安作战危急之时，伏兵四起攻击贼军，贼军逃走。

会召浚还防秋，飞袖小图示浚，浚欲俟来年议之。飞曰：“已有定画，都督能少留，不八日可破贼。”浚曰：“何言之易？”飞曰：“王四厢以王师攻水寇则难，飞以水寇攻水寇则易。水战我短彼长，以所短攻所长，所以难。若因敌将用敌兵，夺其手足之助，离其腹心之托，使孤立，而后以王师乘之，八日之内，当俘诸酋。”浚许之。

飞遂如鼎州。黄佐招杨钦来降，飞喜曰：“杨钦骁悍，既降，贼腹心溃矣。”表授钦武义大夫，礼遇甚厚，乃复遣归湖中。两日，钦说余端、刘诜等降，飞诡骂钦曰：“贼不尽降，何来也？”杖之，复令入湖。是夜，掩贼营，降其众数万。么负固不服，方浮舟湖中，以轮激水，其行如飞，旁置撞竿，官舟迎之辄碎。飞伐君山木为巨筏，塞诸港汊，又以腐木乱草浮上流而下，择水浅处，遣善骂者挑之，且行且骂。贼怒来追，则草木壅积，舟轮碍不行。飞亟遣兵击之，贼奔港中，为筏所拒。官军乘筏，张牛革以蔽矢石，举巨木撞其舟，尽坏。么投水，牛皋擒斩之。飞入贼垒，余酋惊曰：“何神也！”俱降。飞亲行诸砦慰抚之，纵老弱归田，籍少壮为军，果八日而贼平。浚叹曰：“岳侯神算也。”初，贼恃其险曰：“欲犯我者，除是飞来。”至是，人以其言为谶。获贼舟千余，鄂渚水军为沿江之冠。诏兼蕲、黄制置使，飞以目疾乞辞军事，不许，加检校少保，进封公。还军鄂州，除荆湖南北、襄阳路招讨使。

六年，太行山忠义社梁兴等百余人，慕飞义率众来归。飞入觐，面陈："襄阳自收复后，未置监司，州县无以按察。"帝从之，以李若虚为京西南路提举兼转运、提刑，又令湖北、襄阳府路自知州、通判以下贤否，许飞得自黜陟。

【译文】

正好皇帝召还张浚防备金人秋季进犯，岳飞从袖中取出一幅小图给张浚看，张浚打算能明年再与岳飞商量。岳飞说："已经有了确定的计划，都督如果能稍留几天，不用八天就可以击败贼军。"张浚说："怎么说得这样容易？"岳飞说："王四厢率官军攻打水寇就困难，我用水寇进攻水寇就容易。水上作战是我军短处敌军长处，用我之短攻敌所长，所以困难。假若起用敌将使用敌兵，削夺其手足之助，离间其腹心之依托，使贼军首领孤立，而后用官军乘机进攻，八天之内，一定俘获贼军各位首领。"张浚答应了他。

岳飞于是到鼎州。黄佐招杨钦来投降，岳飞高兴地说："杨钦骁勇强悍，他投降以后，贼军的腹心就崩溃了。"上表朝廷授予杨钦武义大夫，礼遇非常隆重，于是又派他回到湖中。两天后，杨钦劝服了余端、刘诜等人投降，岳飞假装骂杨钦道："贼人没有全部投降，你为什么回来？"用军杖打了他一顿，命令他重新入湖中。这天晚上，岳飞部队偷袭贼营，降伏了贼众数万人。杨么依恃地势险固不肯屈服，正在湖中行船，他的船用轮子划水，行船如飞，船两旁还设有撞竿，官军的船迎上去就被撞碎。岳飞下令砍伐君山上的树木造成巨筏，堵塞在湖湾港汊，又在湖水上流投下朽木乱草顺流而下，选择水浅之处，派善于骂人的士兵挑逗贼兵，一边走一边骂。贼军大怒来追，因草木淤积，敌船的轮子受阻无法行进。岳飞急忙派兵出击，贼兵逃往港湾中，又被巨筏所拦拒。官军乘巨筏，张开牛皮革遮挡箭和石块，举着大木头撞击贼船，全部撞坏了敌船。杨么跳入湖水，被牛皋捉住并杀死。岳飞进入贼军营垒，剩下的贼军首领惊呼道："太神了！"于是就都投降了。岳飞亲自到各个营寨安抚劝慰已降的贼兵，释放年老体弱的人回乡种田，登记年轻力壮的人编入官军，果然八天之内平定了贼军。张浚叹服道："岳侯真是神机妙算啊。"起初，贼寇依恃其防地险要时说："要想攻打我的人，除非是从天上飞来"。到此时，人们都把这话当成是应验了岳飞来攻的谶语。缴获了一千余艘贼船，鄂渚水军成为沿江水军中最强大的。诏命岳飞兼任蕲、黄制置使，岳飞以眼睛有病请求辞去军职，皇帝没批准，加任岳飞为检校少保，进封为公。部队返回鄂州，岳飞被任命为荆湖南北、襄阳路招讨使。

绍兴六年，太行山忠义社梁兴等一百余人，敬慕岳飞的忠义率众前来归附。岳飞入朝觐见，面奏皇帝："襄阳自从收复以后，未设监司，无法按察州县。"皇帝听取了这个意见，任命李若虚担任京西南路提举兼转运、提刑，又下令湖北、襄阳府路自知州、通判以下官员由岳飞自己任免。

张浚至江上会诸大帅，独称飞与韩世忠可倚大事，命飞屯襄阳，以窥中原，曰："此君素志也。"飞移军京西，改武胜、定国军节度使，除宣抚副使，置司襄阳。命往武昌调军。居母忧，降制起复，飞扶榇还庐山，连表乞终丧，不许，累诏趣起，乃就军。又命宣抚河东，节制河北路。首遣王贵等攻虢州，下之，获粮十五万石，降其众数万。张浚曰："飞措画甚大，令已至伊、洛，则太行一带山砦，必有应者。"飞遣杨再兴进兵至长水县，再战皆捷，中原响应。又遣人焚蔡州粮。

九月，刘豫遣子麟、侄猊分道寇淮西，刘光世欲舍庐州，张俊欲弃盱眙，同奏召飞以兵东下，欲使飞当其锋，而己得退保。张浚谓："岳飞一动，则襄汉何所制？"力沮其议。帝虑俊、光世不足任，命飞东下。飞自破曹成、平杨么，凡六年，皆盛夏行师，致目疾，至是，甚；闻诏即日启行，未至，麟败。飞奏至，帝语赵鼎曰："刘麟败北不足喜，诸将知尊朝廷为可喜。"遂赐札，言："敌兵已去淮，卿不须进发，其或襄、邓、陈、蔡有机可乘，从长措置。"飞乃还军。时伪齐屯兵窥唐州，飞遣王贵、董先等攻破之，焚其营。奏图蔡以取中原，不许。飞召贵等还。

【译文】

张浚到长江边会见各位大帅，唯独称赞岳飞和韩世忠可以倚重成就大事，命令岳飞屯驻襄阳，以等待时机夺取中原，并说："这是你历来所抱有的志向啊。"岳飞把部队移往京西，改任武胜、定国军节度使，担任宣抚副使，在襄阳设置宣抚司。朝廷命令岳飞前往武昌调发军队。岳飞因母亲去世在家守丧，皇帝降诏要他守丧未满就应召复职，岳飞护送母亲的棺木回到庐山，连着上表请求守满丧期，皇帝不同意，几次下诏催促他复职，于是岳飞回到军中。又命令他宣抚河东，节制河北路。岳飞首先派遣王贵等人进攻虢州，攻下了它，缴获粮食十五万石，降伏敌众数万人。张浚说："岳飞的筹措计划非常庞大，他的命令已达伊水、洛水地区，这样一来，太行山一带的山寨，必然会有响应的人。"岳飞派遣杨再兴进兵至长水县，连战连捷，中原响应。又派人焚烧了蔡州的粮食。

九月，刘豫派遣儿子刘麟、侄子刘猊分道进犯淮西地区，刘光世打算放弃庐州，张俊打算弃守盱眙，一起上奏请求皇帝诏令岳飞率兵东下，想让他来抵挡敌军的兵锋，而自己能够退守自保。张浚说："岳飞的部队一开动，那么襄汉如何来控制？"极力阻止这个建议。皇帝担心张俊、刘光世不能担此重任，便下令岳飞东下。岳飞自从击败曹成、平定杨么，总共六年时间，都是在盛夏季节行军作战，导致眼睛生病，到此时更加严重。接到诏令便当天起程，没有到，刘麟战败。岳飞的奏书到达，皇帝对赵鼎说："刘麟败北不足以高兴，各位将领知道尊重朝廷是可喜的。"于是赐给岳飞书信，说："敌兵已经离开淮河地区，你不必继续前进，或许襄、邓、陈、蔡地区有机可乘，从长计划处置。"岳飞于是回军。当时伪齐屯集兵力窥视唐州，岳飞派遣王贵、董先等人攻破敌军，焚烧敌军营寨。上奏请求图取蔡州以攻取中原，皇帝没批准。岳飞召王贵等人回返。

七年，入见，帝从容问曰："卿得良马否？"飞曰："臣有二马，日啖刍豆数斗，饮泉一斛，然非精洁则不受。介而驰，初不甚疾，比行百里始奋迅，自午至酉，犹可二百里。褫鞍甲而不息不汗，若无事然。此其受大而不苟取，力裕而不求逞，致远之材也。不幸相继以死。今所乘者，日不过数升，而秣不择粟，饮不择泉，揽辔未安，踊踊疾驱，甫百里，力竭汗喘，殆欲毙然。此其寡取易盈，好逞易穷，驽钝之材也。"帝称善，曰："卿今议论极进。"拜太尉，继除宣抚使兼营田大使。从幸建康，以王德、郦琼兵隶飞，诏谕德等曰："听飞号令，如朕亲行。"

飞数见帝，论恢复之略。又手疏言："金人所以立刘豫于河南，盖欲荼毒中原，以中国攻中国，粘罕因得休兵观衅。臣欲陛下假臣月日，便则提兵趋京、洛，据河阳、陕府、潼关，以号召五路叛将。叛将既还，遣王师前进，彼必弃汴而走河北，京畿、陕右可以尽复。然后分兵浚、滑，经略两河，如此则刘豫成擒，金人可灭，社稷长久之计，实在此举。”帝答曰：“有臣如此，顾复何忧，进止之机，朕不中制。”又召至寝阁命之曰：“中兴之事，一以委卿。”命节制光州。

飞方图大举，会秦桧主和，遂不以德、琼兵隶飞。诏诣都督府与张浚议事，浚谓飞曰：“王德淮西军所服，浚欲以为都统，而命吕祉以督府参谋领之，如何？”飞曰：“德与琼素不相下，一旦揠之在上，则必争。吕尚书不习军旅，恐不足服众。”浚曰：“张宣抚如何？”飞曰：“暴而寡谋，尤琼所不服。”浚曰：“然则杨沂中尔？”飞曰：“沂中视德等尔，岂能驭此军？”浚艴然曰：“浚固知非太尉不可。”飞曰：“都督以正问飞，不敢不尽其愚，岂以得兵为念耶？”即日上章乞解兵柄，终丧服，以张宪摄军事，步归，庐母墓侧。浚怒，奏以张宗元为宣抚判官，监其军。

【译文】

绍兴七年，入朝觐见，皇帝安详地问他：“你得到良马没有？”岳飞回答说：“我原有两匹马，一天要吃数斗草料豆子，饮一斛泉水，然而不精细清洁的食物就不吃。披挂上鞍甲奔驰，开始跑得不很快，等到跑了一百里才开始兴奋加速，自午时到酉时，还可以跑二百里。卸下鞍甲既不喘息也不流汗，仿佛无事一样。这是它吃得多却不胡乱凑和吃，力气充裕但不求逞于一时，这是能跑得远的良才。却不幸相继死亡。现在我所乘坐的马，一天吃得不过数升，而且吃草料时不管有无粮食，饮水时也不选择泉眼，缰绳还没拿稳，踊跃急驰，才跑了一百里，就力竭汗喘，像要倒毙的样子。这是它吃得少却容易满足，好逞能却容易穷尽气力，这是低下蠢笨的庸才。”皇帝称赞说得好，说：“你今天的议论很有可取之处。”授予他太尉之职，接着任命岳飞为宣抚使兼营田大使。跟随皇帝巡幸建康，把王德、郦琼的部队隶属岳飞部下，下诏通知王德等人说：“听从岳飞的号令，如同我亲自行令。”

岳飞屡次进见皇帝，都谈论到恢复中原失地的方略。又写奏章说：“金人之所以在河南立刘豫为帝，是想荼毒中原生灵，用中国人攻打中国人，粘罕因此可以休整部队以坐收渔人之利。我希望陛下给我时间，机会成熟时就带领部队直趋京、洛，占据河阳、陕府、潼关，以此来号召五路的叛将。叛将归降后，再派官军前进，敌人必然放弃汴京而逃向河北、京畿，陕右一带可以全部收复。然后分兵进攻浚州、滑州，经略两河地区，这样一来，一定可以活捉刘豫，金人就可以消灭，国家的长久大计，实在是在于这一行动。”皇帝回答说：“有你这样的大臣，还有什么忧虑，你发兵进攻的时机，我不在朝中干预。”又把岳飞召到寝阁中命令他说：“中兴大事，全都委托你了。”下令岳飞节制光州。

岳飞刚开始计划大举出征，适逢秦桧主张向金人求和，于是不把王德、郦琼的部队拨归岳飞。诏命岳飞到都督府与张浚议事，张浚对岳飞说：“王德为淮西军所钦服，我想任命他为都统，而命令吕祉以都督府参谋的身份统领这支部队，怎么样？”岳飞说：“王德与郦琼本来不相上下，一旦提拔王德，位于郦琼之上，那么两人必然会争执。吕尚书不熟悉军旅之事，恐怕不足以服众。”张浚说：“张宣抚怎么样？”岳飞说：“暴躁而缺乏智谋，尤其为郦琼所不服。”张浚说：“那么杨沂中总算可以了吧？”岳飞说：“杨沂中看来和王德差不多，怎么能驾御这支部队？”张浚恼怒地说：“我就知道非太尉你不可。”岳飞说：“都督以正事问我的意见，不敢不完全献出我的愚见，哪里有想得到兵权的念头呀？”当天岳飞上书请求解除兵权，回家服满守丧期，让张宪代理指挥军队，自己步行返家，在母亲墓旁搭建小屋居住。张浚十分生气，上奏皇帝任命张宗元为宣抚判官，监督岳飞的部队。

帝累诏趣飞还职，飞力辞，诏幕属造庐以死请，凡六日，飞趋朝待罪，帝尉遣之。宗元还言：“将和士锐，人怀忠孝，皆飞训养所致。”帝大悦。飞奏：“比者寝阁之命，咸谓圣断已坚，何至今尚未决？臣愿提兵进讨，顺天道，固人心，以曲直为老壮，以逆顺为强弱，万全之效可必。”又奏：“钱塘僻在海隅，非用武地。愿陛下建都上游，用汉光武故事，亲率六军，往来督战。庶将士知圣意所向，人人用命。”未报而郦琼叛，浚始悔。飞复奏：“愿进屯淮甸，伺便击琼，期于破灭。”不许，诏驻师江州为淮、浙援。

飞知刘豫结粘罕，而兀术恶刘豫，可以间而动。会军中得兀术谍者，飞阳责之曰："汝非吾军中人张斌耶？吾向遣汝至齐，约诱至四太子，汝往不复来。吾继遣人问，齐已许我，今冬以会合寇江为名，致四太子于清河。汝所持书竟不至，何背我耶？"谍冀缓死，即诡服。乃作蜡书，言与刘豫同谋诛兀术事，因谓谍曰："吾今贷汝。"复遣至齐，问举兵期，刲股纳书，戒勿泄。谍归，以书示兀术，兀术大惊，驰白其主，遂废豫。飞奏："宜乘废豫之际，捣其不备，长驱以取中原。"不报。

【译文】

皇帝几次下诏催促岳飞还军复职，岳飞都极力推辞。皇帝又诏令岳飞的僚属们到岳飞守丧的小屋死力相请，有六天时间，岳飞赶奔入朝等待处分，皇帝安慰一番后把他派回部队。张宗元回来说："将领团结和睦，士兵锐气正足，人人心怀忠孝之心，这都是岳飞训练教育的结果。"皇帝十分高兴。岳飞上奏说："近来在寝阁下达的命令，都说陛下的决心已下，为何至今还未决定？我愿率领部队进讨，顺应天道，符合人心，我军师出有名则部队威武雄壮，敌军师出无名则部队萎靡沮丧，我军顺应天时则强大无比，敌军逆天行事则不堪一击，必然会收到万全的效果。"又上奏说："钱塘地处僻远的海角，不是用武之地。愿陛下在上游建都，效仿汉光武帝的当年做法，亲自统率六军，往来于各地督战。这样就能使将士们知道圣上的意图所向，人人拼死效力。"皇帝没有答复，而郦琼反叛，张浚这才感到后悔。岳飞又上奏："我愿进军屯驻在淮甸，等待有利时机进攻郦琼，按一定期限消灭叛军。"皇帝不同意，诏令岳飞部队进驻江州作为淮、浙地区的援军。

岳飞得知刘豫勾结粘罕，而兀术却厌恶刘豫，可以先施离间之计而后行动。正好军中捉到一个兀术的探子，岳飞佯装认错了人并责备他说："你不是我军中的张斌吗？我以前派你去齐国，约定引诱四太子兀术来，你却去后不再回来。我继续派人去通使，齐国已经答应我，今年冬天以联合进犯长江为名，把四太子诱至清河。你拿着我的书信竟然没有送到，为什么背叛我？"探子希望暂缓处死他，就假装服罪。岳飞又写了一封蜡丸书，写着与刘豫合谋诛杀兀术的事情，然后对探子说："我今天饶恕你。"再次把他派回齐国，询问举兵起事的日期，割开探子的大腿把蜡丸书藏在里面，警告他万勿泄密。探子回去，把蜡书交给兀术，兀术大吃一惊，火速报告了金朝国主，于是废掉了刘豫。岳飞上奏说："应该乘刘豫被废之际，捣其不备，长驱直入以攻取中原。"朝廷没有答复。

八年，还军鄂州。王庶视师江、淮，飞与庶书："今岁若不举兵，当纳节请闲。"庶甚壮之。秋，召赴行在，命诣资善堂见皇太子。飞退而喜曰："社稷得人矣，中兴基业，其在是乎？"会金遣使将归河南地，飞言："金人不可信，和好不可恃，相臣谋国不臧，恐贻后世讥。"桧衔之。

九年，以复河南，大赦。飞表谢，寓和议不便之意，有"唾手燕云，复仇报国"之语。授开府仪同三司，飞力辞，谓："今日之事，可危而不可安；可忧而不可贺；可训兵饬士，谨备不虞，而不可论功行赏，取笑敌人。"三诏不受，帝温言奖谕，乃受。会遣士㒟谒诸陵，飞请以轻骑从洒埽，实欲观衅以伐谋。又奏："金人无事请和，此必有肘腋之虞，名以地归我，实寄之也。"桧白帝止其行。

十年，金人攻拱、亳，刘锜告急，命飞驰援，飞遣张宪、姚政赴之。帝赐札曰："设施之方，一以委卿，朕不遥度。"飞乃遣王贵、牛皋、董先、杨再兴、孟邦杰、李宝等，分布经略西京、汝、郑、颍昌、陈、曹、光、蔡诸郡；又命梁兴渡河，纠合忠义社，取河东、北州县。又遣兵东援刘锜，西援郭浩，自以其军长驱以阚中原。将发，密奏言："先正国本以安人心，然后不常厥居，以示无忘复仇之意。"帝得奏，大褒其忠，授少保，河南府路、陕西、河东北路招讨使，寻改河南、北诸路招讨使。未几，所遣诸将相继奏捷。大军在颍昌，诸将分道出战，飞自以轻骑驻郾城，兵势甚锐。

【译文】

绍兴八年，岳飞率部队回到鄂州。王庶在江、淮地区巡视军队，岳飞写信给王庶说："今年如果不举兵北伐，我就交还符节辞职赴闲。"王庶极其赞赏。秋天，奉诏去皇帝驻在的地方，命令他去资善堂参见皇太子。岳飞退下去后高兴地说："国家终于得到主人啦，中兴基业，难道从此有了开端吗？"正好金国派遣使臣来将要归还河南地区，岳飞说："金人不可信任，和好不可以依恃，宰相谋划国家大事不妥当，恐怕要留给后世人讥笑。”秦桧对此怀恨在心。

绍兴九年，因为河南回归，朝廷大赦天下。岳飞上表致谢，其中寓含了不应该与金国和议的意思，文中有“唾手收复燕云，复仇报答国家”之语。朝廷授予岳飞开府仪同三司，岳飞极力推辞，说：“现在的天下之事，应该感到危急而不可以感到安全；应该感到担忧而不可以庆贺；应该训练军队整饬士大夫，谨慎地防备不测事件发生，而不可以论功行赏，让敌人耻笑。”皇帝三次下诏他都不接受，皇帝好言嘉勉，岳飞才接受。正赶上朝廷派遣赵士㒟前往拜谒先皇诸陵，岳飞请求派轻骑兵随从使臣洒扫先皇陵寝，实际上是想观察敌军的虚实以制定讨伐的计划。又上奏说：“金人没事请求议和，此中必有肘腋之患，名义上是把土地归还给我们，实际上是寄放在我们这里罢了。”秦桧对皇帝说制止岳飞的行动。

绍兴十年，金军攻打拱州、亳州，刘锜向朝廷告急，皇帝命令岳飞火速增援，岳飞派遣张宪、姚政率兵前往。皇帝赐给岳飞的亲笔信中说：“同金兵作战的措施及方略，一并委托给你，我不进行遥控。”于是岳飞遣王贵、牛皋、董先、杨再兴、孟邦杰、李宝等人，分别经营攻略西京、汝州、郑州、颍昌、陈州、曹州、光州、蔡州诸郡；又命令梁兴渡过黄河，联络集合忠义社，攻取河东、河北各州县。又派部队去东面援救刘锜，西面援救郭浩，自己率大军准备长驱直入以雄视中原。将要出发时，岳飞秘密上奏说：“先立太子以安定人心，然后请皇上不要经常居住在一地，以此来表示没有忘记复仇的决心。”皇帝得到这个奏章，大力褒奖他的忠心，任命岳飞为少保，河南府路、陕西、河东北路招讨使，不久改任河南、北诸路招讨使。没过多久，岳飞所派遣的诸将相继传来捷报。大部队驻守颍昌，部下众将分路出兵作战，岳飞自己率领轻装骑兵驻扎郾城，兵锋锐气十足。

兀术大惧，会龙虎大王议，以为诸帅易与，独飞不可当，欲诱致其师，并力一战。中外闻之，大惧，诏飞审处自固。飞曰：“金人伎穷矣。”乃日出挑战，且骂之。兀术怒，合龙虎大王、盖天大王与韩常之兵逼郾城。飞遣子云领骑兵直贯其阵，戒之曰：“不胜，先斩汝！”鏖战数十合，贼尸布野。

初，兀术有劲军，皆重铠，贯以韦索，三人为联，号“拐子马”，官军不能当。是役也，以万五千骑来，飞戒步卒以麻札刀入阵，勿仰视，第斫马足。拐子马相连，一马仆，二马不能行，官军奋击，遂大败之。兀术大恸曰："自海上起兵，皆以此胜，今已矣！"兀术益兵来，部将王刚以五十骑觇敌，遇之，奋斩其将。飞时出视战地，望见黄尘蔽天，自以四十骑突战，败之。

【译文】

兀术大为恐惧，会见龙虎大王商议，认为宋军其他各位统帅容易对付，只有岳飞锐不可当，打算引诱岳飞的部队前来，集中兵力决一死战。朝廷内外听说此事，十分恐惧，皇帝诏令岳飞慎重行事保全自己。岳飞说："金人的伎俩已经穷尽了。"于是天天出兵挑战，并且大骂金军。兀术十分恼怒，联合龙虎大王、盖天大王与韩常的部队直逼郾城。岳飞派遣儿子岳云率领骑兵直冲入敌阵，告诫他说："打不赢，我先杀你的头！"激战数十个回合，杀得贼尸遍野。

当初，兀术训练了一支精锐部队，都穿着重甲，用牛皮绳贯串起来，三人为一组，号称"拐子马"，宋军无法抵挡。这次战役，兀术调动了一万五千名拐子马骑兵前来。岳飞下令步兵手持麻札刀冲入敌阵，不要抬头仰视，只管砍马蹄。拐子马都是连在一起的，只要一匹马倒地，其他两匹马就无法前进，宋军奋力攻击，于是大败金军。兀术大哭道："自从海上起兵以来，全都是靠它取胜，今天算完了！"兀术增加兵力又来，岳飞部将王刚率五十名骑兵侦察敌情时与敌军相遇，王刚奋力斩杀了敌军将领。岳飞当时正出来视察作战地形，望见黄尘铺天遮地，亲率四十名骑兵突入敌群战斗，打败了这股援军。

方郾城再捷，飞谓云曰："贼屡败，必还攻颍昌，汝宜速援王贵。"既而兀术果至，贵将游奕、云将背嵬战于城西。云以骑兵八百挺前决战，步军张左右翼继之，杀兀术婿夏金吾、副统军粘罕索孛堇，兀术遁去。

梁兴会太行忠义及两河豪杰等，累战皆捷，中原大震。飞奏："兴等过河，人心愿归朝廷。金兵累败，兀术等皆令老少北去，正中兴之机。"飞进军朱仙镇，距汴京四十五里，与兀术对垒而阵，遣骁将以背嵬骑五百奋击，大破之，兀术遁还汴京。飞檄陵台令行视诸陵，葺治之。

【译文】

正当郾城再次取胜的时候，岳飞对岳云说："金兵屡战屡败，必然要回军进攻颍昌，你应该迅速去支援王贵。"不久兀术果然赶来，王贵率领游奕军，岳云率领背嵬军与金军大战于城西。岳云指挥八百名骑兵冲到阵前与金兵决战，步兵在左右两翼展开队形跟在骑兵后面前进，杀死兀术的女婿夏金吾、副统军粘罕索孛堇，兀术逃走。

梁兴会合太行山的忠义民兵及两河地区的豪杰之士等，屡次与金军交战都取得大捷，极大地震动了中原地区。岳飞上奏说："梁兴等人北渡黄河，人心都愿意回归朝廷。金兵屡败，兀术等人都下令军中老少返回北方，眼下正是中兴大宋的大好机会。"岳飞进军朱仙镇，距离汴京只有四十五里，与兀术对峙结阵，岳飞派骁将率背嵬骑兵五百人奋勇冲击，大破兀术军，兀术逃回汴京。岳飞通知陵台令巡行察看先帝诸陵，进行修葺整治。

先是，绍兴五年，飞遣梁兴等布德意，招结两河豪杰，山砦韦铨、孙谋等敛兵固堡，以待王师，李通、胡清、李宝、李兴、张恩、孙琪等举众来归。金人动息，山川险要，一时皆得其实。尽磁、相、开德、泽、潞、晋、绛、汾、隰之境，皆期日兴兵，与官军会。其所揭旗以"岳"为号，父老百姓争挽车牵牛，载糗粮以馈义军，顶盆焚香迎候者，充满道路。自燕以南，金号令不行，兀术欲签军以抗飞，河北无一人从者。乃叹曰："自我起北方以来，未有如今日之挫衄。"金帅乌陵思谋素号桀黠，亦不能制其下，但谕之曰："毋轻动，俟岳家军来即降。"金统制王镇、统领崔庆、将官李觊崔虎华旺等皆率所部降，以至禁卫龙虎大王下忔查千户高勇之属，皆密受飞旗榜，自北方来降。金将军韩常欲以五万众内附。飞大喜，语其下曰："直抵黄龙府，与诸君痛饮尔！"

方指日渡河，而桧欲画淮以北弃之，风台臣请班师。飞奏："金人锐气沮丧，尽弃辎重，疾走渡河，豪杰向风，士卒用命，时不再来，机难轻失。"桧知飞志锐不可回，乃先请张俊、杨沂中等归，而后言飞孤军不可久留，乞令班师。一日奉十二金字牌，飞愤惋泣下，东向再拜曰："十年之力，废于一旦。”飞班师，民遮马恸哭，诉曰：“我等戴香盆、运粮草以迎官军，金人悉知之。相公去，我辈无噍类矣。”飞亦悲泣，取诏示之曰：“吾不得擅留。”哭声震野，飞留五日以待其徙，从而南者如市，亟奏以汉上六郡闲田处之。

方兀术弃汴去，有书生叩马曰：“太子毋走，岳少保且退矣。”兀术曰：“岳少保以五百骑破吾十万，京城日夜望其来，何谓可守？”生曰：“自古未有权臣在内，而大将能立功于外者，岳少保且不免，况欲成功乎？”兀术悟，遂留。飞既归，所得州县，旋复失之。飞力请解兵柄，不许，自庐入觐，帝问之，飞拜谢而已。

【译文】

在此之前，绍兴五年，岳飞派遣梁兴等人广布朝廷恩德，招抚结纳两河地区的豪杰，山寨寨主韦铨、孙谋等人收拢兵力固守堡垒，等待官军前来，李通、胡清、李宝、李兴、张恩、孙琪等人率部众归附。金人的动态，山川的险要，一时都掌握了确实情报。所有磁、相、开德、泽、潞、晋、绛、汾、隰等地区，都约定日期一同起兵，与官军相会合。他们所打的旗帜以“岳”字为号，父老百姓们争相拉着车牵着牛，载运着干粮送给义军，头上顶着烧香盆子来迎候的人，充满了道路。从燕京以南，金国的号令不能实行，兀术打算强行征兵来抵挡岳飞，河北之地没有一个人听从他。兀术叹息说：“自我朝兴起于北方以来，还没有像今天这样的挫败。”金军大帅乌陵思谋一向号称凶狠狡诈，这时也无法控制他的部下，只能劝告说：“不要轻举妄动，等岳家军来了就出降。”金军统制王镇、统领崔庆、将官李觊、崔虎、华旺等人都率所部投降，以至于禁卫龙虎大王的属下忔查千户高勇之流，都秘密地接受了岳飞的旗帜和文告，从北方前来归降。金国将军韩常打算率五万部众前来内地归附。岳飞大喜，对部下们说：“一直进抵黄龙府，我和诸位开怀畅饮！”

正当渡河指日可待之时，秦桧却打算划淮河以北地区放弃，示意谏官奏请皇帝下令各部队班师。岳飞上奏说：“金军的锐气已经沮丧，全部抛弃了辎重，急忙逃向黄河北渡，豪杰之士闻风响应，我军士兵正待为国效命，这样的时机不会再来，机会不应轻易失去。”秦桧知道岳飞的志向坚定不可使他改变，就先请求皇帝下令张俊、杨沂中等人撤回军队，然后说岳飞孤军深入不能久留，请求皇帝诏令岳飞班师。一天之内连续接到十二道金字牌，岳飞愤慨惋惜地流下眼泪，朝着东方拜了两拜说："十年的努力，废弃于一旦。"岳飞下令班师，百姓们拦住他的车马放声大哭，诉说道："我们头顶香盆，运送粮草来迎接官军，金人都知道。相公这一走，我们就没有一个人能活着了。"岳飞也悲哀地流下眼泪，取出皇帝的诏令给大家看并说："我不能擅自留下。"哭声震动了田野，岳飞留了五天以等待百姓们内迁，跟随他一起南迁的百姓如同赶集的人一样众多，岳飞立即奏请皇帝拨汉水上游六郡的空闲农田安置这些百姓。

正当兀术弃守汴京北撤时，有一个书生扣住他的马缰绳说："太子不要走，岳少保即将退兵了。"兀术说："岳少保用五百名骑兵打败我的十万人马，京城上下日夜盼望他到来，怎么说可以守得住呢？"书生说："自古以来没有权臣在内，而大将能在外立功的事，岳少保自身难保，还想立功吗？"兀术醒悟，于是留驻汴京。岳飞率军撤回后，原来收复的各州县，马上又重新丧失了。岳飞极力请求解除自己的兵权，皇帝不同意，岳飞从庐山入朝晋见皇帝，皇帝慰问他，岳飞只是拜谢而已。

十一年，谍报金分道渡淮，飞请合诸帅之兵破敌。兀术、韩常与龙虎大王疾驱至庐，帝趣飞应援，凡十七札。飞策金人举国南来，巢穴必虚，若长驱京、洛以捣之，彼必奔命，可坐而敝。时飞方苦寒嗽，力疾而行。又恐帝急于退敌，乃奏："臣如捣虚，势必得利，若以为敌方在近，未暇远图，欲乞亲至蕲、黄，以议攻却。"帝得奏大喜，赐札曰："卿苦寒疾，乃为朕行，国尔忘身，谁如卿者？"师至庐州，金兵望风而遁。飞还兵于舒以俟命，帝又赐札，以飞小心恭谨、不专进退为得体。兀术破濠州，张俊驻军黄连镇，不敢进；杨沂中遇伏而败，帝命飞救之。金人闻飞至，又遁。

时和议既决，桧患飞异己，乃密奏召三大将论功行赏。韩世忠、张俊已至，飞独后，桧又用参政王次翁计，俟之六七日。既至，授枢密副使，位参知政事上，飞固请还兵柄。五月，诏同俊往楚州措置边防，总韩世忠军还驻镇江。

【译文】

绍兴十一年，探子来报金兵分路渡过淮河，岳飞请求集中各位元帅的部队破敌。兀术、韩常与龙虎大王迅速赶到了庐州，皇帝催促岳飞策应增援，总共写了十七封信。岳飞策算金人倾全国兵力南下进犯，其巢穴必然空虚，如果长驱直入到汴京、洛阳以捣毁敌人巢穴，金军一定是疲于奔命地赶回援救，可以坐待敌军疲惫。当时岳飞正苦于患风寒咳嗽，竭力支撑抱病而行。又担心皇帝急于打退敌人，于是上奏说："我如果领兵直捣敌军的空虚地区，势必能取得胜利，假如因为敌人正在近处而没有时间去考虑长远的计划，那就请求陛下亲自到蕲州、黄州，以商议攻守事宜。"皇帝接到此奏大喜，赐给岳飞书信说："你正苦于风寒之疾，却仍然为我领兵前行，为了国家而忘记了自身，谁能比得上你呢？"岳飞率军进至庐州，金兵望风而逃。岳飞把部队撤回舒州等待命令，皇帝又赐给岳飞书信，认为岳飞小心恭谨、不擅自进退是得体的。兀术攻破濠州，张俊所部驻扎在黄连镇，不敢前进；杨沂中所部中了埋伏而战败，皇帝命令岳飞救援他。金人听说岳飞到了，又逃走了。

当时和议之事已经决定，秦桧担心岳飞会反对自己，于是秘密上奏皇帝召还三位大将论功行赏。韩世忠、张俊已经赶到，岳飞一个人后到，秦桧又采用参政王次翁的计策，等待岳飞等了六七天。岳飞来到之后，被任命为枢密副使，位在参知政事之上，岳飞坚决请求交还兵权。五月，皇帝诏令岳飞同张俊前往楚州布置边防，会合韩世忠部队还军驻守镇江。

初，飞在诸将中年最少，以列校拔起，累立显功，世忠、俊不能平，飞屈己下之，幕中轻锐教飞勿苦降意。金人攻淮西，俊分地也，俊始不敢行，师卒无功。飞闻命即行，遂解庐州围，帝授飞两镇节，俊益耻。杨么平，飞献俊、世忠楼船各一，兵械毕备，世忠大悦，俊反忌之。淮西之役，俊以前途粮乏试飞，飞不为止，帝赐札褒谕，有曰："转饷艰阻，卿不复顾。"俊疑飞漏言，还朝，反倡言飞逗留不进，以乏饷为辞。至视世忠军，俊知世忠忤桧，欲与飞分其背嵬军，飞义不肯，俊大不悦。及同行楚州城，俊欲修城为备，飞曰："当戮力以图恢复，岂可为退保计？"俊变色。

会世忠军吏景著与总领胡纺言："二枢密若分世忠军，恐至生事。"纺上之朝，桧捕著下大理寺，将以扇摇诬世忠。飞驰书告以桧意，世忠见帝自明。俊于是大憾飞，遂倡言飞议弃山阳，且密以飞报世忠事告桧，桧大怒。

【译文】

当初，岳飞在各位大将中年龄最小，从小校提拔起来，屡屡立下赫赫战功，韩世忠、张俊都不服气。岳飞就委屈自己，凡事均居于他们之下，幕僚中年轻气盛的人劝告岳飞不要过于谦卑退让。金兵进攻淮西，这是张俊分守的防地，张俊始终不敢有所行动，部队终于没有立功。岳飞接到命令立即行动，于是解了庐州之围，皇帝任命岳飞为两镇节度使，张俊越发感到耻辱。杨么被平定后，岳飞赠送给张俊、韩世忠每人一艘楼船，船上各种武器毕备，韩世忠非常高兴，张俊反倒忌恨岳飞。淮西之役，张俊以前方缺粮吓唬岳飞，岳飞并没有因此停止前进，皇帝赐书褒奖，其中有"转运粮饷遇到艰难险阻，你却义无返顾"这样的话，张俊怀疑岳飞对皇上泄露了自己的话，回到朝廷，反而说岳飞逗留不进，却以缺乏粮饷为借口。去视察韩世忠的部队时，张俊知道韩世忠触犯了秦桧，便打算与岳飞一起瓜分韩世忠的背嵬军，岳飞顾全大义不肯这样做，张俊大为不悦。等到和岳飞同行至楚州城，张俊想修缮城墙来做御敌准备，岳飞说："应当努力地谋取收复失地，岂可做退保自守的打算？"张俊变了脸色。

正好韩世忠的军吏景著对总领胡纺说："两位枢密使如果瓜分了韩世忠的部队，恐怕要发生事变。"胡纺把他的话上报了朝廷，秦桧逮捕景著投入大理寺，准备以此事煽动谣言诬陷韩世忠。岳飞急忙写信给韩世忠告以秦桧的用心所在，韩世忠面见皇帝自己讲明了事情的缘由。张俊从此对岳飞大为不满，于是造谣岳飞倡议放弃山阳，并且秘密地把岳飞报信给韩世忠这件事告诉了秦桧，秦桧大怒。

初，桧逐赵鼎，飞每对客叹息，又以恢复为己任，不肯附和议。读桧奏，至"德无常师，主善为师"之语，恶其欺罔，恚曰："君臣大伦，根于天性，大臣而忍面谩其主耶！"兀术遗桧书曰："汝朝夕以和请，而岳飞方为河北图，必杀飞，始可和。"桧亦以飞不死，终梗和议，己必及祸，故力谋杀之。以谏议大夫万俟卨与飞有怨，风卨劾飞，又风中丞何铸、侍御史罗汝楫交章弹论，大率谓："今春金人攻淮西，飞略至舒、蕲而不进，比与俊按兵淮上，又欲弃山阳而不守。"飞累章请罢枢柄，寻还两镇节，充万寿观使、奉朝请。桧志未伸也，又谕张俊令劫王贵、诱王俊诬告张宪谋还飞兵。

桧遣使捕飞父子证张宪事，使者至，飞笑曰："皇天后土，可表此心。"初命何铸鞫之，飞裂裳以背示铸，有"尽忠报国"四大字，深入肤理。既而阅实无左验，铸明其无辜。改命万俟卨。卨诬：飞与宪书，令虚申探报以动朝廷，云与宪书，令措置使飞还军；且言其书已焚。

飞坐系两月，无可证者。或教卨以台章所指淮西事为言，卨喜白桧，簿录飞家，取当时御札藏之以灭迹。又逼孙革等证飞受诏逗遛，命评事元龟年取行军时日杂定之，傅会其狱。岁暮，狱不成，桧手书小纸付狱，即报飞死，时年三十九。云弃市。籍家赀，徙家岭南。幕属于鹏等从坐者六人。

【译文】

当初，秦桧排挤走了赵鼎，岳飞常常为此对宾客叹息，又把收复中原失地当作自己的责任，不肯附和议和的主张。阅读秦桧的奏章，读到"德行没有常师，主张为善就可以为师"的话时，厌恶他欺君罔上，愤愤地说："君臣这个大伦常，根源在于天性，身为大臣能忍心当面欺骗他的皇帝吗？"兀术给秦桧的信中说："你早晚都在请求议和，然而岳飞却正在图谋进取河北，必须杀掉岳飞，才可以议和。"秦桧也认为如果岳飞不死，终究会阻碍议和，自己也必然受祸，所以极力谋划杀死岳飞。因为谏议大夫万俟卨与岳飞有怨仇，就指使万俟卨弹劾岳飞，又示意中丞何铸、侍御史罗汝楫接连上奏章弹劾岳飞，大概意思是说："今年春天金人进攻淮西，岳飞进军至舒州、蕲州就不再前进，近来他与张俊驻守于淮河岸边，又打算放弃山阳而不去防守。"岳飞几次上奏章请求罢免自己的枢密副使的职务，不久交还两镇节度使的符节，充任万寿观使、奉朝请。秦桧的意图还未全部得逞，又指示张俊威逼王贵、诱使王俊诬告张宪策划把兵权还给岳飞。

秦桧派使者逮捕岳飞父子来证实张宪的事情，使者到时，岳飞笑着说："皇天后土，可以证明我这颗心。"开始命令何铸审讯岳飞，岳飞撕开衣裳把后背给何铸看，上面有"尽忠报国"四个大字，深深地刺入皮肤的纹理之中。没多久查明实在没有佐证，何铸判岳飞无辜。秦桧改命万俟卨审理。万俟卨诬陷说：岳飞写信给张宪，命令张宪谎报军情以震动朝廷视听，而且岳云写信给张宪，要张宪采取措施使岳飞回到军中；并且说这些信已经焚毁。

岳飞被囚禁两个月，没有找到可以证明他有罪的证据。有人教万俟卨以御史台奏章所指责的淮西一事为证言，万俟卨高兴地告诉秦桧，查抄登记岳飞的家产，拿走了当时皇帝给岳飞的亲笔信藏起来消除不利于审讯的字迹。又逼迫孙革等人证明岳飞接受诏令后仍然逗留不前，命令评事元龟年将岳飞在淮西的行军日程混杂排定，以附会岳飞之案。年底，此案仍无法成立，秦桧亲手写了一张小纸条交给狱官，立即报告岳飞已经死了，这年他三十九岁。岳云在闹市被斩首示众。登记并没收岳飞的家产，迫令他全家迁往岭南。岳飞的幕僚于鹏等六人也被牵连定罪。

初，飞在狱，大理寺丞李若朴何彦猷、大理卿薛仁辅并言飞无罪，卨俱劾去。宗正卿士㒟请以百口保飞，卨亦劾之，窜死建州。布衣刘允升上书讼飞冤，下棘寺以死。凡傅成其狱者，皆迁转有差。

狱之将上也，韩世忠不平，诣桧诘其实，桧曰："飞子云与张宪书虽不明，其事体莫须有。"世忠曰："'莫须有'三字，何以服天下？"时洪皓在金国中，蜡书驰奏，以为金人所畏服者惟飞，至以父呼之，诸酋闻其死，酌酒相贺。

【译文】

当初，岳飞关在狱中，大理寺丞李若朴、何彦猷、大理卿薛仁辅都说岳飞无罪，万俟卨全把他们弹劾赶走。宗正卿赵士㒟请求用全家一百口人的性命担保岳飞，万俟卨也弹劾他，被放逐到建州而死。平民刘允升上书朝廷申诉岳飞冤枉，被关进大理寺后死去。凡是附会参与并促成岳飞冤狱的人，都不同等级地升了官职。

岳飞一案将要上报了，韩世忠愤愤不平，他来到秦桧处质问有无真实凭据，秦桧说："岳飞的儿子岳云写信给张宪这件事虽然还不太明确，但这件事或许有。"世忠说："'或许有'三个字，怎么能使天下人信服？"当时洪皓正在金国，派人把一封蜡丸信飞驰奏报皇帝，信中说金人所畏服者只有岳飞，甚至称呼他为岳爷爷，金国的各大首领听说岳飞的死讯，饮酒互相庆贺。

飞至孝，母留河北，遣人求访，迎归。母有痼疾，药饵必亲。母卒，水浆不入口者三日。家无姬侍。吴玠素服飞，愿与交欢，饰名姝遗之。飞曰："主上宵旰，岂大将安乐时？"却不受，玠益敬服。少豪饮，帝戒之曰："卿异时到河朔，乃可饮。"遂绝不饮。帝初为飞营第，飞辞曰："敌未灭，何以家为？"或问天下何时太平，飞曰："文臣不爱钱，武臣不惜死，天下太平矣。"

师每休舍，课将士注坡跳壕，皆重铠习之。子云尝习注坡，马踬，怒而鞭之。卒有取民麻一缕以束刍者，立斩以徇。卒夜宿，民开门愿纳，无敢入者。军号"冻死不拆屋，饿死不卤掠"。卒有疾，躬为调药；诸将远戍，遣妻问劳其家；死事者哭之而育其孤，或以子婚其女。凡有颁犒，均给军吏，秋毫不私。

【译文】

岳飞侍奉双亲非常孝顺，母亲留在河北，岳飞派人寻找访求，迎接老人家南归。他母亲有顽症，药物补品等事岳飞必定要亲手调理。母亲去世时，岳飞三天滴水未沾。家中没有姬妾服侍。吴玠一向佩服岳飞，愿意与他结为好友，打扮了一位有名的美女送给他。岳飞说："皇上每天天不亮就起身处理公务，很晚才吃饭，现在哪里是大将享受安乐的时候？"推却不受，吴玠由此更加尊敬佩服他。岳飞年轻时喜欢喝酒，皇帝告诫他说："你将来打到河朔地区，就可以喝了。"于是戒酒不再喝了。皇帝当初为岳飞建造府宅，岳飞辞谢说："敌寇没有消灭，要家干什么？"有人问天下何时能太平，岳飞说："文臣不爱钱，武将不怕死，天下就会太平了。"

岳飞率部队每次驻扎休整，都训练将士们从斜坡上骑马急驰而下跳跃壕沟，并且都穿着重甲练习这些课目。他的儿子岳云曾经练习从斜坡上骑马急驰而下，战马跌倒，岳飞十分生气而鞭打岳云。有一名士兵拿了老百姓的一缕麻用来捆扎喂牲口的草，岳飞立即将他斩首示众。士兵夜间宿营，老百姓打开房门愿意让他们进屋休息，但没有一个人敢进入房中的。岳飞的部队号称"冻死不拆屋，饿死不掳掠"。士兵有病，岳飞亲自为他调药；诸将远征，岳飞派自己的妻子慰劳他们的家眷；战死的将领，岳飞为之哭泣并养育他们的孤儿，或者让儿子娶阵亡将领的女儿为妻。凡是有朝廷颁发下的犒赏，全都平均分配给部下军吏，秋毫不据为私有。

善以少击众。欲有所举，尽召诸统制与谋，谋定而后战，故有胜无败。猝遇敌不动，故敌为之语曰："撼山易，撼岳家军难。"张俊尝问用兵之术，曰："仁、智、信、勇、严，阙一不可。"调军食，必蹙额曰："东南民力，耗敝极矣。"荆湖平，募民营田，又为屯田，岁省漕运之半。帝手书曹操、诸葛亮、羊祜三事赐之。飞跋其后，独指操为奸贼而鄙之，尤桧所恶也。

张所死，飞感旧恩，鞠其子宗本，奏以官。李宝自楚来归，韩世忠留之，宝痛哭愿归飞，世忠以书来谂，飞复曰："均为国家，何分彼此？"世忠叹服。襄阳之役，诏光世为援，六郡既复，光世始至，飞奏先赏光世军。好贤礼士，览经史，雅歌投壶，恂恂如书生。每辞官，必曰："将士效力，飞何功之有？"然忠愤激烈，议论持正，不挫于人，卒以此得祸。

桧死，议复飞官。万俟卨谓金方愿和，一旦录故将，疑天下心，不可。及绍兴末，金益猖獗，太学生程宏图上书讼飞冤，诏飞家自便。初，桧恶岳州同飞姓，改为纯州，至是仍旧。中丞汪澈宣抚荆、襄，故部曲合辞讼之，哭声雷震。孝宗诏复飞官，以礼改葬，赐钱百万，求其后悉官之。建庙于鄂，号忠烈。淳熙六年，谥武穆。嘉定四年，追封鄂王。

五子：云、雷、霖、震、霆。

【译文】

岳飞作战善于以少击众，将要有所行动，把各位统制全部召来参与计划，谋略制定以后再出战，所以只有胜利没有失败。突然与敌军遭遇也镇定自若。因此敌军这样评价岳飞的部队："摇撼大山容易，撼动岳家军困难。"张俊曾经向岳飞询问用兵的方法，岳飞答道："仁义、智谋、信用、勇敢、严格，缺一不可。"每当征调军粮，必定皱着额头说："东南地区的民力，消耗凋敝到极点了。"荆湖一带平定后，岳飞招募百姓营田，又开始发动士兵屯田，每年节省了一半漕运之粮。皇帝亲笔书写了曹操、诸葛亮、羊祜三个人的事迹赐给岳飞。岳飞在皇帝书后写上跋语，特地指出曹操是奸贼而鄙视他，这件事尤其为秦桧所恼恨。

张所死后，岳飞感念其旧恩，于是抚养他的儿子张宗本，举奏为官。李宝从楚州来归附，韩世忠留下他，李宝痛哭流涕地说愿意归属到岳飞部下，韩世忠写信来告诉这件事，岳飞复信说："都是为了国家，何必要分彼此？"韩世忠为此叹服不已。襄阳战役时，皇帝诏令刘光世增援，六郡已经收复，刘光世才率军赶来，岳飞上奏请皇帝先犒赏刘光世的部队。岳飞喜好贤才，礼遇士大夫，遍览经史典籍，歌唱雅诗，投壶为乐，谦虚谨慎地如同一位书生。每次辞官，必然说："将士们为国效力，我有什么功劳？"然而天性忠愤激烈，议论人与事能坚持公道，不屈服于人，最终因此而蒙受灾祸。

秦桧死后，讨论恢复岳飞原来的官职。万俟卨说金国刚愿意讲和，一旦录用以前的将领，会使天下人疑惑不解，不可以这样做。到了绍兴末年，金国日益猖獗，太学生程宏图上书朝廷为岳飞申冤，皇帝下诏允许岳飞家属自行选择居住地。起初，秦桧讨厌岳州与岳飞的姓氏相同，把岳州改名为纯州，到这时又改回旧名，称为岳州。中丞汪澈宣抚荆、襄地区，岳飞过去的老部下联合上书向汪澈申诉岳飞的冤屈，哭声如同雷震一般。孝宗下诏恢复岳飞官职，用礼仪改葬，赐给岳飞家属钱一百万贯，寻求岳飞的后代全部授予官职。在鄂州建庙，号称忠烈庙。淳熙六年，朝廷为岳飞定谥号为武穆。嘉定四年，追封岳飞为鄂王。

岳飞有五个儿子：岳云、岳雷、岳霖、岳震、岳霆。